DELILAH

Familiegedoe@home

Sarah Ockler

DELILAH

Familiegedoe@home

Uit het Engels vertaald door Sanne Parlevliet

Van Goor

Voor mijn moeder, Sharon Ockler,
die al onze familieverhalen,
foto's en andere kostbaarheden bewaart.
En voor mijn vader, Steven Ockler,
die zo verzot is op ahornbonbons
dat ze meekwamen naar Red Falls.

ISBN 978 90 00 30009 9
NUR 285
© 2012 Van Goor
Uitgeverij Unieboek|Het Spectrum bv, postbus 97, 3990 DB Houten

oorspronkelijke titel *Fixing Delilah*
oorspronkelijke uitgave © 2010 Little, Brown and Company, New York

www.van-goor.nl
www.unieboekspectrum.nl

tekst Sarah Ockler
vertaling Sanne Parlevliet
omslagontwerp Erwin van Wanrooy
zetwerk binnenwerk Mat-Zet bv, Soest

Hoofdstuk 1

'Claire? Met Rachel. Ik vrees dat ik slecht nieuws heb.'

Hoofdstuk 2

Mam en ik hebben vannacht niet geslapen. Zij heeft de uren voor zonsopgang besteed aan tassen inpakken, e-mails doorsturen en lijstjes maken met verschillende kleuren pen, terwijl ik op de bank hing, koude koffie dronk en probeerde niet te veel vragen te stellen. Ik zat al genoeg in de problemen nog vóórdat het telefoontje van tante Rachel haar de versnelling in joeg en mijn plannen voor de zomer in de war schopte.

'Daar gaan we dan,' zegt mam nu. Ze drukt op het knopje voor de centrale vergrendeling en rijdt de donkerblauwe Lexus Sedan achteruit de oprit af. Eigenlijk is het een metallic blauwe Lexus Sedan, geen donkerblauwe. De rekening voor de verfbeurt hangt nog op het prikbord boven mijn bureau, om me eraan te blijven herinneren dat ik haar nog geld schuldig ben voor de deuken en krassen die ik heb veroorzaakt toen zij vorige maand de stad uit was.

Drie tassen heb ik meegenomen voor heel deze beroerde rotzomer, inclusief de rugzak tussen mijn voeten en een lange zwarte jurk voor de begrafenis. De rest van de metallic blauwe kofferbak en de kasjmierkleurige leren binnenkant staat vol met mams bij elkaar passende koffers en zorgvuldig gelabelde dozen met mappen, fijnschrijvers, computersnoeren, een apparaat dat kan printen, scannen en faxen in één, en – voor het geval ze tijdens ons gezellige familie-uitje haar managementkwaliteiten moet laten zien – een verzameling modieuze pakken in grijsbruin, marineblauw en klassiek zwart.

'Na. Honderdtwintig meter. Links afslaan.'

Een onzichtbare vrouw van planeet Monotoon, waar iedereen kalm is en uitgerust met een uitstekend oriëntatievermogen, leidt ons naar de snelweg, maar mam luistert niet. Als vicevoorzitter van DKI – 'het meest prestigieuze bedrijf voor merkontwikkeling van de oostkust' – kan mam multitasken als de beste. Ze zou nog met haar ogen dicht een broodje kunnen eten, de krantenkoppen scannen en de 178 op gaan tegelijk. Zelfs met slaapgebrek rijdt ze nog zonder moeite, met één hand aan het stuur, de gemanicuurde vingers van haar andere hand tikkend tegen de touch screen van de telefoon die in het dashboard gemonteerd zit. Ze heeft acht telefoontjes naar de voicemail van haar secretaresse nodig om te vertellen wat ik met één sms'je duidelijk maak aan Finn, mijn scharrel:

Familiegedoe. @Vermont deze zomer. Ltzzz.

'Na. Tweeënhalve kilometer. Rechts invoegen.'

Mam kijkt in de achteruitkijkspiegel en schuift de rechterbaan op. 'Blik op de weg, denk aan het doel en alles komt goed,' zegt ze en ze klopt op het stuur. Dat is haar wapenkreet, ze heeft het vanmorgen al drie keer gezegd. Mams leuzen zouden het goed doen op affiches. Mam over huiswerk maken zonder haar hulp: *Hoe meer je erin stopt, hoe meer je eruit haalt.* Mam over werken in het weekend: *Alleen met het zaad van hard werken oogst je een tevreden klant.* Mam over koken: *Ik moet vanavond overwerken, Del. In het koffieblik zit geld om pizza of Indiaas te halen.*

Ik wil haar best geloven vandaag, maar vanuit de bijrijderstoel ziet het er niet al te best uit.

Ondanks al het belastende bewijs ben ik echt geen type om auto's in de prak te rijden. En ik ben ook geen lippenstift-stelend, spijbelend, met-vage-bekenden-in-de-bosjes-duikend type, of iemand die al haar waardigheid verliest vanwege een aanstootgevende foto op een ordinaire blog. Toch zijn dat de bewijzen, bewijsstuk A tot en met E, en ze pleiten allemaal tegen mij. En nu zit ik hier als de *bad guy* in een politieserie, in de boeien geslagen op een vliegtuigstoel. Maar in plaats van met een knappe politieman van het type ruwe-bolster-blanke-pit als bewaker, zit ik zeven uur lang met Commandant Mam en haar hele arsenaal aan mobiele communicatieapparatuur opgescheept.

Ik keer me van haar af en zet mijn zonnebril op, zodat ze de tranen in mijn ogen niet kan zien. Maar het is al te laat.

'Delilah, we hebben het er al over gehad. Je kunt niet hier in Key blijven. Punt uit.' Ze zegt het alsof het een of ander belangrijk bevel van de Hoge Raad is. Ik moet me inhouden om niet, zoals gewoonlijk, te reageren met 'ik wou dat ik nog een vader had, want hij zou veel beter zijn in [vul hier een of andere opvoedingsstrategie in]'.

Terwijl ze op mijn been klopt om het te benadrukken, vervolgt mam: 'Het is niet alleen het stiekem wegglippen en de winkeldiefstal.' *Klop, klop, klop.*

'Hoe vaak moet ik het nou nog zeggen?' vraag ik. 'Het ging per ongeluk!' Dat is écht zo. Ik had niet eens door dat ik die lippenstift nog in mijn hand had toen ik gisteren, verveeld en moe van het in mijn eentje door het winkelcentrum slenteren, de drogist uit liep.

'Per ongeluk,' zegt mam. 'Net als met de auto? Net als met je cijfers?' Ze schudt haar hoofd. 'Het doet er niet toe, Delilah. Er is een hoop te doen daar.' *Klop, klop, klop.* 'Je zou sowieso mee moeten.'

Prima. Laat haar maar denken dat ze een belangrijke slag gewonnen heeft in onze voortdurende strijd, maar als het anders was geweest tussen ons, meer zoals het vroeger was, dan zou ik mee willen. Niet alleen omdat ik wel een pauze kan gebruiken van Finn en zo ongeveer iedereen die ik ken in Pennsylvania, maar omdat dan niets zo belangrijk zou zijn als mijn moeder en tante door deze ellende heen helpen en alle losse eindjes aan elkaar helpen knopen: de drie overgebleven Hannaford-vrouwen eendrachtig en sterk als een onzinkbaar schip.

Maar zo is het niet. Zij is zij en ik ben ik en om ons heen ligt een oceaan vol troep en onbegrip, vol piraten en haaien die liggen te loeren wie van ons er als eerste in valt.

'Volg de snelweg. Tachtig kilometer.'

Na die aanwijzing geeft mam gas en zet ze de angstaanjagend kalme TomTom-vrouw uit. We zijn terug op planeet Stress, alleen met z'n tweeen, en alles wat ongezegd is gebleven wordt door de airco alleen nog maar ondraaglijker.

'Nu je toch niet weg kunt,' zegt ze, terwijl ze de auto op cruisecontrol zet als het wat rustiger wordt op de weg, 'met wie ben jij gisteravond stiekem weggeglipt?'

Gisteravond.

Je zou verwachten dat iemand die je halfnaakt heeft gezien iets meer zijn best zou doen om je op tijd op te halen. Nou, Finn Gallo niet, met zijn drie kwartier vertraging. Zittend achter het stuur van zijn oude zilveren Toyota doofde Finn zijn peuk in de asbak en zette de radio zachter terwijl hij een blauw rookwolkje uitblies. Hij zei niet: 'Bedankt dat je in het donker op me hebt staan wachten,' of: 'Sorry dat ik je leven in gevaar breng door zo laat te komen,' of: 'Sta me toe mijn verontschuldigingen aan te bieden in de vorm van dit prachtige boeket lavendelblauwe rozen.' Hij legde gewoon zijn hand koel en sterk in mijn nek, trok me naar zich toe en maakte op een of andere manier alles goed wat hij ooit in zijn leven fout had gedaan.

Finn parkeerde tussen twee pijnbomen op ons plekje in het bos bij Seven Mile Creek en zette de motor uit. Hij vroeg hoe het ging en ik haalde mijn schouders op. Ik had de hele avond ruziegemaakt met mam over die lippenstift en ik had geen zin om te praten. Finn en ik zijn sowieso niet zo goed in praten.

Dus praatten we niet.

Tante Rachel zegt dat het universum boodschappen uitzendt en geen tijd verspilt aan zaken die we toch niet kunnen beïnvloeden of veranderen. Maar als dat zo is, moet het universum wat duidelijkere signalen geven. Want als Finn me kust wordt al het andere in mijn leven net zo grijs, wazig en bijna onzichtbaar als de pijnbomen van New England in de ochtendmist.

Gisteravond lag Finns vertrouwde, stevige lichaam tegen het mijne, de avondlucht voelde koel op mijn wangen, onder mijn billen voelde ik stenen, stokjes en allerlei levends. De maan scheen door de takken van de pijnbomen boven ons. Toen het voorbij was, stak Finn een nieuwe sigaret op, stond op en hielp me overeind. Ik klopte de dekens uit, rolde ze op en trok de blaadjes uit mijn haar. Eén voor één dwarrelden ze naar beneden en vielen aan mijn voeten. En toen hij, met het maanlicht zacht en blauw op zijn huid, ondeugend naar me lachte, wilde ik daar voor eeuwig blijven. Me verstoppen. Vergeten. De doffe pijn van het missen verdoven. Mijn moeder met haar dure auto en haar overwerk op kantoor uit mijn geheugen wissen. De lege plekken die mijn vader, die nog voor mijn geboorte is vermoord, had achtergelaten opvullen met iets anders dan al die onbeantwoordbare vragen.

Maar het was tijd. Finn zette me af op de hoek. Hij noemde me Lilah, met die duivelse grijns van hem, en deed alsof hij afkeurend zijn hoofd schudde. Daar krijg ik altijd de rillingen van. Maar hij zei geen gedag. Hij zwaaide ook niet. En hij bleef ook niet in het donker staan wachten tot ik veilig binnen was. Hij reed gewoon weg en ik liep de andere kant op. De afstand tussen ons werd groter en groter.

Toen ik binnenkwam, zat mam op de rand van mijn bed. Speciaal ter gelegenheid van mijn opkomst door het open raam om twee uur 's nachts met bladeren in mijn haren, had zich boven haar wenkbrauwen een nieuwe rimpel gevormd.

'Hier komen, Delilah,' zei ze terwijl ze de rest van mijn lichaam naar binnen trok. *Ik heb geen zin in spelletjes.* Dat laatste over die spelletjes zei ze niet echt. Dat hoefde ze niet te zeggen. Ik klom naar binnen, ging op mijn bed zitten en beet op mijn nagels terwijl zij verslag deed van de afgelopen vijftien minuten, waarbij ze afwisselend haar vinger vermanend in de lucht stak en stampte met haar voet. Ze had de hele tijd (vinger) in mijn kamer (voet) op me zitten wachten (vinger) met nieuws van tante Rachel.

Ik spuugde een stukje duimnagel uit en keek haar aan. Mijn blik deed niet onder voor de enorme woede in haar ogen, terwijl zij vertelde wat haar zus van de medewerkers van het ziekenhuis in Vermont had gehoord.

Elizabeth Rose Hannaford, mijn oma wier naam ik acht jaar lang niet had mogen uitspreken, was dood.

'Ik heb het gisteravond toch al gezegd,' zeg ik tegen mam, terwijl ik het raam een stukje opendoe om de kilte in de auto te verdrijven. 'Ik had lucht nodig.'

Mams stem slaat over. Ik zie het aankomen en wens in stilte dat ze ergens tussen al die kleren haar kalmeringspillen heeft ingepakt. Ik bedenk hoeveel het ons allebei zou schelen als haar preken via de TomTom zouden komen.

'Delilah. Ik. Werd. Gisteren. Weggeroepen. Van mijn werk. Om. Jou. Uit die. Drogist. Op te halen.' Na. Tien kilometer.

'Nou en?'

'Je had huisarrest! Je bent gisteren bijna gearrestéérd!' zegt ze, alsof ik de pathetische tirade over de verderfelijke jeugd van tegenwoordig van de rechercheur was vergeten. 'Eén dollar meer,' had hij gewaarschuwd, terwijl hij met zijn knokkels op mijn schouder klopte, 'en we hadden je moeten arresteren.'

'Hebben gevangenen geen recht op frisse lucht?' vraag ik. 'Waarom trek je de volgende keer niet gewoon al mijn nagels eruit?'

'Ongelooflijk, Delilah. Ik dacht echt dat ik op je kon re...'

Trrrr.

'Wacht. Deze moet ik even opnemen.' Mam drukt op een knopje op het dashboard en zet haar werkstem op. 'Met Claire Hannaford.'

Op haar werk ligt een kaartje naast haar telefoon:

☺ smile before you dial! ☺
glimlach voor een ontspannen stem aan de telefoon!

Ze doet het nog ook. Zelfs in de auto. Geen wonder dat ze zo goed is in het creëren van heel nieuwe imago's voor bedrijven voor DKI. Ze creëert elke vijftien minuten een heel nieuw imago voor zichzélf.

Ik draai mijn raampje helemaal open en steek mijn arm naar buiten. De wind suist langs mijn vingers en draagt mijn hand over de snelweg langs oranje paaltjes en waarschuwingsborden tot mam me in mijn ribben port. 'Ik zit aan de telefoon,' bewegen haar lippen geluidloos. Ze glimlacht nog steeds, maar haar ogen staan wijd open en kwaad wanneer ze draaiend met haar hand duidelijk probeert te maken dat ik het raam dicht moet doen. Ik doe net alsof ik aan een niet-bestaande hendel draai. Ze sluit het raam met het knopje aan haar kant en zet hem op het veiligheidsslot.

'Sorry voor het lawaai,' vervolgt ze in haar headset. 'Ja, de laatste factuur is donderdag verzonden met een betalingstermijn van dertig dagen.'

De zon is nu helemaal op en maakt de oranjeroze lucht fletsbleek. Lijkbleek. Het is afschuwelijk vroeg en het daglicht doet pijn aan mijn ogen. Vanmorgen regende het nog. Dat was vlak nadat ik had gehoord over dit rampzalige plan voor de zomer. Ik vond het wel toepasselijk. Het asfalt is nu volkomen effen, waardoor de wielen zachtjes ruisen, hypnotiserend als de oceaan. Het geluid doet me denken aan ons tripje naar de kust van Connecticut op Memorial Day toen ik zes was – wij alleen met zijn tweeën. Dat is de enige keer dat ik ooit de oceaan heb gezien. De eerste dag konden we niet zwemmen omdat het regende, dus liepen we met felgele regenjassen over onze zwemkleren langs het strand op zoek naar schelpen en zeeglas en kleine, versufte kreeftjes. De volgende dag regende het nog steeds, dus bleven we in het pension. We aten Doritos uit de automaat en keken films op de kabel-tv – voordat mam bij DKI ging werken was dat voor ons een luxe. Zelfs toen ik per ongeluk de veiligheidspin uit de brandblusser trok en een massa wit schuim op de grond spoot, lachte ze en ze rende achter mijn kleine witte voetsporen aan toen ik naar de badkamer spurtte om me te verstoppen. De laatste dag kwam de zon tevoorschijn en konden we in de oceaan zwemmen. Er waren geen strandwachten, alleen mams hand stevig om de mijne, terwijl de golven om ons heen donderden.

's Avonds laat, onderweg terug naar Pennsylvania, aaide ze over mijn wang en zong zachtjes mee met oude popliedjes op de radio. Ik deed net alsof ik sliep, zodat ze er niet mee zou ophouden.

Na het telefoontje doet mam de radio aan en ik draai me van haar weg. Het glas van mijn raampje beslaat door mijn adem. Terwijl de nieuwszender eindeloos doorzeurt over recente economische ontwikkelingen, volg ik een achtergebleven regendruppel die langs de binnenkant van het raampje naar mijn schouder glijdt. Soms denk ik erover om mam te vertellen hoe vervelend ik het vind om elke middag alleen thuis te zijn en de televisie aan te doen zodat ik kan doen alsof ik gezelschap heb. Al die afhaalmaaltijden aan de grote eettafel met de lege stoelen en in mijn hoofd de onzichtbare gasten die onzichtbare soep eten en verzonnen wijn drinken. Dan wil ik haar wel door elkaar schudden en schreeuwen dat met al dat harde werken van haar om onze toekomst veilig te stellen de sansevieria's in de kamer meer over mijn leven weten dan zij. Dat ik de hele boel plat zou branden als dat zou betekenen dat we opnieuw konden beginnen met niets dan de oceaan, een chipsautomaat en gratis kabeltelevisie. Aan de andere kant, een aanklacht wegens brandstichting kan ik niet echt gebruiken.

'In dit tempo komen we er nooit,' zegt mam, terwijl ze zich naar me toe draait om de rechterbaan te controleren en invoegt. Tegen het benauwende beige van de binnenkant van de auto ziet ze er zwak en verslagen uit, tien jaar ouder dan gisteren voordat ze hoorde dat haar moeder dood is. Het is net een laagje make-up, een flinterdun laagje vastberadenheid dat afschilfert en alle beschadigingen die daaronder lagen blootlegt.

'Mam, ik... het spijt me heel erg van...'

Trrrr.

'Wacht even, Delilah.' Mam houdt één hand aan het stuur, met de andere zoekt ze naar het juiste knopje. Haar vingers prikken in het dashboard als een vogel op zoek naar wormen, en mijn onuitgesproken uiting van medelijden stokt en schiet terug in mijn keel. Aan de telefoon verraadt madam Claire Hannaford niets van onze moeilijkheden. Maar terwijl zij haar succesvolle glimlach opzet om de beller te woord te staan, wordt het gevoel dat als een blok op mijn maag ligt zwaarder.

Angst.

Kil en bewegingloos, druipend van de sombere herinneringen aan de plek waar we naartoe gaan. De plek waar zij en tante Rachel samen opgroeiden en waar ik, hoewel mijn herinneringen wazig zijn, een deel van mijn jeugd heb doorgebracht. De plek die ik na de begrafenis van opa acht jaar geleden moest vergeten. Die plek rukt zich plotseling los uit de duistere kelder van mijn herinneringen, met alle zwartgeblakerde Hannaford-geheimen als enorme, onafstofbare spinnenwebben eraan vast.

De spanning kruipt als jeuk onder mijn huid.

Ik haal een Snickers uit mijn rugzak en bied mam de eerste hap aan, maar ze weigert, wappert haar hand voor me heen en weer alsof ze een vlieg wegjaagt. Na het telefoontje slaakt ze een diepe zucht, trekt de headset uit haar oor en zet de TomTom weer aan.

'Herberekenen. Red Falls. Vermont.'

'Mam?'

'Nu even niet, Delilah. Ik ben aan het rijden.'

'Bestemming gevonden,' kondigt mevrouw TomTom aan. 'Bestemming bereikt over. Driehonderd. Dertig. Kilometer.'

Hoofdstuk 3

Mam is verdwenen.

De autoramen staan open, er waait een zacht briesje langs mijn huid en door de takken van een grote treurwilg naast de onbekende oprijlaan waar we zijn gestopt. Ik trek mijn wang los van de kasjmierleren stoel, schud de slaap van me af, pak mijn rugzak en stap uit de auto.

Aan het einde van de oprijlaan staat een huis, groot en stevig, mosterdgeel met wit houtwerk. Aan beide zijden van het huis staan rijen gigantische esdoorns, die tot in de hemel lijken te reiken.

Ik ken die bomen.

Dit is het huis aan het meer van Red Falls waar ik acht jaar lang al mijn zomers heb doorgebracht. Het huis van mijn grootouders. We zijn er.

Alleen ten opzichte van mij lijkt het oude huis te zijn veranderd. Ik ben groter. Het huis is kleiner. Ik ben ouder. Het huis is oeroud. Verder heeft het nog dezelfde kleur als ik me herinner, maar aan de onderkant bladdert de verf in gouden krullen af, als luie narcissen in de lente. De luiken hangen los, ze zijn kromgetrokken, sommige gaan naar beide kanten open, andere zitten dicht of halfdicht, gluren naar me alsof het huis me na al die jaren niet meer herkent.

Ik trek mijn rugzak strak om mijn schouders en loop langs een rij esdoorns die me om het huis heen naar achteren leiden. De tuin strekt zich warm en zonovergoten uit over de heuvel naar het meer van Red Falls beneden. Het water, rood noch vallend, ziet eruit als een gigantische blauwe walvis, vredig glinsterend achter de tribunes op de westelijke oever. Ze hielden hier vroeger bootraces, met veel lawaai en geloei en rookwalmen. Ik weet nog hoe ik me met kleine Ricky, het buurjongetje, onder de tribunes verstopte, door de viezigheid kroop op zoek naar weggegooide frisdrankblikjes die we in het dorp konden inwisselen voor stuivers om snoep van te kopen.

Kleine Ricky. Ik kijk over de tuin heen naar de blauw-witte villa ernaast en vraag me af of zijn familie er nog woont. We konden toen zo goed met elkaar opschieten: beste vrienden voor de zomer. Zelfs nu kan ik me het gevoel nog herinneren, we plakten aan elkaar vast als magneten aan een koelkast. Vreemd, hoe iemand zo'n belangrijk deel van je leven kan uitmaken, je lacht om dezelfde grapjes, je houdt van hetzelfde ijs, je deelt je speelgoed, je dromen en alles behalve je hartslag en dan op een dag – niets meer. Van de ene op de andere dag deel je níéts meer. Alsof het nooit gebeurd is.

Maar het is wél gebeurd, dat weet ik zeker nu de herinneringen plotseling uit hun schuilplaatsen naar boven komen bij het zien van het huis. Mijn keel knijpt dicht, er komt een brok omhoog van allerlei dingen die ik tegen mijn moeder zou willen schreeuwen. Het is háár schuld dat mijn oma hier helemaal alleen en vergeten is gestorven. Het is háár schuld dat thuis alle dagen op elkaar leken van saaiheid, een dikke grijze brij van 'Blijf maar niet voor me op. Vanavond niet. Nu niet.' Ik kijk naar de bomen en het gras en het meer en vraag me af: is dit ook mijn lot? Rij ik over twintig jaar ook met mijn dochter door het land, terug naar mijn moeders huis in Key om te begraven wat ik zo lang heb geprobeerd te vergeten?

Als ik mijn moeder op de heuvel zie zitten, droog ik mijn ogen met de rug van mijn hand en stamp door de tuin, klaar om alles wat ik tijdens de lange rit vanaf Pennsylvania heb opgekropt eruit te gooien. Maar zodra ik haar van dichtbij zie zitten in het gras, uitkijkend over het meer met dezelfde naam als het dorp, verdwijnt al mijn vechtlust en die maakt plaats voor iets ergers.

Vrees.

Deze stilte past niet bij Claire Hannaford. Ze ziet er kwetsbaar uit, lijkt ver weg. Ze kijkt een tijdje naar me met haar hoofd scheef, haar bruingrijze haarlokken waaien zachtjes voor haar ogen als ik dichterbij kom. Ik vraag me af of ze aan haar overleden moeder denkt, of aan tante Rachel, of aan haar zusje dat stierf toen ze nog jong waren, of aan het telefoontje van de beveiligingsbeambte van de drogist, of misschien wel aan de lisdodden langs het meer – hoe ze die vroeger afsneed met een zakmes en mij ermee achternazat, terwijl opa zat te lachen in zijn rolstoel op het gras en circusdieren aanwees in de wolken boven ons hoofd.

'Mam?' Terwijl ik dichterbij kom wrijf ik over mijn armen, hoewel het niet zo koud is dat je kippenvel krijgt.

'Ik kon niet naar binnen,' zegt ze terwijl ze handenvol gras uit de grond trekt. 'Ik ben de oprijlaan af gelopen, maar zodra ik die kamperfoelie rook, durfde ik niet meer in de buurt van de deur te komen.'

Ik ga naast haar op de grond zitten. Ik raak haar niet aan, zeg niets. Ik heb het gevoel dat ik klem zit tussen mijn harde kant, die vooral een hekel aan haar heeft, en de kant die het verschrikkelijk vindt om haar zo onzeker te zien.

'Ik kan gewoon niet geloven dat mijn moeder dood is, Engeltje.'

Haar oude koosnaampje past niet meer bij me, net zoals dat kwetsbare niet bij mijn moeder past. Het besef dat ze het al jaren niet meer gebruikt, kruipt als een slang door het gras van haar ouderlijk huis en mam schudt met haar hoofd alsof ze het woord probeert uit te wissen en staart weer naar het water.

We blijven een tijdje zitten kijken hoe zeemeeuwen op de wind over het meer zeilen op zoek naar afgedankte restjes popcorn langs de oever. Het roepen van de vogels klinkt treurig. Hun echo's drijven vanaf het strand naar boven en ik probeer me voor te stellen hoe het voor haar moet zijn om acht jaar lang bang te zijn geweest voor dat ene telefoontje, dat ene middernachtelijke rinkelen, de doodsklok voor iemand van wie ze ooit heeft gehouden. Ik denk aan alle Hannaford-vrouwen en kan het niet laten me af te vragen of we op elkaar lijken: ik en mijn moeder, zij en de hare, en of al onze problemen zo beginnen. Een klein scheurtje in een voorheen goede verstandhouding. Een scheurtje dat een scheur wordt. Een scheur die een breuk wordt. En dan een afgrond, een grote lege onoverbrugbare kloof.

'Tante Rachel zal wel gauw hier zijn.' Mam staat op om het gras van haar broek te kloppen en steekt bedaard haar hand uit. Zonder te aarzelen grijp ik hem, want ik wil haar niet kwetsen. Ik wil die kwetsbare kant van haar niet kennen en daarvoor moet ik haar hand in de mijne voelen, vertrouwd en sterk en weer helemaal zeker van haar zaak. Ik wil zeker weten dat alles met een blik op de weg en denken aan het doel inderdaad goed komt.

Maar ik weet het niet zeker en zij ook niet. Het oude huis aan het meer van Red Falls ziet er nu uit als een kerkhof. Heilig. Spookachtig. Geen plek voor vragen.

Toch knijp ik in haar hand.

Mam slaakt een diepe zucht, leidt ons terug naar de oprijlaan, werpt haar kwetsbaarheid van zich af als een te warme jas voor de zomer.

'Laten we de spullen naar binnen brengen,' zegt ze terwijl ze mijn hand loslaat. 'Ik wil een werkplek inrichten voordat Rachel aankomt en het gekibbel begint.'

'Hoe laat komt ze?'

'Ze zei om twee uur,' zegt mam. 'Dat betekent vier uur.'

We laten de voordeur links liggen en lopen naar de veranda, die aan de zijkant van het huis vlak bij de esdoorns begint en in een L-vorm naar de achterkant loopt. De derde tree laat een luid gekraak horen als we erop stappen, de ene voet na de andere, op weg naar de zijdeur die niet op slot zit en uitkomt op de keuken.

'Jeetje,' fluistert mam als ze haar tas op het aanrecht zet. 'Alles is nog hetzelfde. Precies hetzelfde. Zelfs de gordijnen.' Ik volg haar blik naar de witte lappen stof die slap boven de gootsteen hangen en waarop kleine rood met gouden haantjes in tweetallen langs de onderkant marcheren. De kastjes zijn van het ouderwetse soort: wit geschilderd hout met raampjes waardoor je het servies kunt zien. Op de plekken waar de zon schuin op valt reflecteren de zwart-wit geblokte tegeltjes in het glas. De wind door de hordeur bezorgt me opnieuw kippenvel, de rood met gouden haantjes marcheren van achter naar voren, van achter naar voren door het wapperen van de gordijnen.

Ik laat mam alleen met haar herinneringen en ga de auto uitladen. Ik waag me niet verder dan het halletje, kijk niet verder dan nodig voor het verplaatsen van onze bezittingen van de metallic blauwe auto naar de zwart-wit betegelde vloer. Terwijl ik van de auto over de oprijlaan via de derde krakende tree naar de keuken loop en terug, verdwijnen mijn gedachten aan alles wat ik verknald heb en waarmee ik me deze zomer-van-huizen-verkopen op de hals heb gehaald. Ze maken plaats voor versnipperde herinneringen aan ons laatste tripje naar Red Falls. Het schreeuwen. De tranen. Flarden van de ruzie tussen mijn moeder, tante Rachel en mijn oma die ons wegjoeg. Het was op opa's begrafenis, na de kerkdienst maar voor de teraardebestelling. Ze hadden gezegd dat ik daar te jong voor was – voor het daadwerkelijke begraven – maar na al het geschreeuw zijn mam en tante Rachel uiteindelijk ook niet naar het kerkhof gegaan. Terwijl we achteruit de oprijlaan af reden – er lag toen nog gravel, ik herinner me het geknars onder de banden – zag ik het huis en de treurwilg kleiner en kleiner worden tot ze allebei verdwenen waren.

Dat was voor ons allemaal de laatste keer dat we oma bij leven hebben gezien.

Ik heb wel honderd vragen die ik zou willen stellen, allemaal vragen die ik in de auto en in de tuin uit medelijden met mijn moeder heb ingeslikt. Maar het is voor ons allebei niet makkelijk om hier woorden te vinden. Ik vraag niets, zij geeft geen voorzetje, en doordat we allebei zwijgen werken we efficiënt door. De ramen van de keuken staan open, ik breng de dozen naar binnen en mam legt de inhoud op stapels en in rijtjes.

Als ik voor de laatste keer naar de auto loop, komt tante Rachels gammele zwarte pick-up hortend en stotend de oprijlaan op rijden. Laat, zoals mam had voorspeld. De treurigheid van het huis reflecteert op het gezicht van mijn naderende tante, precies zoals op het gezicht van haar zus.

'Tante Rachel!' Ik werp me om haar hals en mijn hart ontdooit een klein beetje. Ze wrijft over mijn rug, geeft me een kus op mijn hoofd en houdt me stevig vast. Een verzameling zilveren armbanden glijdt rinkelend langs haar arm naar beneden, achter in haar keel klinkt een zachte snik.

We lijken op elkaar, de drie overgebleven Hannaford-vrouwen. Dezelfde lichtbruine ogen met bruine vlekjes erin. Dezelfde kleine oren. Dezelfde onhandelbare wenkbrauwen. Hetzelfde lange, golvende, chocoladebruine haar. En we hebben allemaal van die lijnen rond onze mond, van die lijnen die verraden wat we voelen en laten zien wat we niet zeggen. Ik heb haar niet meer gezien sinds kerst, toen ik in mijn eentje naar Washington was afgereisd, maar als ik haar weer tegen me aan voel, met haar kruidige adem en haar naar zelfgemaakte lavendelzeep geurende huid, verdwijnen alle tijd en afstand die tussen ons in stonden. Al snel is haar lichtblauwe t-shirt nat van onze tranen.

'Ik weet niet hoe ik hiermee om moet gaan,' zeg ik terwijl ik de oprijlaan gesel met mijn slippers nadat we ons uit de omhelzing hebben losgerukt. 'Mam zit weer helemaal in de ontkenningsfase, zoals gewoonlijk.'

Tante Rachel droogt haar tranen met de mouw van haar t-shirt. 'Ik denk wij allemaal, schat.' Ze probeert te lachen, maar het klinkt net zo treurig en ver weg als het geroep van de zeemeeuwen en ik weet dat ze het niet meent. Zij en mam hebben elkaar twee jaar niet gezien, niet meer na het laatste bezoek van mijn tante met Thanksgiving. Ze is toen maar twee van de geplande vijf dagen gebleven. En mam... nou, dichter bij Rachels appartement dan wanneer ze mij op het vliegveld in Philadelphia afzette is zij nooit gekomen.

Wanneer we de veranda naderen doet mam de zijdeur open en leunt naar voren alsof ze haar zus wil omhelzen, maar vlak daarvoor stopt ze, haar schouders strak van de inspanning om zich in te houden. 'Rachel?' fluistert ze.

De esdoorns naast de veranda ritselen met hun groene bladeren in de wind, maar mam en tante Rachel merken het niet. Ze staren elkaar alleen maar aan, met hun armen langs hun lichaam en de hordeur halfopen, met hetzelfde bloed in hun aderen en duizenden kilo's aan onuitgesproken woorden tussen hen in.

Hoofdstuk 4

'Kom binnen,' zegt mam terwijl ze de deur openhoudt. 'Ik heb de rest van het huis nog niet gezien, maar de keuken is griezelig gelijk gebleven.' Ze lacht als een boer met kiespijn.

Binnen loopt mijn tante langs de rand van de keuken, haar ene hand glijdt over het aanrecht en langs de gordijntjes, de andere houdt ze in haar zak. Achter haar rug komen twee mieren onder het fornuis vandaan om een plakkerig uitziende vlek te inspecteren, zonder zich ook maar iets aan te trekken van ons, oma's dood en alles wat daaraan voorafging.

'Och, zusje,' zegt Rachel. 'Hoe zijn we...'

Trrrr.

'Dat ben ik,' zegt mam terwijl ze in haar tas zoekt.

'Maar ik...'

'Wacht even, Rach.'

'Claire?'

Mam knikt, maar houdt haar wijsvinger in de lucht om haar zus tot stilte te manen. Ze houdt het kort, maar niet kort genoeg voor tante Rachel, die briesend van woede met haar armen over elkaar geslagen tegen het aanrecht leunt.

'Rachel, ik zei het gisteren toch al,' zegt mam terwijl ze het oortje uittrekt en het gesprek weer oppakt alsof we gezellig rond de hapjestafel op een cocktailparty staan. 'Als er op kantoor iets belangrijks gebeurt, moet ik beschikbaar zijn.'

'Je overleden moeder begraven is niet belangrijk?'

'Dat zei ik niet.'

'Ik kan ook vragen of iemand anders me wil komen helpen, als het niet in je schema past,' zegt Rachel.

'In mijn schema? Jij kunt misschien komen en gaan wanneer je wilt, maar mijn werk is iets...'

'Belangrijker? Want de catering verzorgen op filmsets is niet belangrijk? Mensen moeten nu eenmaal eten, Claire.'

'Gestructureerder, wilde ik zeggen.'

'Gestructureerder? Je weet níéts over mijn werk. Je bent zelfs nog nooit op een filmset geweest, dus hoe...'

'Laten we het hier nu niet over hebben.' Mam pakt haar tas, graait in het voorvakje en haalt het blikje tevoorschijn waarin ze haar pillen bewaart. 'We hebben vanavond een hoop uit te zoeken. Ik moet de rest van mijn spullen nog uitpakken en alvast het een en ander doornemen... de begrafenisondernemer bellen... haar vriendinnen...' Ze pakt een glas uit het kastje, vult het met water en slaat een klein wit pilletje achterover. 'Ik heb nog niet eens boodschappen gedaan.'

'Ik ga wel,' zegt Rachel. 'Heb je nog iets speciaals nodig? Melk? Wc-papier? Een beetje mededogen misschien? Weet je wat, ik haal een familiepak. Ik heb vast nog wel ergens een kortingsbon. Je weet hoe wij minder gestructureerden met kortingsbonnen zijn.'

'Ik ga met haar mee,' zeg ik. Ze kijken me allebei aan alsof ze vergeten waren dat ik ook nog in de kamer was en voordat mam kan tegensputteren, pakt Rachel mijn hand en trekt me door de keukendeur mee naar buiten.

'Het spijt me,' zegt Rachel als we achteruit de oprijlaan af rijden. 'Ik had me voorgenomen me niet door mijn zus op de kast te laten jagen, maar ik heb het al binnen vijf minuten verpest. Volgens mijn tarotkaarten moest ik me voorbereiden op een conflict. Waarom heb ik het niet zien aankomen?'

'Zo is mam nu eenmaal. Het komt vast door die assertiviteitstraining die ze op haar werk krijgt. "Hoe sluit ik een deal", dat soort dingen.' Om die dealzin maak ik met mijn vingers onzichtbare aanhalingstekens in de lucht.

'Is het zo erg?' vraagt Rachel.

Ik haal mijn schouders op. 'Zo ongeveer wel ja.'

'Hier.' Ze vist een minispuitbusje uit het dashboardkastje en spuit er flink mee in het rond. 'Wierook en sinaasappelolie,' zegt ze. 'Vergroot je geluk en werkt rustgevend.'

'Perfect. Misschien kun je háár ermee inspuiten als we terug zijn.'

'Als jij denkt dat dat helpt, Del. Als jij denkt dat dat helpt.'

Wanneer Rachel ons door het 'bruisende' winkelcentrum van Red Falls loodst, gaat een groepje jongens langzamer fietsen en zwaait naar ons alsof we in een optocht lopen en snoep rondstrooien. Een vrouw met een paars schort veegt de stoep voor een leuk cafeetje met de naam Luna's, terwijl ze een praatje maakt met de klanten. De hemelsblauwe lucht boven Main Street wordt slechts onderbroken door een spandoek dat aan de ene kant van de weg vastzit aan een chocolaterie en aan de andere kant aan een ijzerwarenwinkel. Het is een aankondiging met veel uitroeptekens en hoofdletters:

4 JULI!! ONAFHANKELIJKHEIDSDAG!!
De 50ste Optocht van Red Falls!

En:

SUGARBUSH FESTIVAL!
Een Ode aan de Suikeresdoorn!
Met een Wedstrijd Balanceren op Boomstammen,
Ponyrijden, Ahornbonbons, Ahorngebak, Ahorntoffees
en onze WERELDBEROEMDE IJSJES met AHORNSIROOP!

We rijden de parkeerplaats van de supermarkt op, die sinds mijn laatste bezoek is veranderd van een klein kruidenierswinkeltje in SUPERMARKT ELDORADO, alleen is de stroom achter een aantal letters op het neonbord uitgevallen. Terwijl Rachel de auto parkeert, stel ik de vragen waar ik vanaf het moment dat we in Vermont aankwamen onder gebukt ga en die nog zwaarder lijken te wegen nu ik me de jaarlijkse Sugarbush Festivals herinner.

'Rachel, wat is er die dag van opa's begrafenis gebeurd?'

Rachel zet de motor uit, maakt haar gordel los en staart wezenloos naar het woord S M ELDORADO, met haar handen als afgevallen bladeren gevouwen in haar schoot.

'Elke ochtend word je wakker en denk je: morgen maken we het goed,' zegt ze terwijl ze nog steeds naar het bord staart. 'Of overmorgen. Of die morgen erna. Maar nu... nu is er geen morgen meer. Mama is... ze is gewoon... weg. Zomaar ineens.' Ze knipt met haar vingers.

'Het spijt me. Ik dacht...'

'Ik herinner me dat we hier altijd schoolspullen gingen kopen,' zegt ze terwijl ze de zilveren armbanden om haar pols ronddraait. 'Op de terug-weg ruilden je moeder en ik altijd van tas om te zien wie de grootste buit had binnengehaald.'

Ik probeer me mam en Rachel voor te stellen als kinderen, gravend in tassen vol etuis en mappen en gummen en lijm, maar het plaatje is niet compleet. We praten niet vaak over haar, over mijn andere tante. Ik heb haar zelfs nog nooit tánte Stephanie genoemd. Ze heeft niet lang genoeg geleefd, stierf op haar negentiende aan een hartstilstand. En hoewel mam mij naar haar jongste zusje heeft vernoemd door mij haar tweede naam te geven, heeft ze, toen ik oud genoeg was om vragen te stellen, de hele ge-schiedenis afgedaan met een 'Sorry, Del... ik wil er echt niet over praten'.

Ik wil Rachel naar Stephanie vragen, maar ik kom niet verder dan de s.

'Ssss... moeilijk om me mam als klein meisje voor te stellen,' zeg ik in plaats daarvan.

'Claire keek er altijd enorm naar uit dat school weer zou beginnen. Ze ordende alles precies. Ze legde alles op haar bed en sorteerde het dan in categorieën. En daarna pakte ze haar tas volgens een speciaal systeem in.'

'Je had haar vanmorgen moeten zien,' zeg ik. 'Zag je al die dozen en bij elkaar passende tassen?'

'Jep.'

'Ze heeft broekpakken meegenomen, Rachel.'

'Broekpakken? Echt?'

'Over broekpakken zou ik geen grapjes maken.'

Rachel schudt haar hoofd. 'Het is een wonder dat je het zo lang over-leefd hebt, Del.'

'Nou, nauwelijks,' zeg ik en ik zie mams gezicht weer voor me toen ze me gisteren bij de drogist ophaalde. 'Het gaat thuis allemaal niet echt geweldig.'

Rachel draait zich in haar stoel naar me toe. 'Om eerlijk te zijn, ik heb je in een hinderlaag gelokt. Wat is er allemaal met je aan de hand? Je moe-der vertelde me gisteren dat je in de problemen bent geraakt.'

Ik lach, schud mijn hoofd. 'Jij en mam spreken elkaar zo ongeveer één keer per jaar en dan begint ze nu ineens gezellig nieuwtjes uit te wisse-len?'

'Ze maakt zich zorgen om je, Delilah.'

Ik schuif mijn zonnebril in mijn haar en kijk door het raampje naar twee mannen in houthakkershemden die op de stoep een wedstrijdje ver-spugen doen.

'Ze maakt zich zorgen over de verkeerde dingen,' zeg ik, meer tegen de kerels buiten dan tegen Rachel. 'Met mij gaat het prima.'

'Juist. Toen ik gisteravond met haar aan de telefoon zat, ontdekte ze dat je ertussenuit was geknepen, waarschijnlijk met een of andere gozer.'

'Finn,' zeg ik, 'is niet een of andere gozer.'

'Je vriend?'

'Niet echt. We zijn gewoon... het stelt niets voor eigenlijk.'

'Ik snap het.' Met één hand draait Rachel mijn gezicht van het raampje af. 'Vriend. Gozer. Stelt niets voor. Vertel me dan alsjeblieft dat je het in elk geval... veilig doet.'

Ik denk aan hoe ik altijd op de donkere straathoek op Finn sta te wachten, die standaard te laat is, en hoe hij me weer afzet, waarna ik alleen terug naar huis loop. Ik hoor weer het schuren van de banden tegen de stoeprand toen hij scherp moest bijsturen om op de weg te blijven nadat hij, nog voor we in het bos waren, al met zijn hand onder mijn т-shirt zat. Ik voel weer hoe ik mijn handen schaafde aan de schors van de boom bij mijn slaapkamerraam toen ik mezelf optrok naar de tweede verdieping. Veilig?

'Jemig, Rachel. Ja, we doen het veilig. Ik ben niet achterlijk, ook al denkt mijn moeder van wel.'

'Ze weet best dat je niet achterlijk bent, Del. Daarom begrijpt ze ook niets van jouw gedrag van de laatste tijd.'

'Super hoor. Nu klink je net als zij.' Ik zet mijn zonnebril weer op en draai me weer van haar af. De spuugkampioenen zijn verdwenen. 'Ik dacht dat je aan mijn kant stond.'

'Er zijn helemaal geen kanten,' zegt ze. 'Ik wil alleen maar dat het goed met je gaat. Ik maak me ook zorgen om je.'

'Wees dan eerlijk tegen me. Wat is er vroeger gebeurd? Ik was wel klein, maar ik kan me nog herinneren dat jullie ruziemaakten met oma. Toen pakte mam onze spullen en gingen we weg. Daarna mocht ik Red Falls niet eens meer noemen. Het was net of mam alles wilde... uitwissen. En na acht jaar komen we hier weer terug en niemand zegt er iets over.'

Rachel trommelt met haar vingers op het stuur, maar geeft geen antwoord. 'We moeten met z'n drietjes bij elkaar gaan zitten om te praten, schat. En dat gaan we ook doen, dat beloof ik. Ik probeer je niet af te schepen. Maar laten we nu eerst boodschappen doen en teruggaan om de boel in te richten. We zijn voor het eerst in jaren weer bij elkaar, dat zal voor niemand makkelijk worden. Vooral niet voor je moeder.'

'Dat zal wel.'

'Wil je iets voor me doen?' vraagt ze. 'Beloof me dat je het nog heel even volhoudt.'

Ik pak haar uitgestoken hand. 'Oké, Rach. Ik beloof het.'

'Fijn. Laten we dan nu de bakkersafdeling opzoeken en kijken of ze hier nog steeds van die lekkere walnotenmuffins maken.'

Rachel drukt op het belletje en glimlacht wanneer een vrouw met een witte papieren muts op achter de gigantische ovens vandaan komt.

'Goedemiddag, dames. Wat mag het zijn vandaag?' vraagt ze terwijl ze er een plaat vol goudgele broodjes uithaalt. 'Ik heb net een verse lading... Rachel Hannaford? En... mijn gód!'

Ze laat de verse lading Rachel-Hannaford-en-mijn-god vallen.

Ze slaat een hand voor haar mond.

En ze schudt haar hoofd, terwijl ze mij met wijd opengesperde, waterige ogen aanstaart alsof ik een geestverschijning ben.

'Ik dacht heel even dat zij het was,' zegt ze tegen mijn tante.

'Claire?' vraagt Rachel.

'Nee. Stephie.'

'Ongelooflijk dat je al bijna zeventien bent,' zegt Megan de bakkersvrouw als ze in haar pauze met ons in het kleine eetgedeelte van de bakkersafdeling zit. 'Ik heb je luiers nog verschoond.'

'Echt waar?' Ik weet er een klein glimlachje uit te persen en vraag me af wat er in die versgebakken broodjes zit dat maakt dat iemand die ik helemaal niet ken denkt dat ze dat soort dingen zomaar kan zeggen.

'Del,' zegt Rachel, 'ga jij anders even wat lekkere dingen inslaan voor thuis. Ik wil een beetje bijpraten met Megan.' Ze duwt het winkelwagentje naar me toe. Ik loop zonder haar naar de snoepafdeling en probeer er niet al te beledigd uit te zien.

Terwijl ik op zoek ga naar koekjes, chips en gekleurde cakejes, kan ik het gevoel niet van me afschudden dat iedereen hier in het dorp naar me kijkt. Alsof er een plaat opstaat die, zodra ik de deur uit zou lopen, zou krassen en overslaan en iedereen, met een hand op een pistool voor het geval dat, verwacht dat ik een of andere dramatische mededeling ga doen.

This town ain't big enough for the both of us, zingen de Sparks in mijn hoofd.

Toen Stephanie doodging was ze maar een paar jaar ouder dan ik nu. Ik lijk vast veel op haar, maar ik heb nog nooit foto's van haar gezien, zelfs niet in het huis van opa en oma. Alleen die ene die mam in haar nachtkastje bewaart, die met de drie zusjes die hand in hand van de kade het meer in springen. Je kunt hun gezichten niet eens zien.

Als ik het einde van het gangpad nader, gluur ik naar Megan en Rachel bij de bakkersafdeling. Hun handen bewegen snel heen en weer terwijl ze praten en landen als kleine roze vogeltjes op elkaars schouders. Ze kijken verdrietig en serieus en als Megan mijn tante omhelst en ik haar gezicht weer zie, herinner ik het me eindelijk.

Wanneer ik me een paar minuten later weer bij hen voeg, pakt Megan me stevig vast en drukt me tegen haar naar brood geurende en met bloem bestoven borst.

Ik beantwoord haar omhelzing.

'Mijn moeder en ik komen morgen even langs,' zegt ze, terwijl ze Rachel een doos gebakjes overhandigt. 'De meesten van ons hebben het gisteren gehoord. Nu jullie er zijn, zullen er wel meer mensen langskomen. Wacht, hier: je kunt beter wat extra gebakjes meenemen. Van het huis.' Ze vult een tweede taartdoos met de voorraad onder de glazen toonbank, overhandigt hem en kust ons allebei nog één keer op onze wang.

'Ik kan me haar herinneren,' vertel ik mijn tante als ze het karretje van me overneemt en naar de groente- en fruitafdeling loopt. 'Ze ging altijd met ons mee naar het meer.'

'Ze vond het heerlijk om met jou te spelen.'

'Hoe kennen we haar?'

Rachel kijkt om naar de bakkersafdeling. Achter de toonbank dept Megan haar ogen droog met de punt van haar schort, het witte papieren mutsje hangt scheef over haar voorhoofd. 'Megan was Stephanies beste vriendin.'

'Jemig.'

Rachel knikt, duwt het karretje in de richting van de verse groenten en loopt naar het schap aubergines.

'Tante Rachel? Ik wil niet... ik bedoel, ik snap dat het heel moeilijk is om erover te praten omdat ze zo jong gestorven is, maar... hoe kan het dat we helemaal niet... er zijn helemaal geen...' Ik weet niet hoe ik het moet vragen, dus laat ik het in de lucht hangen.

26

'Weet je, schat, we hebben na Stephanies dood eigenlijk nooit echt over haar gepraat,' zegt ze met haar handen strak om de stang van het karretje geklemd. 'Daar zit een hoop verdriet. Nog steeds. Ik denk dat we het gevoel hebben dat we haar in de steek hebben gelaten. Dat we misschien iets voor haar hadden kunnen doen als we thuis waren geweest in plaats van op de universiteit. Iets wat mijn ouders en de doktoren en haar vriendje niet zagen. Soms heb ik het gevoel dat ik niet het recht heb om over haar te praten. Op het laatst kende ik haar niet goed genoeg meer om er iets over te kunnen zeggen. Er waren zo veel dingen die niemand wist. Ze bracht al haar tijd door met haar vriendje en als ze thuis was, zat ze met haar neus in haar dagboek. Dat dagboek was echt haar allerbeste vriendin, nog meer dan Megan.'

'Heb je het ooit gelezen?' vraag ik.

'Nee.'

'Ook niet na haar dood?'

Tante Rachel schudt haar hoofd, pakt een aubergine uit het middelste schap en knijpt erin. 'Ik weet tot op de dag van vandaag niet of ik het zou doen. We hebben het nooit gevonden, Delilah. Het lijkt net of ze het... met zich meegenomen heeft.'

Er gaat onwillekeurig een siddering door me heen. Rachel doet de aubergine in een zakje, legt hem in het karretje en loopt naar de sla. Ik wil meer vragen over Stephanie, over het dagboek en haar vriendje, hoe haar leven was en waarom haar hart ermee stopte. Maar de herinnering lijkt zo zwaar op Rachels schouders te drukken dat ik mijn mond houd en me in plaats daarvan concentreer op het helpen vinden van verse waterkers en de krop sla met de meest knapperige, groene blaadjes.

Alsof er niets aan de hand is zoeken we kaas uit, kiezen muesli en slaan schoonmaakmiddelen in. Als we onze boodschappenmissie volbracht hebben, lopen we langs de bakkersafdeling om Megan nogmaals gedag te zeggen en ik help Rachel om alle boodschappen op de band bij de kassa te leggen. Terwijl we toekijken hoe de caissière onze spullen scant en één voor één in bruine papieren zakken stopt, zeggen we niets meer over Stephanie of over de familieruzie of over vroeger. We rekenen gewoon glimlachend af en rijden alles naar de parkeerplaats, terwijl de wolkeloze blauwe hemel de dingen veel mooier doet lijken dan ze zijn.

Hoofdstuk 5

'Wat is dat voor geur?' Ik zet de laatste zak boodschappen op het aanrecht en wapper met een hand voor mijn gezicht om de rook te verdrijven.

'Salie.' Rachel wijst naar een brandend staafje wierook in de venster-bank. 'Om het kwade te verdrijven en het goede binnen te halen. De rook neemt alle negatieve energie mee naar buiten, snap je?' Een lange sliert rook stijgt als een geest omhoog, draait zich rond haar vinger en drijft door het open raam boven het aanrecht naar buiten. Het doet me denken aan Finn, hoe hij gisteravond in de auto de rook van zijn sigaret uitblies.

Er is in de afgelopen vierentwintig uur zoveel gebeurd dat het onwer-kelijk lijkt, alsof de rook onderdeel is van een lange, onbegrijpelijke droom. Als ik mijn ogen opendoe, zal ik wakker worden in mijn eigen bed, half slapend met de televisie aan en het zonlicht door de ramen om me eraan te herinneren dat het tijd is om naar school te gaan.

'Mooi. Stuur ze morgen met spoed,' zegt mam vanuit haar nieuw inge-richte kantoor; een opklaptafel achter in de hoek van de keuken met een whiteboard en een enorme kalender aan de muur. Het verbaast me dat de wierook haar ondernemingslust niet verstoort.

'Ik ben ook nog gebeld over de facturen,' vervolgt ze. Met haar rug naar ons toe praat ze onverstoorbaar verder. Ze bevestigt details, stelt doelen en overtreft de verwachtingen, terwijl ze met haar ene hand haar haren gladstrijkt en met de andere de stem van haar assistent aan de andere kant van de satellietverbinding tegen haar oor drukt, miljoenen kilome-ters van alles wat belangrijk is vandaan.

'Laat ze haar personeel op zondag werken?' fluistert Rachel terwijl ze wat oude etenswaren van oma uit de koelkast haalt en eraan ruikt.

'Neu, werken in het weekend is vrijwillig. Dat hoeven ze alleen maar als ze hun baan niet willen verliezen.'

Ik kijk hoe een druppel water langs de zijkant van een pak sinaasappelsap naar beneden glijdt en vraag me af wanneer mijn oma het voor het laatst in handen heeft gehad. Wanneer heeft ze haar laatste glas ingeschonken? Of dronk ze rechtstreeks uit het pak, met de deur van de koelkast nog open als ze een slok nam? Mijn maag borrelt alsof hij vol met cola zit, gedachten aan mijn oma en aan de onvermijdelijke toekomst komen omhoog: ik die me een weg baan door mijn eigen moeders voorraden en me afvraag of alles anders had kunnen/moeten zijn. De treurigheid van wat er allemaal gebeurt, kruipt langs mijn ruggengraat omhoog en grijpt me met twee koude handen bij de keel.

'Dit is de laatste zak,' zeg ik tegen Rachel, wijzend naar de spullen die ik net naar binnen heb gebracht. 'Ik heb even wat frisse lucht nodig.' Ik kijk strak naar de zijdeur terwijl ik ernaartoe loop, duw de koele metalen klink naar beneden en werp mezelf de laatste zonnestralen in. Ik loop achterom, de grote heuvel af, helemaal naar de tribunes. Ik kijk maar één keer om naar het huis en de hoge rijen esdoorns die het beschutten. Hun takken en bladeren krassen zachtjes langs de splinterende pilaren van de veranda en ik besef dat zij het hele verhaal kennen, deze bomen.

Maar ook zij zwijgen, net als de vrouwen in mijn familie.

De avondzon brandt op mijn zwarte topje, maar onder de tribune blijft de koele bries hangen die van het water komt. Verscholen onder de rijen grotendeels lege, houten banken kijk ik uit over het meer dat vroeger zo'n groot deel uitmaakte van mijn zomers en ik huil grote, stille tranen. Ik herken de geuren van kokosolie en houtskool en hotdogs en vis. De vochtige lucht voelt nog precies hetzelfde en terwijl ik luister naar het kabbelende water en de muziek en het gelach en gespetter en gegil van de kinderen, word ik een van hen.

Ik ben weer vijf jaar oud, mijn armen steken als worstjes door mijn vleugeltjes. Ik ga tot aan mijn knieën in het water, dan tot aan mijn heupen, en stapje voor stapje verder tot mam wenkt dat ik terug naar de kant moet komen, beschermend en altijd aanwezig als ze was in die door mijn vingers geglipte dagen. Toen miste ik mijn vader die ik nooit gekend heb nog niet. Ik wist nog niet dat mijn moeder, toen ik haar uiteindelijk smeekte om alles te vertellen wat ze zich van hem herinnerde, getergd naar me zou kijken, me het krantenartikel zou geven, het hele onenightstandverhaal zou afdraaien en alleen maar zou zeggen dat het haar speet. Dat ze wilde dat er meer te vertellen was.

AFGHAANSE JONGEN DOODT
PRIJSWINNENDE BRITSE JOURNALIST

Familie jongen noemt het een 'tragisch ongeval'

KABUL – Een twaalfjarige jongen heeft donderdag in Tuksar, Afghanistan, de journalist Thomas Devlin van de *National Post* neergeschoten en vermoord. Devlin (36) werd van dichtbij in zijn hoofd en borst geschoten nadat de jongen thuiskwam van school en hem aanzag voor een indringer. Devlin was in het huis om de moeder van de jongen [naam niet vrijgegeven] te interviewen voor een artikel over het rekruteren van kinderen door paramilitairen in dorpen in het noorden van Afghanistan, die overgenomen zijn door de rebellen.

Devlin, een Londenaar die gestudeerd heeft aan de universiteit van Oxford, is bekend vanwege zijn uitgebreide onderzoek naar politiek instabiele landen waar burgers onderdrukt worden en naar bedreigde diersoorten. Voor zijn serie 'De trek van de olifant' in de *National Post* won hij vorig jaar in Groot-Brittannië de prestigieuze Persprijs en kreeg hij internationale erkenning voor het ontmaskeren van grote ondergrondse stropersorganisaties in Kenia en Namibië. In beide landen zijn de wetten tegen stropen en voor het beschermen van bedreigde diersoorten sindsdien strenger geworden dankzij Devlin, die bijdroeg aan de nationale bewustwording van de gevolgen van stropen en wereldwijd compassie opriep met de benarde toestand van weesolifantjes.

Devlins werk in Afghanistan zou onderdeel worden van een serie artikelen in de *National Post* over het leven van de bewoners van landelijke gebieden in het door oorlogen geteisterde Midden-Oosten. De familie van de jongen die hem heeft neergeschoten weigerde een interview en wilde slechts kwijt dat het incident een tragisch ongeval was. Devlin, die door vrienden en collega's van over de hele wereld wordt betreurd, liet geen familie achter.

Nou ja, er was wel die vrouw, die hij op zijn laatste avond in Philadelphia in een café had ontmoet. Niemand wist van haar, de vrouw met de lange bruine haren en het kleine donkerbruine driehoekje boven in een van haar lichtbruine ogen.

Hij vond haar lach zo mooi. Dat zei hij.

Zij vond zijn accent zo leuk. Dat zei zij.

Zullen we...?

Ja, laten we...

Toen Thomas (niet Tom) de volgende morgen het vliegtuig terug naar

Londen nam om daar over te stappen op het vliegtuig dat hem naar zijn laatste opdracht zou brengen, moet hij aan de vrouw, aan haar ogen en haar lach, hebben gedacht. Zij moet ook aan hem gedacht hebben – aan de manier waarop hij haar naam zei. De manier waarop hij vanaf de andere kant van de bar naar haar lachte. Zo stel ik het me graag voor. Maar toen wist geen van beiden nog van dat piepkleine wezentje dat in haar baarmoeder alvast was begonnen een nestje te bouwen. Als Thomas het wel had geweten, dan had hij misschien aan dat piepkleine wezentje gedacht voordat hij de jongen en het pistool zag en zijn mond opendeed om 'God!' of 'Nee!' of 'Please!' of 'Please?' te zeggen, of – nou ja, dat weten alleen de inmiddels negentwintigjarige Afghaanse jongen en zijn moeder.

Los van mij als embryo had hij geen familie, precies zoals in het artikel staat. En nu heeft mijn moeder, behalve mij en tante Rachel, ook niemand meer. Niemand om de verhalen aan door te vertellen. Niemand om het porselein uit de eetkamer te erven, of het golvende chocoladebruine haar, of de lach die altijd een octaaf hoger eindigt dan hij begint. Niemand om aan te vertellen hoe het ons is vergaan en wie we zijn en of het het allemaal wel waard is geweest.

Net als over veel andere lastige zaken wil mam nog steeds niet over mijn vader praten. Mist ze hem? Neemt ze het hem of de jongen in Tuksar kwalijk dat ze een alleenstaande moeder van haar hebben gemaakt? Denkt ze wel eens aan hem? Ik heb een foto op mijn prikbord hangen, de pasfoto die ik van zijn onlinebiografie op de site van de *National Post* heb gehaald, en daar zit ik soms uren naar te kijken, op zoek naar lijnen en vormen in zijn gezicht die op de mijne lijken. Maar de spiegel laat zien dat ik vooral een dochter van mijn moeder ben. Haar, ogen, huidskleur, gebit. Allemaal een jonge versie van die van haar. Dus wat maakt me dan wel Thomas Devlins dochter? Heb ik zijn drang naar avontuur geërfd en omgezet in mijn eigen vorm van roekeloosheid? Zijn behoefte om de waarheid te achterhalen en bloot te leggen? Zijn voortdurende zoektocht naar meer?

Ik heb mijn vader nooit gekend, dus er zit geen groot gat in mijn hart, of zo, waar alles van hem ooit zat. De geur van zijn aftershave. De klank van zijn stem. De deuk in zijn favoriete hoed. Maar op momenten als deze wilde ik dat hij er was, dat ik hem kon vragen wat ik moest doen, wat ik moest zeggen, hoe ik moest zijn. Dat hij me antwoord zou geven. Dat hij naar me zou kijken en precies het goede zou zeggen en me een kus op mijn wang zou geven en dat ik hem zou geloven.

Er landt een meeuw op de tribune en mijn gedachten keren terug naar het heden. Ik pulk met mijn vingers aan een stuk afgebladderde verf op de bank voor me. Terwijl ik de grijze flintertjes in de modder laat vallen, zie ik twee rijen opzij en één naar beneden iemand op zijn rug liggen met een boek plat op zijn borst en een baseballpetje over zijn ogen. Verborgen in de schaduw kruip ik iets dichterbij en met mijn handen op de stangen onder de tribune kijk ik hoe zijn borst zachtjes op en neer gaat in de ondergaande zon.

'Je gaat me toch niet besluipen en laten schrikken, hè?' vraagt hij.

'Ik... nee. Ik wilde alleen... Sorry?' Ik doe een stap achteruit en van schrik knal ik met mijn hoofd lomp tegen een van de steunbalken. 'Au!'

'Die voelde ik.' Hij gaat rechtop zitten en zet zijn pet goed voordat hij zich bij mij onder de tribune laat glijden. Zijn gezicht blijft verborgen in de schaduw. 'Gaat het?'

'Het was niet mijn bedoeling om je te storen.' Ik knik naar zijn boek in de hoop dat hij ophoudt met kijken hoe ik over mijn stomme (en nu bonzende) hoofd wrijf. Ik hoop dat de wind de tranen van daarnet genoeg heeft gedroogd. Ik hoop dat hij niet te veel vragen stelt.

'O, dat geeft niet,' zegt hij en hij draait *De vanger in het graan* om. 'Ik heb het al eens gelezen. Ik kom hier gewoon graag. Het is hier rustig... normaal gesproken.' Hij glimlacht. 'Even serieus. Gaat het echt wel?' Hij wrijft over de plek op zijn achterhoofd waar bij mij ongetwijfeld een bult zal komen.

'Ja. Ik... eh...' Ik ga nog een stap achteruit. 'Ik wilde juist weg...'

'Blijf.' Hij wil mijn hand pakken, bedenkt zich dan. 'Ik bedoel, je hoeft niet weg te gaan,' zegt hij. 'Alleen als je dat wilt. Maar je mag ook blijven.'

Ik sta op het punt om meneer Holden Caulfield te vragen wie hij eigenlijk wel niet denkt dat hij is, dat hij ervan uitgaat dat hij zomaar mijn hand kan proberen te pakken onder de tribune en als een of andere stalker in mijn persoonlijke ruimte komt. Maar dan draait hij zijn pet om en gaat zo staan dat het licht op zijn gezicht valt. En zodra ik die ogen van dichtbij zie, met gouden vlekjes erin, amberkleurig en een beetje ondeugend, kan ik alleen nog maar glimlachen.

Hoofdstuk 6

'Ricky?' Ik val hem om de hals, meer dan zijn lach als bevestiging heb ik niet nodig.

'Het is tegenwoordig Patrick, maar inderdaad, ik ben het.' Hij trekt zich los om me nog eens te bekijken, zijn hand glijdt langs mijn arm naar beneden en grijpt mijn pols. 'Mijn vader vertelde dat jullie vandaag terug zouden komen. Wat naar om te horen dat...'

'Wonen je ouders hier nog steeds?' vraag ik terwijl ik hem aanstaar. Hij heeft geen beugel meer en hij is vijftien centimeter boven me uit gegroeid. Zijn jongenssproetjes zijn verdwenen onder een gladde, bruinverbrande huid, maar verder is hij nog precies dezelfde kleine Ricky Reese. Patrick Reese, bedoel ik.

'Mijn vader wel,' zegt hij. 'Ze zijn een paar jaar geleden gescheiden, hij is in het huis blijven wonen. Mijn moeder werkt als actrice in New York. Tenminste, dat probeert ze.'

'En jij?' vraag ik. 'Woon je hier?'

Hij steekt zijn hand tussen de banken door en draait hem om en om in het zonlicht. 'Tijdens het schooljaar woon ik bij haar in Brooklyn, maar 's zomers kom ik naar Vermont om mijn vader te helpen bij zijn bouwwerkzaamheden.'

'Heeft je vader dat klusbedrijf nog steeds?' Ik herinner me het gereedschap, de werkbanken en de bergen zaagsel bij de buren in de garage. En hoe graag Ricky altijd wilde helpen, maar we mochten daarbinnen niet spelen.

'Ja. Maar in plaats van Jacks Klusbedrijf heten we nu Reese & Zoon. Toen ik een paar maanden geleden achttien werd, heeft hij me partner gemaakt. Dat klinkt mooi, maar het houdt vooral in dat hij wat formulieren heeft ingevuld, de naam op de wagen heeft vervangen en mij veel meer werk laat doen.' Patrick lacht en zet zijn pet recht.

'Ongelooflijk... Ongelooflijk dat je er gewoon bent, gewoon hier voor me staat,' zeg ik. 'Ik dacht er net aan hoe we hier na wedstrijden altijd kwamen om te kijken of we nog wat konden vinden.'

'Ik ook.' Hij trapt wat troep onder de modder vandaan met zijn sneaker. Onder de klep van zijn pet blijft hij maar glimlachen.

'Ik heb je acht jaar niet gezien.'

Ricky-tegenwoordig-Patrick knikt en klemt zijn *De vanger in het graan* tegen zijn borst. 'Delilah Hannaford, je hebt mijn hart zowat gebroken toen je die zomer niet meer terugkwam.' Hij knipoogt naar me.

'Ik was acht,' zeg ik terwijl ik hem onder de tribune vandaan naar de kade volg. 'Ik had er niets over te zeggen.'

'Weet ik. Daarom heb ik ook besloten om het je te vergeven. Nou ja, daarom, en omdat je er nog steeds best beminnelijk uitziet.'

'Best beminnelijk?'

Patrick lacht, slaat zijn arm om me heen en trekt me, net als vroeger, als een magneet naar zich toe. 'Even serieus, Delilah. Ik vind het naar van je oma. Ik was thuis toen pap... Nou ja, hij riep dat ik moest komen en toen vertelde hij wat er was gebeurd.'

'Hoe wist hij dat ze... dat ze overleden was?' Ik kijk naar de grond terwijl we praten, zet mijn ene voet traag voor de andere op de steiger die een breed pad vormt aan deze kant van het meer.

'We hielpen haar met het verbouwen van de serre. Toen ze gisteren de deur niet opendeed, is hij naar binnen gegaan en vond hij haar.'

Ik denk aan de serre met de grote ramen die uitkijken over het meer, waar al het zonlicht dat binnenkomt wordt opgeslorpt door de zware houten panelen tegen de muren. Ik stel me voor hoe het vrouwelijk hoofd van mijn familie haar laatste stappen zet, haar laatste adem uitblaast en het voelt weer alsof ik naar een of andere politieserie zit te kijken, met de ruwe-bolster-blanke-pitpolitieman die verslag doet van de misdaad.

'Ze is door de Eerste Hulp naar Maple Valley gebracht, zodat de dokter de doodsoorzaak kon vaststellen,' zegt Patrick. 'Hij zei dat het haar hart was. Hij vroeg of we wisten hoe we haar familie konden bereiken. Toen heeft mijn vader hem het nummer van jouw moeder gegeven dat hij nog had, maar dat bleek een oud nummer. Daarna hebben ze Rachel geprobeerd. De rest weet je.'

'Ik ben eigenlijk niet echt verdrietig.' De bekentenis floept eruit, maar Patrick blijft me rustig aankijken terwijl ik het haastig uitleg. 'Ik bedoel, het is allemaal heel verdrietig, maar het raakt me niet echt. Er is zoveel... Sinds opa's begrafenis ben ik hier niet meer geweest. Ik kan me hen niet meer zo goed herinneren, snap je?'

Hij knikt. 'Toen heb ik je voor het laatst gezien. Je droeg een lichtblauwe jurk en je was gewoon...' Patrick tuurt over het meer op zoek naar het woord. 'Ontroostbaar,' zegt hij. 'Je wilde dat ik klavertjesvier zou zoeken voor op zijn graf.'

Klavertjes. Ik kan me de lichtblauwe jurk niet meer herinneren, maar de klavertjes – ineens weet ik het weer. Het is alsof het pas een week geleden is dat ik in het gras speurde naar klavertjes terwijl opa in zijn rolstoel naar me zat te kijken. *Kijk opa! Een klavertjezes!* Ik had hem zelf gemaakt door drie blaadjes doormidden te scheuren, want ik had al zo veel klavertjesvier gevonden dat ik bang was dat ik al het geluk van Red Falls zou opmaken. Opa gaf me een kus op mijn hoofd en noemde me zijn gelukskind. Zo was het elke zomer in het huis aan het meer. Ik. Opa. Ricky. De klavertjesvier. Ik dacht dat het altijd zo zou blijven.

Ik leun over de reling langs het water en kijk hoe de zon fonkelt op het wateroppervlak. Er loopt een gezin achter ons langs, de jongste van de drie kinderen zit op zijn vaders schouders en wijst naar de zeilboten in de verte. 'Boop! Boop! Boop!'

'Er zijn meer toeristen dan ik me kan herinneren,' zeg ik.

'Ja. Ze hebben het hier allemaal behoorlijk opgeknapt. Mijn vader en ik hebben er daar ook een paar van gebouwd.' Patrick wijst naar een rij grijs met witte huisjes aan de overkant van het meer, waar vroeger alleen een kreupelbosje was met een smal modderpaadje naar het bos. 'Ze zijn gestopt met racen omdat de motoren de hobbyvissers en de zeilboten verstoorden. Ze zeiden dat het de authentieke New England-sfeer in de weg stond.'

Ik lach. 'Wiens idee van authentiek?'

'Precies. Maar het is ook weer niet allemaal onzin. Bovendien, zodra de races stopten, kwamen de schildpadden.' Hij wijst naar de rand van het meer waar twee schildpadden zich op een grote, gladde rots met uitgestrekte nek koesteren in de zon. Daarachter probeert een kleinere schildpad de rots op te klimmen, maar ze glijdt met een plons terug in het water. Even snel als ze viel, steekt ze echter haar kop en poten weer boven het water uit voor een tweede poging.

'Ik zag in Main Street ook wat nieuwe tentjes,' vertel ik Patrick als de schilpad eindelijk de top van de rots bereikt heeft. 'Een hippe camping-winkel. Een schoonheidssalon. Een cafeetje.'

'Luna's,' zegt hij. 'Zo heet het café. Ik geef er de hele zomer optredens.'

'Optredens? Shakespeare of zo?'

'Eh, nee.' Hij stompt tegen mijn schouder terwijl we doorlopen. Zijn brede glimlach doet de kuiltjes in zijn wangen goed uitkomen. O jee. Die herinner ik me nog goed.

'Ik zing en speel gitaar,' zegt hij. 'Akoestisch.'

'Echt? Zing jij?'

Hij knikt, doet zijn pet af en gaat met zijn hand door zijn zongebleekte, warrige haar. 'Kom volgende week maar eens kijken. Meestal is er best veel publiek. Ik doe een mix van eigen liedjes en covers – mensen vinden het namelijk leuk om mee te kunnen zingen.'

'Patrick, dat is echt te gek.'

'Wacht maar tot ik Emily over jou heb verteld!'

'Emily?' Mijn keel knijpt zich samen. 'Is dat je vriendin?'

'Nee, we hebben niets. Gewoon een goede vriendin. Ze werkt in het café. Luna is haar tante, vandaar. Bij optredens is ze er altijd, om te wer-ken of gewoon voor de lol. Je zult het wel merken. Ik weet zeker dat je haar aardig vindt.'

'Klinkt gaaf.'

'Het volgende optreden is volgende week dinsdag,' zegt hij. 'Denk je dat je dan kunt?'

'Zeker weten.' Ik vertel niet dat ik eigenlijk min of meer huisarrest heb, dat is nu niet relevant. Laat staan mijn scharrel. Ook niet relevant.

Bijna twee uur wandelen we zo rond, alsof we alle tussenliggende jaren in één keer proberen in te halen. Als we weer bij de tribune terug zijn, koopt Patrick wat popcorn bij een kraampje langs het pad en om de beurt gooien we er wat van in het water, terwijl we kijken hoe de meeuwen op de golven dobberen en de kleine witte korrels achterna duiken.

'Ik kan nog steeds niet geloven dat je er bent,' zegt hij als de popcorn op is. Dit keer kijkt hij langer in mijn ogen en ik verlies me een beetje in de honingkleur die ze krijgen in de laaghangende zon. Als hij opnieuw glimlacht en in mijn schouder knijpt, kriebelt er iets in mijn buik. Ik krijg het niet onder controle en raak een beetje in de war. Dus trek ik me los en bind mijn haar in een staart. Ik durf me niet voor te stellen hoe pluizig het moet zijn geworden in de vochtige lucht, maar ik ben blij met de afleiding. 'Ik moet terug, Ri... ik bedoel Patrick.'

'Best,' zegt hij. 'Ik zie je binnenkort toch weer. Mijn vader is vandaag al even langsgegaan. Volgens mij wil je moeder morgen tijdens een etentje praten over de serre en andere dingen van het huis.'

'Etentje? Heb je daar wel zin in?' vraag ik. 'Eén huis. Drie vrouwen. Dode mensen. Dat betekent bijna gegarandeerd ruzies zonder aanleiding en spontane huilbuien.'

'Tja, als je het zo stelt...' Patrick strijkt zo lichtjes met zijn vingertoppen langs mijn blote arm dat de haartjes zich uitstrekken om hem te voelen.

'Tot dan,' zegt hij. De kuiltjesglimlach flitst nog één keer over zijn gezicht, dan loopt hij terug naar zijn plekje op de tribune, met *De vanger in het graan* in zijn hand. Terwijl ik de heuvel naar oma's huis beklim, gaat mijn hand naar mijn arm waar ik zijn aanraking nog steeds kan voelen, warm en zacht en net zo vertrouwd als de herinneringen aan kleine Ricky die rond het meer stuift en wedstrijdjes verzint wie de grootste visgraten opgraaft of van de hoogste kade af springt.

...omdat je er nog steeds best beminnelijk uitziet.

De kriebel gaat weer door mijn buik. Ik adem diep in, tel tot tien en duw hem weg, diep weg.

Hoofdstuk 7

Het is stil in huis.

De boodschappen zijn opgeruimd en mams opklaptafeltje ligt er netjes bij: koffiemokken gevuld met pennen staan dreigend tegenover de met haantjes versierde doos tissues. Alles is stil. Doodstil.

Er is niemand.

Boven staan alle deuren open, behalve één – de kamer van opa en oma aan het einde van de gang. Mams bagage staat in haar oude kamer, de bagage van tante Rachel in die van haar: de Paarse kamer. Ik ben daar een keer in slaap gevallen, in de Paarse kamer. Er zat een monster onder het bed, met schubben en enorme gele ogen die kindertjes lustte. Mam was die week voor haar werk in New York en ik herinner me hoe ik om oma schreeuwde, die minder goed was in het wegjagen van monsters dan opa met zijn ene been, maar wel sneller boven kon zijn. Ik hoefde maar één keer te schreeuwen en oma was er al en deed het licht aan, maar in haar haast was ze vergeten haar pruik op te zetten. Ik wist niet dat ze geen haar meer had, alleen wat pluizige plukjes die als een soort suikerspin boven haar schedel zweefden. Zelfs nadat ze haar pruik weer had opgezet, kostte het haar en opa wel een uur om me ervan te overtuigen dat de geest aan het voeteneinde van mijn bed oma was. Ik geloof niet dat ik oma daarna ooit nog helemaal heb vertrouwd, ook al heb ik haar nooit meer zonder pruik gezien (en sliep ik ook nooit meer in de Paarse kamer).

Mijn tassen staan in de kamer waar ik in de zomer altijd sliep. We hebben het er nooit over gehad, maar terwijl ik mijn spullen over de vloer naar de kast sleep, realiseer ik me met een rilling dat dit Stephanies oude kamer moet zijn geweest. Ik ga op de hoek van het bed zitten – hetzelfde als vroeger, maar dan zonder de witte kanten baldakijn erboven – en vraag me af of dit echt haar bed was. Haar hemelbed waar ik in sliep. Haar speelgoed en poppen waar ik mee speelde. Dan zet ik mijn gedachten onwillekeurig in daden om en lig ik plotseling op mijn knieën half onder het bed alsof ik daar een aanwijzing zou kunnen vinden. Een teken. Een schatkaart. Het vermiste dagboek op de meesten voor de hand liggende geheime plek waar iedereen al die jaren op een of andere manier overheen heeft gekeken.

Het is leeg natuurlijk, de vloer onder het bed. Niets dan donkerbruine hardhouten planken, bedekt met een laagje fijne stof en alleen in de hoeken een beetje beschadigd door het heen en weer schuiven van het bed. Maar er staan wel een paar letters vlak bij de linkervoorpoot gekerfd:

SH + CC

sh. Stephanie Hannaford. cc moet haar vriend zijn geweest, over wie Rachel het had. Ik ga met mijn vingers over de kerven in het hout en vraag me af wat ze die avond voelde. Hoe lang het geleden is dat ze de letters kerfde. Of ze wilde dat iemand ze zou zien. Wanneer ik na een hele tijd onder het bed vandaan kom, is het koud geworden en ik wrijf over mijn armen. Wat heb je nog meer achtergelaten voor de achterblijvers?

Of ze nu van Stephanie zijn geweest of niet, de poppen die de planken van deze kamer vulden toen ik klein was, zijn weg. Ze zijn vervangen door potten met knopen en dozen vol linten, ritsen en stalen stof. Ik kan me niet herinneren dat oma naaide, maar onder een berg vloeipapieren patronen staat een Singer-naaimachine met een lap turkooizen stof, die als een waterval over de tafel gedrapeerd ligt, nog onder de naald. Dit is de kamer die ik altijd heb gehad, maar alles is anders nu. In acht jaar tijd verandert alles: gezichten, plaatsen, zelfs herinneringen. De werkelijkheid verandert net zo sterk als wijzelf.

De kledingkast is volgepakt met winterjassen, laarzen en avondkleding in kledinghoezen, maar mijn spullen passen bijna allemaal in een lege ladekast. Er staat een oude weckfles vol knopen bovenop, die rammelt als ik de laden open- en dichtdoe: glanzende, glazige stukjes regenboog die lijken op de zoetzure snoepjes die we altijd bij het kruidenierswinkeltje haalden. Het bed ziet eruit alsof het net is opgemaakt. Ertegenover staan een klein tafeltje en een stoel onder een raam waar ik kan zitten en leunend op mijn ellebogen naar de meeuwen kan kijken die op het meer neerstrijken.

39

Of door het raam boven mijn bed, naar Patricks huis. Als ik het gordijn optil, zie ik van hieruit het raam van zijn oude slaapkamer, net als vroeger. Ik vraag me af of hij daar nu de rest van *De vanger in het graan* zit te lezen – misschien wel dat deel waarin Holden vertelt over de boeken die zijn zusje Phoebe schrijft maar nooit afmaakt, of waarin hij een prostituee naar zijn hotelkamer laat komen, of...

'Delilah?' Mam klopt zachtjes op de deur, komt binnen zonder op toestemming te wachten en gaat op het bed zitten. Ik doe mijn mond open om haar weg te sturen, maar het deel van mij dat ruzie wil maken wordt overstemd door het deel dat zich herinnert hoe ze een paar uur geleden in de tuin zat en grassprieten uit de grond trok.

'Hé,' zeg ik. 'Waar waren jullie?'

'We zijn naar het dorp gelopen om alles door te nemen met Bob Shane, de begrafenisondernemer. Ma heeft blijkbaar jaren geleden alles al geregeld, voor het geval er niemand was die dat kon doen.'

Ik ga naast haar op het bed zitten, maar niet te dichtbij. 'Wanneer is de begrafenis?'

'Ik hoopte zo snel mogelijk, zodat we ons de rest van de tijd op het huis konden richten, maar dat gaat niet. Ze wilde gecremeerd worden en bijgezet worden bij pa. Dat kan Bob deze week doen. Maar ze wilde ook dat een deel van haar as over het meer werd uitgestrooid. En nu Red Falls in de zomer zo populair is, moet je voor zo'n buitenceremonie speciale toestemming vragen, zodat ze een deel van het meer kunnen afzetten voor de uitstrooiing.'

'Klinkt ingewikkeld,' zeg ik.

'Realistisch gezien wordt het waarschijnlijk het einde van de zomer.'

'En vergeet deze knaap niet,' zegt tante Rachel, die in de deuropening verschijnt met een familiepot mayonaise. 'Hij stond in de gangkast, precies zoals Bob zei.'

Mam schudt haar hoofd. 'Ik hoopte echt dat hij een grapje maakte.'

'Niet dus. Man, voor een potje as weegt dit ding wel een ton. Het moet een grote hond geweest zijn.'

Ik spring op van het bed en loop achteruit richting de kast. 'Een hond? Zit daar een dode hond in?'

'Kleine Ollie,' zegt Rachel terwijl ze hem naast haar voeten op de vloer zet. 'Haar sint-bernard. Hij is vorig jaar doodgegaan en ze heeft hem door de dierenarts laten cremeren. Bob vertelde dat ma samen met dit beest

40

begraven wilde worden. Het is tegen de regels, maar hij heeft beloofd dat hij desondanks hun as zou vermengen. Ik moet dit ding morgen brengen.'

'Deze familie is gestoord,' zeg ik en ik laat me weer op het bed vallen. 'Ik kan nog steeds niet geloven dat ik hier de hele zomer vastzit.'

Mam kijkt naar mijn handen, maar pakt ze niet. 'Delilah, ik weet dat dit niet jouw plannen waren voor de zomer. Geen van ons had verwacht hier te moeten zijn en het zal wel even tijd kosten voordat we aan deze... situatie gewend zijn. We hebben krap twee maanden om dit huis op orde te krijgen, de verkoop te regelen en de crematie te organiseren. En met de makelaar die alles graag wil regelen plus de mensen die komen condoleren, zullen we de komende dagen wel overspoeld worden met bezoekers. Het gaat hier een gekkenhuis worden. We moeten bij de les blijven en niet vergeten waarom we hier zijn.'

Ik kijk naar mijn moeder en haar zus en naar de bloemen die op de beddensprei geborduurd zijn en vraag me af op wiens versie van 'waarom we hier zijn' ze doelt. Zijn we hier om in het verleden te graven? Om te praten over wat er acht jaar geleden op opa's begrafenis is gebeurd? Om Stephanie te herdenken? Om afscheid te nemen? Of zijn we hier alleen maar om het huis te verkopen, terug te gaan naar Key en alles in Red Falls weer helemaal opnieuw te vergeten?

'Ik snap dat het moeilijk voor je is om hier weer te zijn,' gaat ze verder. 'Het is voor ons allemaal moeilijk. Maar ik wil niet meer dat je zomaar weggaat zoals vanmiddag. Gezien de manier waarop jij met regels omgaat, wil ik dat je hier in de buurt blijft bij Rachel of bij mij, tenzij ik toestemming geef voor iets anders.'

Ik wil haar tegenspreken, maar mam geeft me geen kans en houdt een monoloog over mijn gedrag van de laatste tijd, vol met haar favoriete rotclichés over impulsief gedrag, aandachtvragerij, aan mijn toekomst denken en consequenties. Ik hoor alles, maar het komt niet binnen, alsof ik er van een afstandje naar kijk, zoals naar de zeilboten op het meer vandaag: ik zag ze varen, maar op een afstand, waardoor ze in plaats van snel en scheef, langzaam en sierlijk langs de horizon leken te varen.

'Heb je me gehoord, Del?'

Ik haal mijn schouders op.

'Ik heb een paar dagen geleden met meneer Marshall gepraat en hij...'

'Wat?' vraag ik. 'Heb je het met de decaan over mij gehad?'

'We weten allemaal dat je dit jaar op het nippertje bent overgegaan. Je hebt gespijbeld, huiswerkopdrachten niet gemaakt, kwam te laat. We waren bezorgd dat je je laatste jaar niet zou halen.'

Ik wikkel een loshangend draadje van mijn korte broek rond mijn vinger en draai het weer los, kijk hoe mijn vingertopje paars wordt en wit, paars en wit. Haar moeder is net overleden, Delilah. Laat het zitten. Paars. Wit. Paars. Wit.

'Hij zei ook dat je alle andere activiteiten hebt overgeslagen. De dansavonden. Dat je tussen de middag vaak in je eentje in de bibliotheek at. Hoe zit het met je blogvriendinnen? Ik dacht dat je die zo leuk vond. Wat is er gebeurd?'

Wat er gebeurd is? Ik zal haar precies vertellen wat er gebeurd is, alles. Dat mijn zogenaamde blogvriendinnen het belangrijker vinden om drank te scoren voor het volgende feestje aan de kreek dan de huidige stand van zaken bij te houden en samen tijd door te brengen. Hoe de klassenblog sinds Libby Dunbar hem heeft overgenomen een eigen, duivels leven is gaan leiden en bijna binnen een dag is veranderd van een leuk en handig hulpmiddel in een soort roddelblad. Hoe het nieuwe trendy format in één keer een soort beroemdheid van Libby maakte en alle eerstejaars met veel vertoon haar boeken gingen dragen en haar tafel in de kantine afruimden. Dat iedereen op het meest populaire onderdeel van de blog 'Belle of Beest' openlijk cijfers voor andermans uiterlijk kan geven. Dat er via de 'Geruchtenhoek' wredere en vuilere leugens worden verspreid dan in echte roddelbladen. En dat iemand vorige maand op het 'Prikbord' anoniem foto's heeft gezet van mij en Finn terwijl we staan te zoenen achter de skatebaan, met zijn ene hand onder mijn t-shirt en de andere op mijn kont. Dat er daarna elke ochtend een print van die verschrikkelijke foto op mijn kluisje zat geplakt en jongens dwars door de hal, zodat iedereen het kon horen, riepen: 'Wanneer ben ik aan de beurt, Hannaford? Moet ik een kaartje kopen of is voelen inbegrepen?'

Toen ik Libby vroeg of ze de foto's wilde verwijderen, vond ze dat ik overdreven reageerde, dat de foto's helemaal niet zo slecht waren. Ze lachte en zei dat haar blog mij bijna net zo beroemd zou maken als haar. Nadat ik haar nog een laatste smeekbede had gemaild, schreef ze alleen nog maar:

'Delilah, ik ga niemand censureren. Ik dacht echt dat jij wel zou weten hoe belangrijk persvrijheid is. Je vader heeft zijn leven ervoor gegeven.'

Maar als ik mijn mond opendoe om het hele verhaal te vertellen, zijn de enige woorden die eruit komen: 'Het is dit jaar gewoon allemaal anders, mam.'

'Ja,' zegt ze. 'Dingen veranderen soms, en niet altijd zoals wij dat willen. Dat snap ik best. Maar het gaat hier om hoe je je over de hele linie gedraagt en om eerlijk te zijn...'

Ik steek mijn hand omhoog. 'Ik wil er niet over praten.'

Ik zie Rachel in de deuropening in haar zak rommelen. Er hangt een magische sinaasappelgeur in de lucht, maar ik geloof niet dat het enig effect heeft op mam en ze dramt door.

'Ik ben je moeder, Delilah Hannaford, en ik wil er wél over praten.'

'Nu ineens wel? Anders wil je nóóit ergens over praten!' Ik hoef alles wat al zo lang onuitgesproken is gebleven niet te noemen, het rijst als hete stoom tussen ons op. Mijn ogen vullen zich weer met tranen en het kost me enorm veel moeite om mijn kont op het bed te houden en mijn voeten ervan te weerhouden me regelrecht terug naar het meer te brengen.

Voor mam kan antwoorden, staat Rachel voor ons en slaat haar handen in elkaar. 'Te veel negatieve energie. Laten we allemaal even diep ademhalen, dat zuivert.' Ze ademt in, gebaart dat wij hetzelfde moeten doen. 'En adem uit.'

We doen wat ze zegt, herhalen het drie keer.

'Dat is beter,' zegt Rachel. 'Het is duidelijk dat we allemaal een hoop te bespreken hebben, maar we zijn nog maar net aangekomen. We hebben onze spullen nog niet eens uitgepakt. Er is iemand doodgegaan, weten jullie nog?'

Mam sluit haar ogen. 'Rachel heeft gelijk,' zegt ze terwijl ze haar slapen masseert. 'Het spijt me, Del. Eén ding tegelijk, goed?'

'Goed, mam. Maar...'

'Ik zal de kaarten eens leggen,' zegt Rachel. 'Dat zal helpen om onze gedachten te ordenen.'

Vroeger vond ik het geweldig als Rachel tijdens mijn bezoekjes aan Washington haar tarotkaarten tevoorschijn haalde, maar toen zag mijn toekomst er ook nog niet zo somber uit. Nu zijn die doodskaarten en duivels en halfnaakte meisjes die vrolijk voor oma's naalden en spoelen en bloespatronen langshuppelen me een beetje te veel. 'Nee, dank je,' zeg ik. 'Mam gelooft er toch niet in.'

Rachel lacht. 'Nou, ik heb het anders voor elkaar gekregen dat ze voor de rest van de avond haar telefoon heeft uitgezet. Dat biedt perspectieven, toch?'

Mam haalt haar schouders op. 'Na zo'n weekend als dit ben ik tot alles in staat. Ik doe mee.'

Rachel draait mijn laatste kaart om en legt hem open op een zwart kleed met zilveren sterren en manen. 'Dit,' zegt ze, 'is je Laatste Oordeel.'

'Zitten er jongens met strakke maillots aan in mijn Laatste Oordeel? Super.'

'Dit is de Bekers Schildknaap,' zegt ze. 'Hij staat voor geboorte.'

Mam pakt de kaart op om hem van dichtbij te bekijken, alsof het antwoord op al mijn problemen in de gouden kelk van de schildknaap staat gegraveerd. 'Je gaat me toch niet vertellen dat je zwanger bent, Delilah.'

'Het kan de geboorte van een kind betekenen,' zegt Rachel met een boze blik naar mam, 'maar in dit geval is het waarschijnlijk het begin van een nieuwe relatie of vriendschap. Een soort onverwachte nieuwe start. Het kan op een gebeurtenis wijzen, maar als het over een persoon gaat, is het vaak iemand die artistiek is en fantasierijk. Gepassioneerd. Een dromer. Wat denk jij, Del?'

Ik wend mijn blik af van het huis naast ons, waar blauw licht door het raam schijnt. 'Wat denk jíj? Jij bent de waarzegster hier.'

'Dit is geen waarzeggen,' zegt Rachel. 'Het is slechts een manier om tekens uit het universum op te pikken. Ik kan alleen maar vertellen wat ze in deze volgorde betekenen. Verder is het aan jou om uit te vinden wat dat inhoudt. Er gebeurt veel in deze kaartlegging, maar het is niet negatief.'

Ik kijk naar de kaart die op de plek van de nabije toekomst ligt: de Dwaas, een jongetje met een fluit die met zijn ogen dicht langs de rand van een klif danst. Tralala!

'Nee?' vraag ik.

'Nee. Ik wil dat je goed op de kaart van het Laatste Oordeel let,' zegt Rachel en ze wijst op de schildknaap. 'Vooral gezien het feit dat Bekers Vijf in het midden ligt. Bekers Vijf staat voor verlies, maar Bekers Schildknaap staat voor een emotionele wedergeboorte. Terwijl de Vijf wijst op verlies, dat kan bijvoorbeeld het einde van een relatie betekenen, zegt de Schildknaap dat je vertrouwen kunt hebben. Sluit jezelf niet af voor nieuwe mogelijkheden. Maar let op de Dwaas en stort je niet blind ergens in. Gaan er belletjes rinkelen?'

'Ik weet het niet zeker,' zeg ik, kijkend naar de kaarten. 'Gaat het over... nou ja... over weer hier in Vermont zijn? Over familiedingen?'

Mam buigt zich naar voren om het beter te kunnen zien, maar Rachel schudt haar hoofd. 'Ik denk het niet. Als het over familiezaken zou gaan, zouden we in jouw kaartlegging meer moederkaarten zien, zoals Keizerinnen of Hogepriesteressen. Deze gaat waarschijnlijk over vriendschap. Het zou over je vriendinnen op school kunnen gaan, of over nieuwe vrienden die je hier in Red Falls zult ontmoeten. Het zou ook over de relatie met jezelf kunnen gaan. Dat zul je zelf moeten uitvinden.'

Ik bekijk de kaarten nog eens en moet daarbij aan Patrick denken. Is hij de artistieke dromer? Kondigt de Bekers Schildknaap een gepassioneerde... Nee, nog een scharrel op mijn lijstje kan ik echt niet gebruiken. De enige kaart die van toepassing is, is de Dwaas, want dat is wat ik ben omdat ik dit soort dingen zelfs maar overweeg, terwijl ik hier vastzit in dit esdoornoord vol geheimen en met een uiteengevallen familie die nauwelijks een uur met elkaar kan doorbrengen zonder ruzie te maken.

Rachel legt de kaarten terug op de stapel en schudt ze. 'Zo, laten we nu eens gaan kijken wat het universum je moeder te vertellen heeft.'

Haar eerste kaart is een vrouw, vastgebonden, geblinddoekt en met allemaal zwaarden om zich heen. 'In jouw geval,' zegt Rachel, 'duidt Zwaarden Acht waarschijnlijk op de last die een succesvolle carrière met zich meebrengt.'

'Ik voel geen last,' zegt mam en ze glijdt met haar vingers langs de fijne gouden schakeltjes van haar horlogebandje. 'Ik ben gek op mijn baan. Het gaat fantastisch bij DKI. Ik heb mijn hele leven gewerkt voor een kans als deze en die heb ik gegrepen.'

'Zoals ik al tegen Delilah zei, interpreteer het zoals jij wilt. Kijk, de volgende ziet er enger uit dan hij is.' Op de kaart staat een vrouw die in een klein houten bootje over het water wordt gebracht. Net als de vrouw op de eerste kaart is ze omgeven door zwaarden. 'Waar ze varen is het water wild,' zegt Rachel, 'maar een eindje verderop wordt het rustiger. Er zijn ook niet aan alle kanten zwaarden. Deze zou op vergiffenis kunnen wijzen, of op een moeilijke situatie durven aangaan en overwinnen.'

'Interessant.' Mam pakt de kaart op en kijkt ernaar met samengeknepen ogen.

'In elk geval iets om over na te denken terwijl we hier zijn,' zegt Rachel. Ze legt nog een paar kaarten uit, de meeste gaan over carrière maken en hard werken en materiële welvaart. Dan draait ze mams Laatste Oordeel om.

'Aha,' zegt ze en ze gaat met haar vingers over het plaatje van twee kinderen op een pad in de zon die een grote vaas met bloemen tussen zich in dragen. 'Ik vroeg me al af wanneer deze zou komen.'

'Wat is het?' vraagt mam.

'Bekers Zes. Vreemd dat deze als je Laatste Oordeel komt. Bekers Zes heeft te maken met jeugdherinneringen,' zegt Rachel. 'Het betekent nostalgie.'

Mam kijkt naar haar zus, naar de kaart en dan naar mij. Ze streelt mijn paardenstaart, staat op, loopt de kamer uit, door de hal en doet de deur van haar slaapkamer achter zich dicht.

Zwijgend verzamelt Rachel de kaarten, laat ze terug in het zijden zakje glijden, vouwt het maan-en-sterrenkleed op tot een perfecte driehoek en laat me alleen achter met de mayonaisepot, voorheen bekend als Ollie.

Interpreteer het zoals jij wilt.

Hoofdstuk 8

Na alle orakels van gisteravond klinken de stemmen die de trap op komen drijven hard en onecht. Ik bevind me nog half in een nachtmerrie waarin de tweedimensionale fantasiefiguren van een pak kaarten tot leven komen en uit het meer oprijzen om me te waarschuwen voor naderend onheil.

Maar de stemmen klinken echt en als ik mijn ogen opendoe en me uitrek hoor ik ze steeds beter. Door het open raam komt warme lucht naar binnen. Mijn maag knort.

Beneden zitten Megan de bakkersvrouw, een oudere dame en een meisje van ongeveer mijn leeftijd met mam en Rachel rond de tafel. Ze eten van een schaal met stukjes fruit en de gebakjes die we gisteren in de supermarkt hebben gehaald.

'Delilah,' roept Rachel en ze wenkt me. 'Kom kennismaken met de rest van Megans familie. Dit is Luna, haar moeder. Zij is de eigenaresse van dat cafeetje dat we in het dorp zagen.'

'Ik kan me je nog herinneren van toen je klein was,' zegt Luna terwijl ze opstaat om me te omhelzen. 'Moeilijk te geloven dat je nu even oud bent als mijn nichtje.'

'Hoi,' zegt het meisje, 'ik ben Emily.' Patricks Emily. Ze glimlacht naar me vanachter een bos halflang bruin haar, met grote blauwe ogen, warm en oprecht. 'Ik werk de hele zomer in het café. Je moet eens langskomen, het is echt stukken beter dan al die standaardcafés aan de andere kant van het dorp.'

'Doe ik!' Ik ga naast haar zitten en pak een muffin met ahornsiroop en walnoten van de schaal. Ze glimlacht weer en ik ontspan mijn schouders een beetje. Misschien dat het uiteindelijk toch niet zo'n verschrikkelijke zomer wordt.

Nadat Emily me wat meer over het café heeft verteld en over de tijd die ze tot nu toe in Red Falls heeft doorgebracht, praten Luna en Megan ons bij over de afgelopen acht jaar. Niemand lijkt mam of Rachel iets te verwijten of vragen te hebben over ons vertrek, maar toch valt er af en toe zo'n ongemakkelijke stilte van onzekerheid. Van iets willen vragen, maar de woorden niet kunnen vinden. Van wel iets weten, maar meer nodig hebben om het te kunnen begrijpen.

'We zijn blij dat jullie er weer zijn,' zegt Luna tegen mam terwijl Rachel nog een pot koffie zet. 'Maar ik vind het naar dat het niet onder wat vrolijkere omstandigheden is.'

Mam legt haar hand op die van Luna en bedankt haar voor het langskomen, maar ik kan aan haar glimlach zien dat ze eigenlijk liever zo snel mogelijk aan het huis zou willen beginnen. Plannen wil maken voor de rest van de zomer, plannen waar het ontvangen van gasten uit ons verleden waarschijnlijk niet in past. Maar Luna maakt geen aanstalten om op te staan en accepteert nog een kop koffie, Megan vult de schaal bij met gebakjes uit de doos op het aanrecht en iedereen praat verder alsof we alle gemiste jaren in één dag moeten inhalen.

We zijn halverwege de tweede pot koffie als de eerste auto de oprit op rijdt, gevolgd door nog een auto en dan nog een. Emily en ik lopen naar buiten om te zien wie het zijn en uit een rij schuiten van Buicks komt een kronkelige optocht van grijsharige dames naar de veranda gelopen, gewapend met door folie afgedekte dienbladen. Ze stellen zich voor als vriendinnen van Elizabeth.

'We vinden het zo erg voor je, schattebout,' zeggen ze met terneergeslagen ogen en ze lopen in de richting van de hordeur alsof ze zijn geroepen door de geesten van het huis, oude en nieuwe geesten die ons gebombardeerd hebben tot een familie in rouw.

Een familie die kilo's cake nodig heeft.

Elizabeth Hannaford kende veel mensen. En die mensen houden nogal van cake. En ze houden nogal van praten. Rachel blijft hun koffie- en theekopjes bijvullen, terwijl ze verhalen uitwisselen over oma's beroemde aardappelsalade en haar vrijwilligerswerk in het ziekenhuis en, mijn god, kijk toch eens hoe groot Delilah is geworden, en het is zo heerlijk om jullie na zo veel jaren weer te zien, maar we vinden het zo erg dat het vanwege Elizabeths begrafenis is. Ze vragen wat onze plannen voor de dienst zijn en of we nog iets nodig hebben en aan de buitenkant glimlacht mijn moeder en ze leunt voorover in haar stoel alsof ze blij is met hun vriendelijkheid. Maar vanbinnen probeert Claire Hannaford de zakenvrouw te ontsnappen om aan het werk te kunnen. Wanneer ze de woonkamer in vlucht en de pillen uit haar tasje haalt, bied ik aan om iedereen te vertellen dat ze hoofdpijn heeft, zodat ze zich op haar kamer kan terugtrekken.

'Dank je, Del. Maar helaas kunnen we vandaag echt niet rustig aan doen. Straks komen de buren om de plannen voor de verbouwing te bespreken. Rachel kookt en ik moet van tevoren nog wat boodschappen doen. Je herinnert je Jack en kleine Ricky toch nog wel?'

De deur naar de veranda gaat vandaag wel duizend keer open en dicht, van 's morgens vroeg tot laat in de middag wisselen de groepen bezoekers elkaar af, pas tegen etenstijd wordt het rustiger. Eindelijk zie ik Patrick en zijn vader over het zijpad aan komen lopen en zodra ik hun voetstappen op de krakende traptrede hoor, ga ik ze tegemoet. Patrick omhelst me in de deuropening en in zijn armen herinner ik me ineens die andere droom van vannacht, die... o... die ik onmiddellijk uit mijn gedachten ban in de hoop dat niemand heeft gemerkt dat de temperatuur in de kamer ineens vijfhonderd graden is gestegen. Hoe ongepast kan je onderbewustzijn zijn?

'We kwamen elkaar gisteren tegen bij het meer,' zegt Patrick als hij mams vragende blik ziet. 'We zijn weer vrienden, net als vroeger. Weer helemaal bijgepraat. Hoe gaat het met je hoofd?' vraagt hij aan mij.

Ik wrijf over de plek waar ik gisteren tegen de tribune knalde. 'Geen bult. Ik denk dat ik het wel overleef.'

Rachel grijnst naar me vanachter haar koffiekopje, maar ik negeer haar en schud de droom van me af. Ik weet wat ze denkt. Ik zie aan haar gezicht dat ze aan die 'gepassioneerde dromer' denkt. Mijn favoriete tante met haar rare tarotkaarten, die hier waarzeggend door New England loopt.

Jack, Patricks vader, staat met open armen in de deuropening. 'Delilah! Mijn god, wat ben jij mooi geworden. Helemaal volwassen.'

'Jou ken ik nog wel.' Ik lach naar hem en ga op mijn tenen staan, zijn armen voelen als een warme deken als hij me omhelst. Jack wil alles weten over de afgelopen acht jaar. Hij vraagt naar Key en school en mijn plannen voor de toekomst, maar mam, die achter me staat met haar armen vol notitieboekjes, potloden en briefjes, schraapt haar keel alsof er een stukje eten in vastzit. Ik kan me niet herinneren dat we ooit in mijn leven zonder kantoorspullen zaten. Als een of andere storm ons huis omver zou blazen, weet ik zeker dat we van alle postsorteerbakjes en punaises een fort zouden kunnen bouwen met hangmappen als dakpannen en prima zouden overleven. En hier staat ze alweer, klaar om een nieuwe eventuele ramp te voorkomen met een klik van haar pen.

'Fijn dat jullie er zijn,' zegt mam als we allemaal aan tafel zitten en Rachel haar stoofschotel met spinaziesalade opdient. 'Even voor alle duidelijkheid, het plan is dat Patrick en Jack ons helpen om het huis klaar te maken voor de verkoop. Omdat ze hier al eerder gewerkt hebben, kennen ze de grootste hindernissen en weten ze hoe ieder van ons hier het beste aan kan bijdragen.'

Jack vertelt hoe het werk aan de serre ervoor staat. 'Volgens mij hebben we al het materiaal, dus dat zou geen probleem moeten opleveren. Het is de enige ruimte die grondig gerenoveerd moet worden,' zegt hij. 'De buitenkant moeten we nog bekijken. Misschien moeten we er wat schilders bij halen.'

Mam maakt een paar aantekeningen terwijl wij eten, mompelt wat in zichzelf over materiaal en verfkosten en laat haar eten koud worden. 'Rachel en ik zullen alle spullen binnen bekijken en beslissen wat we weggooien en wat we willen doneren of verkopen,' zegt ze. 'En Delilah helpt waar we haar nodig hebben. Ik hoop dat we het uiterlijk begin augustus in de verkoop hebben staan, zodat we voor we weggaan kunnen inschatten hoe het in de markt ligt. Misschien kunnen we het gemeubileerd verkopen, maar we moeten waarschijnlijk wel minstens drie keer een inboedelverkoop organiseren om de rest van de troep kwijt te raken.'

Ik denk aan alle spulletjes boven en vraag me af waar het terecht zal komen: de stoffen en garen en patronen en de jassen en schoenen in de kast waar oma haar hele leven elke winter in heeft gelopen. Beelden van mams slaapkamer thuis in Key flitsen als muggen voor me langs. Ik mep ze knipperend weg.

'Ik doe wat ik kan,' zegt mam tegen Jack, 'maar zoals mijn zus en Delilah weten, ben ik enigszins gebonden aan mijn bureau. Grote beslissingen of kwesties kun je met mij of Rachel overleggen. Voor andere dingen vertrouw ik op jouw oordeel. Jij hebt hier meer ervaring mee dan wij.'

Jack knikt.

'Geen probleem, mevrouw H,' zegt Patrick.

'Zitten we allemaal nog op één lijn, Delilah?'

Op één lijn? Volgens mij staan we mijlenver van elkaar af, maar dat kan ik maar beter niet zeggen. Ik knik.

'Mooi,' zegt ze. 'Om te beginnen denk ik dat het handig is als je morgen met Patrick meegaat om de buitenboel te bekijken. Neem een blocnote mee en schrijf alles op wat hij zegt. Maar je blijft in de buurt van het huis, begrepen?'

'Oké, mam.' Ik kan wel iets ergers verzinnen dan Patrick de hele zomer achternalopen. Bouwvakkers werken meestal zonder shirt aan, toch?

'Goed.' Mam klapt één keer in haar handen, dat is haar versie van 'Zet 'm op allemaal!' 'Nog vragen?' Haar bonus hangt blijkbaar af van het vervullen van haar missie binnen een bepaalde tijd en een bepaald budget.

'Nee,' zegt Jack. 'Maar Claire, en Rachel en Delilah ook, ik wilde nog zeggen hoe erg ik het vind van Liz.' Hij duwt een gestoofde champignon over zijn bord. 'Ze was...'

'Dank je, Jack. We waarderen wat je allemaal voor haar hebt gedaan.' Mams vriendelijke knik verzacht haar onderbreking, maar ik ken dat gezicht. Het is haar 'Je begeeft je op dun ijs, Delilah'-gezicht. Alleen is het deze keer bedoeld voor een dode.

Jack knikt, steekt de champignon in zijn mond en staart naar het lege bord voor hem alsof hij zich niet kan herinneren hoe dat gebeurd is.

'Goed,' zegt Rachel terwijl ze de borden afruimt. 'Wie wil er een plakje cake?'

Hoofdstuk 9

'We beginnen hier en gaan dan zo rond,' zegt Patrick terwijl hij een ladder tegen het huis zet. 'De dakgoten zijn waarschijnlijk het ergst, ze zien er nogal smerig uit.'

Ik blijf bij de ladder staan terwijl hij naar boven klimt, potlood in de aanslag om zijn commentaar op te nemen. Het is bouwvakkerswerk, maar ik ben blij dat ik buiten in de zon ben, ver bij de keuken en een tweede dag van eindeloze condoleances van cakebakkend Red Falls vandaan.

'Het spijt me van gisteren,' zeg ik en ik knijp mijn ogen dicht tegen de zon om hem te zien. 'Van mijn moeder bedoel ik. Ze kan soms nogal veeleisend zijn. Meestal eigenlijk.'

Patrick poert in de dakgoot en gooit een lading bladeren naar beneden. 'Maak je niet druk. Mijn vader heeft ook zo zijn makken. Schrijf op: Dakgoot achterkant stabiel. Moet schoongemaakt worden.'

Ik noteer wat hij zegt. 'Die ouders ook altijd.'

'Praat me er niet van. Wat zou je deze zomer hebben gedaan als je niet de eer had gehad om samen met mij dakgoten te inspecteren?'

'O, gewoon. Wat iedereen doet in de zomer,' zeg ik, alle verboden onderwerpen vermijdend: Finn, foto's op internet, Seven Mile Creek, mijn vader stalken op Google. Ik trap met mijn slipper in de modder, maar krijg er niet veel beweging in en stoot in plaats daarvan mijn teen tegen een steen.

'Zoals?' vraagt Patrick, die nog steeds in de troep in de dakgoot staat te wroeten.

'Naar de film, beetje rondhangen, lezen. Van alles. Er gebeurt niet zoveel in Pennsylvania.'

'Ja, maar in Pennsylvania heb je wel een vriend.'

'Huh?'

'Die slogan, weet je wel?' Patrick legt zijn hand tegen zijn borst en zingt het liedje waarmee ze vroeger toeristen probeerden te lokken. '*You've got a friend in Pennsylvania!*'

'En in Vermont?'

'Het is "*Vermont, naturally*". Zonder liedje.'

'Natuurlijk.' Ik lach.

'Hé, het zijn mijn woorden niet. Opgelet,' zegt hij en hij laat zijn shirt vallen. 'Het is hierboven snikheet.'

Hij gaat een trede omlaag om de ramen op de tweede verdieping te controleren. De spieren van zijn gebruinde schouders en armen spannen zich bij het vastpakken van de ladder. Ik kijk hoe zijn blote rug beweegt terwijl hij met zijn handen de houten kozijnen aftast op zoek naar scheuren en barsten. Dat doe ik natuurlijk alleen maar om in de gaten te houden dat hij niet valt. Ik moet zijn gewicht inschatten zodat ik op de juiste plek kan gaan staan om hem op te vangen als hij valt, zodat hij precies boven op mij valt en...

Ik dwing mijn ogen terug naar het blocnote. 'Iets gevonden?' vraag ik met mijn gezicht naar beneden.

'De ramen zijn nog goed. Stevig glas. Zien er behoorlijk nieuw uit. Schrijf maar op.'

'Goed. Stevig. Nieuw. Heb ik. En jij? Wat doe jij als je geen huizen opknapt of harten staat te breken op het podium?'

'Schrijf op,' zegt hij. 'Buitenkant en luiken moeten opgeknapt. Offertes aanvragen voor schilderwerk en afbouwmateriaal.'

'Heb ik. Dus?'

'Harten breken? Niet echt. Ik doe gewoon wat iedereen hier doet,' zegt hij terwijl hij naar beneden klimt om zijn fles water te pakken. 'Zwemmen. Eropuit trekken. Alles wat je in het water kunt doen. Kajakken op het meer is leuk. Ik neem je wel een keer mee.'

Ik sla mijn blocnote dicht. Mijn ogen volgen onwillekeurig de kleine stroompjes water langs zijn kin... zijn nek... zijn sleutelbeen...

Hij komt een stap dichterbij en reikt me de fles aan. 'Je vindt het vast heerlijk.'

'Water?'

'Kajakken.' Hij staat nu vlakbij, veel dichterbij dan wanneer je gewoon vrienden bent, glimlacht met die honingkleurige ogen van hem en die kuiltjes in zijn wangen, en ik heb het zo warm hierbuiten op het warme gras in de warme zon naast het warme huis...

'Patrick?'

Jack. Patrick gaat een stap achteruit en blijft glimlachen terwijl ik de fles water uit zijn hand gris.

'Het is zo grappig om jullie twee zo te zien,' zegt Jack met een grote grijns op zijn zonverbrande gezicht. 'Jullie waren vroeger onafscheidelijk. Zelfs als jullie de hele dag samen gespeeld hadden, wilden jullie niet ieder naar je eigen huis. De helft van de tijd lieten we jullie maar bij elkaar logeren, om een drama te voorkomen.'

'Eh, pap?' Patrick houdt zijn hand boven zijn ogen tegen de zon en kijkt zijn vader aan. 'Wilde je iets vragen?'

'Ik moet nog even langs de ijzerhandel. De spijkers die ik gehaald heb, zijn niet de goede maat, het hout is dikker dan ik dacht.'

Patrick haalt de sleutels uit zijn zak en grijnst. 'Je gaat echt niet dood van een wandelingetje hoor, ouwe.'

'Misschien niet. Ook niet van je kleren aanhouwe.' Lachend loopt Jack naar het groen met witte Reese & Zoon-bestelbusje bij het buurhuis.

Ik kijk naar Patricks rode gezicht. 'Fijn om te weten dat mijn moeder niet de enige is die haar kind voor gek zet.'

'O, vind je dat grappig?' Patrick steekt zijn armen in de mouwen van zijn shirt en trekt een gezicht. Er zit iets duivels in zijn anders zo volmaakte glimlach. Ik laat mijn blocnote vallen en ga ervandoor. Patrick komt vlak achter me aan en we lachen alsof we weer kinderen zijn, harder dan ik in maanden heb gelachen. Gillend en Patrick ontwijkend ren ik om het huis. Ik voel me gelukkig en bevrijd, met een zorgeloze, oneindige zomer voor me. Maar bij ons tweede rondje, als we bij de achterkant van het huis komen, kijk ik op en zie ik ze – de ronde ramen die uitkijken over de baai en het meer weerspiegelen, de ramen waarachter Ricky en ik ons altijd nestelden om te lezen als we binnen moesten blijven vanwege regen. Het is alsof er een nieuwe film begint in mijn hoofd. Ik zie een rood kardinaaltje en ik sta stil, herinner me ineens weer hoe het vogeltje de serre binnen was gevlogen en verward raakte door al die ramen. Opa zat in zijn rolstoel en kon het niet naar buiten jagen, dus riep hij Jack. Ricky en ik bleven achter mam staan, keken toe vanonder haar ellebogen. En toen Jack het vogeltje eindelijk voorzichtig naar de open deur had gedreven, schoot het naar buiten en vloog het weg over het meer en de bomen erachter. We juichten en klapten allemaal en vertelden het verhaal steeds opnieuw, zo blij waren we dat het vogeltje weer terug naar zijn familie kon. Behalve oma.

Ik kan me niet herinneren dat ik dacht dat oma ongelukkig of verbitterd was als we daar waren, maar nu ik me het kardinaaltje weer herinner, komen haar woorden, de nare, harde woorden die ze toen sprak, ook weer naar boven. Ze was zo geïrriteerd geraakt. Ze was totaal niet onder de indruk van het feit dat Jack het vogeltje had vrijgelaten. En ze werd er zo moe van om elke keer dat verhaal weer te horen en ons te zien glimlachen.

Opa lachte altijd. Hij leerde Ricky en mij schaken en triktrak, hij vertelde over zijn avonturen in Azië tijdens de Vietnamoorlog en op zondag lazen we samen de strips in de krant bij het ontbijt. Ik kan me herinneren dat oma goed voor me zorgde – ze kookte, ik kreeg een slaapkamer vol speelgoed en een kanten prinsessenbed, ze stuurde kerstcadeautjes en zat tot diep in de avond thee te drinken met mam en Rachel – maar nu ik erover nadenk, ze glimlachte nooit. Haar lach? Als ze al ooit lachte, kan ik me niet meer herinneren hoe dat klonk. En op sommige dagen verdween ze na het ontbijt naar haar kamer en bleef daar wel twee of drie dagen. Dan kwam ze er alleen uit om naar de wc te gaan of om het dienblad met eten te pakken dat opa naast haar deur had gezet.

Snapte ik dat ze verdriet had, ook al kon ik het niet benoemen? Voelde ik het, zoals je kunt voelen dat het gaat regenen als de blaadjes beginnen te trillen en glanzen en je je botten voelt knarsen en gewoon weet dat er een bui aankomt? Patrick zei dat oma aan een hartaanval is gestorven, maar ik vraag me af of ze haar leven niet had kunnen redden, onze familiegeschiedenis niet had kunnen veranderen, als ze gewoon gelukkig was geweest. Als ze gewoon net als opa had kunnen lachen om de verhalen die ik verzon, ook na de dood van hun jongste dochter.

En net als gisteren in de slaapkamer realiseer ik me nu dat het door het verlies van Stephanie kwam. Dat heeft haar lach uitgedoofd. Haar vreugde weggenomen. Het vermogen om zich gelukkig te voelen.

'Gaat het?' Patrick blijft staan, hapt met zijn hand op mijn schouder naar adem.

'Ik snap niet waarom ze niet geprobeerd heeft om contact met me op te nemen. Ik heb daar tot nu toe nooit echt bij stilgestaan. Maar als je enige kleinkind bij je wordt weggehaald om een of andere familieruzie, dan probeer je haar toch op zijn minst te bellen? Of een verjaardagskaart te sturen of brieven of zoiets?'

'Ik wou dat ik het wist, Del. Ik heb geen flauw idee.'

En terwijl mijn tante de voorraadkast van haar moeder uitmest en mijn moeder binnen in de weer is aan haar bureau, herinner ik me allerlei verdrietige dingen over mijn oma. Samen met een jongen die ik pas net weer ben tegengekomen ga ik in het gras zitten om op adem te komen. Ooit was hij mijn beste vakantievriendje en in de tussentijd is hij net zo gegroeid en veranderd als ik – apart van elkaar, ver weg, vreemdelingen verbonden door een of ander onzichtbaar elastiek dat bijna tien jaar uit elkaar getrokken is geweest en nu bij het meer van Red Falls weer terugspringt.

'Hé, meisje. Niet verdrietig zijn.' Patrick slaat zijn arm om me heen en trekt me naar zich toe, mijn mond vlak bij de huid van zijn nek. Ik voel dat ik zou moeten tegenstribbelen, maar hij is zo warm en sterk en echt, als een herinnering die nog niet is vervaagd – een herinnering waar ik altijd naar terug kan gaan als ik bang ben of me alleen voel. Het is voor het eerst dat ik weer zo dicht bij een jongen ben na Finn. Het is vreemd om iemand anders' geur te ruiken. Andere zeep, andere shampoo, andere huid. Zijn hand strijkt langs mijn oor als hij beweegt en in mijn schouder knijpt. Er gaat een rilling door me heen. 'Ze is nog bij je, Delilah.'

'Weet jij wat er die dag is gebeurd?' vraag ik hem. 'Na opa's begrafenis bedoel ik? Hebben jouw ouders ooit iets verteld over de ruzie, nadat wij weg waren gegaan?'

Patrick schudt zijn hoofd. 'Als ik erbij was, zei niemand er iets over. Ik vroeg wanneer je weer terugkwam. Ze zeiden dat ze het niet wisten. Mijn moeder heeft geprobeerd om jouw moeder en Rachel te bellen, maar ze wilden niemand vertellen wat er gebeurd was en je oma zei er natuurlijk niets over. Uiteindelijk is mijn moeder gestopt met bellen. Jarenlang heb ik elke zomer naar je gevraagd. Ze zeiden steeds dat het een familiekwestie was. Dat het onze zaak niet was.'

'Maar je vader heeft hier al die tijd gewoond. Hij heeft voor haar gewerkt. Ze moet er toch íéts over hebben gezegd.'

'Noppes. En toen ze was overleden en ik wist dat je terug zou komen, heb ik het hem opnieuw gevraagd. Hij zei dat Liz het er nooit over had. Misschien was het allemaal haar schuld. Wie weet.'

Ik kijk uit over het meer van Red Falls beneden ons. Vanaf hier is het net een enorm blauw gat, stil en vredig en onaangetast door de constante stroom zeilboten en mensen en baby's daar.

'Ik moest denken aan dat vogeltje dat naar binnen was gevlogen.' Ik knik naar de ramen van de serre. 'Weet je nog?'

'Ja. Mijn vader bouwde een tunnel van lakens om hem eruit te krijgen, dat was ook zo! Een kardinaaltje, toch? Ik heb er al eeuwen geen meer gezien. Ik zie soms wel Vlaamse gaaien, maar nooit meer kardinaaltjes.'

'Ik ook niet.' Ik ga staan om het gras van mijn broek te kloppen.

Patrick draait zijn achterwerk naar me toe. 'Kun je het er bij mij ook even afhalen?'

'Niet voor niets.'

'Wat wil je ervoor hebben?' vraagt hij.

'Daar kom ik nog op terug. De kosten zijn in de afgelopen acht jaar wel wat omhooggegaan.'

Patrick schudt zijn hoofd, kijkt me weer net iets te lang aan. 'Volgens mij gaat het wel weer met je, Hannaford,' zegt hij. 'Mijn werk zit erop.'

Hoofdstuk 10

'Goed, dames, waar beginnen we?' Emily staat in het midden van de keuken in een overall, met een rode doek om haar hoofd. Na een week lang spullen uitzoeken en de constante stroom bezoekers afwerken, kunnen we eindelijk beginnen met het organiseren van de inboedelverkoop. Mam moest naar de stad, dus Em en Megan, die beweren ware rommelmarktkoninginnen te zijn, hebben aangeboden om ons te helpen met de eerste lading.

Rachel en Megan verdwijnen naar de kelder en laten mij en Emily achter om de keukenkastjes en -laden te sorteren: voor eigen gebruik, voor de verkoop, om te doneren of bij het afval. Tot nu toe wint het afval. Plastic bakjes zonder deksel. Mokken zonder oor. Gerafelde oude picknickkleden die jaren niet buiten zijn geweest.

'Moet je deze zien.' Emily houdt twee beige keramieken mokken omhoog met boter-kaas-en-eieren erop. 'Die zijn nog van Chances, het café voordat het Luna's werd. Je oma moet ze gejat hebben. Pittige ouwe tante, of niet?'

Ik haal mijn schouders op. 'Ik kan me niet zoveel van haar herinneren.'

'O. Sorry, Delilah.'

Ik pak de mokken aan en zet ze bij de stapel voor de verkoop. 'Ik ben hier sinds mijn kindertijd niet meer geweest.'

'Ja, dat zei Patrick. Hé, ik hoop niet dat dit raar klinkt, maar hij heeft je echt gemist. Niet zeggen dat ik dat heb verteld.'

Elke keer als ik zijn naam hoor, begint die vlinder in me weer rond te vliegen. Stom beest. 'Echt?'

'Je had zijn gezicht moeten zien toen hij vorige week over jou vertelde. Man, jullie waren echt close, hè?'

'Ja,' zeg ik. 'Maar dat is lang geleden. Het is zo vreemd om hier weer te zijn. Sommige herinneringen probeer ik nog steeds te plaatsen.' Ik weet niet waarom het zo makkelijk is om met Em te praten. Misschien komt het door haar glimlach, of omdat ze zo recht door zee is. Geen ingewikkelde poespas. Geen ongemakkelijke stiltes. Misschien komt het door haar ogen, open en eerlijk. Of misschien komt het door het poppenspel dat ze met de ovenwanten en voorraaddozen opvoert.

'Koek of geen koek, dat is de vraag...'

We zijn uren bezig met het sorteren van de keukenspullen en ondertussen kletsen we over het leven, over boeken en films, over alles wat belangrijk is en wat niet. Ik heb pijn in mijn zij van het lachen en als Rachel en Megan met tassen vol troep uit de kelder komen en zeggen dat het genoeg is geweest voor vandaag, kijk ik naar de klok boven de oven en wenste dat we nog een paar uur hadden.

'Je gaat morgenavond naar Patricks optreden, toch?' vraagt Em.

'Ja.' Als ik mam niet kan overhalen, is er altijd nog het raam.

'Super. Ik ben om zes uur klaar met werken. Ik zie je daar.' Ze omhelst me en het is zo lang geleden dat een vriendin me omhelsde dat het even duurt voor ik doorheb wat er gebeurt en ik me herinner hoe ik moet reageren.

'Jullie kunnen het wel met elkaar vinden, geloof ik,' zegt Rachel als ze weg zijn. 'Daar ben ik blij om. Het is een lieve meid.'

Na het eten haal ik de jassen en laarzen uit de kast in mijn slaapkamer voor de gebruik-verkoop-doneren-of-afvalkeuring. Als alles behalve de spinnenwebben uit de kast is, is hij ruim genoeg voor mijn zomerjas, mijn jurk en een paar slaapshirts die verkreukeld in de la lagen. Nadat ik al mijn schoenen op een rij op de bodem van de kast heb gezet, is er zelfs nog ruimte voor mijn lege koffers. Ik probeer de grootste naar achteren te schuiven, maar hij glipt uit mijn handen en landt zo hard op de bodem dat een van de planken losschiet.

Heb ik weer. Hopelijk kan Jack hem repareren voordat mam erachter komt dat ik iets stuk heb gemaakt. Na die autoschade van vorige maand heb ik niet veel krediet meer over.

Ik trek aan het koord van de kastlamp en haal mijn koffer er weer uit. Als ik op mijn hurken ga zitten om de plank terug te leggen, zie ik het: een witte plek die oplicht in het donkere gat op de bodem. Hij is bedekt met een laag stof, toch steek ik mijn hand erin om hem te pakken. Ik houd mijn adem in.

Hier onder de planken vloer en de spinnen en spinnenwebben ligt het vermiste dagboek van Stephanie Delilah Hannaford.

Voorzichtig trek ik het uit het gat, ik kan voelen hoe zwaar het is. Het is gebonden in gebarsten wit leer dat geel is geworden van ouderdom en waarin één gouden roos gegraveerd staat. Het broze koperen slotje houdt de bladzijden niet langer bij elkaar en als ik het dagboek op mijn schoot leg, valt het open en regent het gedroogde bloemen en rode esdoornbladeren die tussen de bladzijden hebben gezeten. Mijn hart bonst, ik kan het gevoel niet onderdrukken dat ik voorbestemd was om dit dagboek te vinden, dat Stephanie zelf wilde dat ik het zou vinden. Hier, vanavond, waar ze het nog voor haar dood veilig onder de vloer van de slaapkamer heeft gelegd, waar het al die zomers verborgen heeft gelegen en ik er als kind maar een paar meter vandaan heb geslapen.

Ik sla de eerste pagina op. Die staat vol met zwarte letters, klein en netjes. Met mijn vinger volg ik de lijntjes van haar eerste woorden tot ik me het oude handschrift heb ingeprent. De kleine lusjes brengen me dichter bij Stephanie dan de familiegeschiedenis of een foto ooit zouden kunnen.

'Dank je wel,' fluister ik in het donker van de kast.

Lief dagboek,

Vandaag ben ik zestien geworden. Ik heb je van Claire gekregen en nu is het de bedoeling dat ik alle wijze gedachten die ik heb in jou opschrijf, maar hoe doe ik dat? Ik zou me wijzer moeten voelen, hè? Zekerder misschien? Maar zo voel ik me niet, terwijl ik nu toch al acht uur zestien ben. Ben ik de enige die dat heeft? Mijn zussen lijken wel onaantastbaar, alsof ze samen een of ander geheim hebben dat ze niet willen delen. Hebben zij zich ooit zo verloren en alleen gevoeld? Zo onzeker? Claire is al bijna klaar met haar tweede jaar op de universiteit en Rachel, tja... we zijn nog net zo hecht als altijd, maar ik weet dat niets blijft zoals het is. Binnenkort gaat zij ook weg. Ik weet dat ze van me houden, maar toch heb ik het gevoel dat ze me onvoorbereid achterlaten, helemaal alleen met ma en haar buien en pa, die altijd zo stil is, onder de voortdurende dreiging van mijn moeders woede-uitbarstingen. Ik ben er gewoon niet tegen opgewassen.

Maar er is niet zo weinig hoop als deze sombere brief je nu doet geloven! Want als ik in de toekomst kijk, dan is daar Casey Conroy. Vertel alsjeblieft niets aan mijn zussen. Hij is misschien een beetje vreemd, maar op een goeie manier. Ik denk dat ze niet zouden begrijpen wat ik in hem zie, daar zijn ze veel te nuchter voor!

Nou ja. Lang zal ik leven, lang zal ik leven, lang zal ik leven in de gloria.

Xxx
Steph

Casey Conroy – cc. Daar staat het, in keurige zwarte letters, de naam die hoort bij de initialen die onder het bed zijn gekerfd. Nu ik hem lees, nu mijn lippen hem kunnen vormen, blijft de naam in mijn keel hangen aan de brok die zich daar heeft gevormd toen ik Stephanies woorden begon te lezen. De brief is zo gewoon, zo weinig verrassend, zo vergelijkbaar met wat elk meisje van mijn leeftijd zou kunnen schrijven, dat ik even vergeet dat ze dood is. Dat dit dagboek hier al verborgen lag voordat ik geboren werd. Dat er, tussen de eerste keer dat ze schreef op haar zestiende verjaardag en de laatste bladzijde, misschien wel heel veel dingen staan waar ik al mijn hele leven naar op zoek ben.

En mijn moeder en Rachel hebben geen idee dat het hier ligt. Dat het niet is kwijtgeraakt of mee met Stephanie het graf in is gegaan. Dat ik het nu heb en dat ik via haar woorden een kijkje kan nemen in een deel van die ongrijpbare familiegeschiedenis van me.

Ik stop het dagboek onder mijn kleren in de onderste la en ga naar beneden om iets te eten. Mijn hart gaat tekeer, gedachten razen door mijn hoofd, de lucht om me heen knettert van de angst en de hoop die zo'n ontdekking met zich meebrengt.

'Wat ben jij nog laat op,' zegt mam. Ze zit in de keuken de plaatselijke krant te lezen. Ze kijkt niet meteen op en terwijl ze de pagina's omslaat krijg ik medelijden met haar. Ik hunker er met heel mijn hart naar om haar te vertellen over het dagboek. Om haar te vertellen dat boven, tussen mijn zomerkleren, een deel van haar zusje voortleeft. Een deel dat zij en Rachel nog zouden kunnen leren kennen, ook al is ze dood. Maar als ik mijn moeder daar door de krant zie bladeren, zo 's avonds laat in de keuken van het huis waarin ze is opgegroeid, weet ik niet hoe ik dat moet zeggen.

'Kun je niet slapen?' vraagt ze, terwijl ik de vriezer doorspit.

'Niet echt. Zijn er nog chocolade-ijsjes?'

'Misschien achter het laatje. Rachel verstopt ze om niet in de verleiding te komen.'

Ik haal de doos tevoorschijn. 'Waar is ze?' vraag ik. 'Slaapt ze?'

'Ze is wat gaan drinken met Megan. Ze zal zo wel terugkomen.'

'O. Hoe was jouw dag?' vraag ik.

'Prima. Ik had weer een afspraak met Bob Shane bij de begrafenisonderneming. Ik heb de as opgehaald.'

'De as?' Het is zo vreemd om te bedenken dat iemand een heel leven heeft gehad, verliefd is geworden, is getrouwd, kinderen en kleinkinderen heeft gekregen, familievetes heeft gehad, om dan te eindigen als as.

'Ja, de as,' zegt mam alsof ze een artikel in een blad voor begrafenisondernemers zit te lezen.

'Hadden ze daar geen beter woord voor kunnen bedenken? Zit ze nu in een asbak?'

'Delilah, alsjeblieft.'

'Sorry. Waar is die asb... ik bedoel... waar is ze?'

'Het is een urn,' zegt mam terwijl ze met haar handen de vorm van een kubus maakt. 'Hij staat op het dressoir in haar kamer. Daar kunnen we hem laten staan tot we toestemming krijgen om de as over het meer uit te strooien.'

'Bedoel je dat ze híér is? Hier in huis? Boven?' Ik krijg kippenvel.

'Er is niets aan de hand. Ik heb hem in de slaapkamer opgeborgen. Daar hoef jij toch niet te zijn. Maar nu je hier toch bent, kunnen we het misschien even over morgen hebben. Ik verwacht een telefoontje van de zaak, dus ik wil dat jij hier morgenochtend om acht uur klaarstaat als Patrick komt om de dakgoten schoon te maken. Jack zei dat er gereedschap in de schuur ligt en wat jullie verder nog nodig hebben staat in de garage. Je moet ook...'

'Mam, mis je het hier?'

'Mis ik... wat?'

'Nou ja, mis je het om hier te komen? Nu we terug zijn, bedoel ik. Heb je er spijt van dat we hier nooit meer zijn geweest?'

'Delilah, ik heb niet echt zin om...'

'Waarom?' vraag ik door. Er valt een druppel koude chocola op mijn hand. Ik denk aan het dagboek dat boven verborgen ligt en aan tante Stephanie en hoe ik alles op zou geven om mijn vader te leren kennen, al was het maar voor één dag. Terwijl mijn moeder haar familie uit haar leven heeft gesneden alsof het een slinger van papieren poppetjes is die je door kunt knippen. Ze heeft haar hele jeugd weggegooid alsof het overbodige ballast was.

Ik scheur een stuk keukenpapier af. 'Waarom, mam? Hoe kon je al die tijd doen alsof ze zo goed als dood was? Hoe kon je?'

Mam zit verstijfd. Ik kan bijna letterlijk zien hoe de herinneringen langs haar ruggengraat omhoogkruipen en door haar mond naar buiten proberen te komen. Maar ze slikt ze weer weg, haar ogen gaan open en dicht, de oogleden gerimpeld als het velletje om een oude pinda. Met halfgesloten ogen kijkt ze me aan, vol afkeer en tegelijkertijd gefascineerd, alsof ik een of andere vieze schimmel ben of een afschuwelijke misdaad of een moeilijke kruiswoordpuzzel die ze best zou kunnen oplossen, als ze maar wat meer tijd had gehad.

Maar die heeft ze niet, want: 'Del, het spijt me. Ik wil hier nu niet op ingaan. Het is laat en...'

En blablabla, e-mails die nog beantwoord moeten worden, klanten die geholpen moeten worden, marketingplannen die uitgevoerd moeten worden en als klap op de vuurpijl is er natuurlijk mijn taak van deze zomervakantie: het schoonmaken van de dakgoot met Patrick.

'Ga slapen,' zegt mam terwijl ze de krant in een keurige rechthoek vouwt. 'Het wordt morgen een lange dag.'

Ik maak me klaar om in bed te kruipen en me te wentelen in mijn woede, mijn frustratie en mijn machteloosheid, zoals ik wel vaker heb gedaan. Maar als ik mijn hoofd op het kussen leg en wacht tot mijn oogleden zwaar worden, blijft mijn nieuwsgierigheid aan het voeteneind klaarwakker staan wachten tot ik het licht weer aandoe en het dagboek uit de la pak.

Lief dagboek,
Ik heb besloten om mijn zussen over C te vertellen. Eerst werden ze helemaal hysterisch, maar Rachel werd uiteindelijk weer rustig en begon me allemaal dingen te vragen en ik moest haar beloven dat ik niets zou overhaasten en als ik het toch deed, dat ik het dan veilig

zou doen. Claire probeert me er natuurlijk nog steeds van te overtuigen dat het een slecht idee is, maar zij kent hem niet. Ik denk dat ze het uiteindelijk wel zal begrijpen. Ik ben blij dat ze het nu weten. Ik haat het om geheimen te hebben, vooral voor mijn zussen.

Nou ja, ik vertel natuurlijk niemand wat C allemaal in mijn oor fluistert als we 's avonds laat onder de sterren bij het meer zitten. Als iedereen slaapt, gaan wij daarheen: ik klim via het raam en de esdoorn naar beneden, hij wacht me op bij de heuvel en dan gaan we op de steiger liggen. Hij gaat met zijn vinger langs de aderen in mijn arm en fantaseert hoe het zal zijn als we eindelijk weg kunnen van hier, van deze plek, die maar zo'n klein vlekje op de plattegrond van ons leven is. Ik wil de hele wereld zien samen met hem en als hij glimlacht en zijn ogen stralen als de sterren boven ons, dan weet ik dat hij alles meent wat hij zegt en dat ik tot mijn dood van hem zal blijven houden.

Tot na mijn dood zelfs.

Mijn zussen weten veel, maar als C langs het zwarte water achter me aan rent terwijl heel Vermont diep in slaap is, dan doe ik mijn ogen dicht en draai in het rond en vraag me af of zij zich ooit zo zullen voelen.

Maar... maar... ja, er is altijd een maar. Soms, als ik niet aan C denk en ik alleen op mijn kamer ben en het buiten stil is en donker, dan voel ik zo'n... zo'n leegte vanbinnen. Ik kan het niet uitleggen, ik kan niet aanwijzen waar het zit. Ik weet niet waarom ik me zo voel of waar het vandaan komt, het is er gewoon. Soms doet het pijn, alsof ik iets mis en ik er alleen nog niet achter ben wat dat is. Andere keren is het slechts een vaag gevoel dat er iets mis is. Ik weet het niet. Ik kan de laatste tijd niet goed slapen, misschien houden mijn hersens ermee op! Ik denk dat ik er nog even over moet nadenken en er later meer over zal schrijven. Ik weet het niet. Het is gewoon echt... vreemd.

Maar... in elk geval komt Claire dit weekend thuis! Rachel en ik koken een uitgebreid verrassingsdiner. Zelfs pap en mam weten het nog niet. Ik kan niet wachten tot ze er weer is.

Xxx
Steph

64

Ik lees nog even verder over mams bezoek, hoe Stephanie Casey aan haar zussen voorstelt, dat haar zussen hem inderdaad aardig vinden. Ik probeer me voor te stellen hoe ze toen waren, niet oud en verward en afgestompt en van elkaar vervreemd, maar als kinderen. Toen ze het grootste deel van de tijd nog gelukkig waren. Toen ze nog dachten dat ze een heel leven samen voor zich hadden.

Ik heb geen dagboek, maar ik vraag me af of ik over Finn zou schrijven als ik er een had. Over hoe hij me Lilah noemt. Over al die keren in het bos. Behalve dat weet ik niet veel over hem te vertellen. We hebben elkaar niet eens meer gesproken sinds die avond dat mam me betrapte toen ik het huis in probeerde te sluipen, vlak voordat we naar Red Falls gingen. Het verhaal van mij en Finn zou zeker geen heel dagboek vullen, maar als ik door de rest van Stephanies dagboek blader, zie ik Casey's naam op bijna elke pagina staan, soms helemaal uitgeschreven, soms alleen als c. Ik vraag me af hoe lang ze bij elkaar zijn gebleven. Was hij erbij aan het einde? Bij de begrafenis? Wat is er van hem terechtgekomen?

Ik leg het dagboek terug in de la en kruip in bed. De woorden van mijn overleden tante zijn een nieuw gewicht, iets nieuws om op te kauwen en over te piekeren en om mijn dromen binnen te glippen. Mijn moeder heeft haar kleine zusje verloren. Toen haar vader. Toen haar moeder. Ze heeft geen goede band met Rachel en ik maak het er voor haar ook allemaal niet beter op.

Meestal wil ik haar het liefst haten. Maar vanavond kan ik dat niet. Ik kan alleen mijn ogen sluiten en de sterren die door het gordijn heen glinsteren beloven dat ik mijn best zal doen. Dat ik er samen met mam, Rachel, Jack en Patrick aan zal werken om het huis klaar te maken en de rest van oma's spullen te verkopen, zodat we allemaal weer verder kunnen met ons gewone leven.

Maar terwijl ik in slaap doezel en Stephanies woorden als serpentines door mijn hoofd blijven dwarrelen, vraag ik me af wie van ons weet wat een gewoon leven eigenlijk is.

Hoofdstuk 11

'Ik denk dat ik moet overgeven.' Ik knijp mijn neus dicht als Patrick in het gras knielt en in een schimmelige berg bladeren en oud snoeisel bij de voorste hoek van het huis begint te graven. 'Echt, Patrick. Dit is walgelijk.'

'Ik heb rubberen handschoenen voor je meegenomen,' zegt hij glimlachend. 'Misschien moet je die aantrekken voor we met het echt smerige werk gaan beginnen.'

'Wordt het nog erger dan?'

'Handschoenen, Delilah.'

Ik doe wat hij zegt en probeer niet door mijn neus te ademen als ik de zwarte vuilniszak openhoud.

'Emily lijkt me heel aardig,' zeg ik en ik wend mijn gezicht van de troep af. 'Leuk dat ze helemaal niet verlegen is.'

Patrick lacht. 'Nee, verlegen is ze zeker niet.'

'Eh, wat bedoel je daarmee, meneer de putjesschepper?'

Hij lacht. 'Niet dát. Ze is gewoon heel extravert, dat is alles. Ik heb haar vorig jaar leren kennen, toen haar familie een paar weken bij Luna logeerde. Dit jaar hebben haar ouders haar hier in haar eentje naartoe gestuurd om de hele zomer bij Luna te werken. Ze wil later ook haar eigen café beginnen.'

'Weet ik. Dat is te gek. Ik wou dat ik ook maar iets in mijn leven al zo zeker wist. Ik word al nerveus als iemand begint over eindexamens.'

Patrick staat op, bindt de eerste zak dicht en gooit hem tegen de zijkant van het huis. 'Dat ken ik. Ik wil niet eens denken over de toekomst.'

'Ga je niet bij je vader werken? Reese & Zoon?'

Hij schudt zijn hoofd. 'Pa en ik... voor hem is dat "en Zoon" echt belangrijk. Begrijp me niet verkeerd, ik vind het leuk werk en het verdient lekker en mijn vader en ik kunnen goed met elkaar opschieten, dus ik vermaak me prima als ik met hem aan een project werk. Maar het is niet wat ik echt wil.'

Ik volg hem naar de achterkant van het huis, waar hij alvast twee ladders heeft klaargezet en een tuinslang. 'Wat wil je dan echt?'

'Muziek maken,' zegt hij, terwijl we ieder onze ladder op klimmen. 'Dat betekent alles voor me. Zelfs in mijn slaap denk ik nog aan noten en toonladders en songteksten. Als ik iets zie, zoals het meer in de winter of Brooklyn Bridge helemaal verlicht terwijl er niemand is, of jou na al die jaren, dan wil ik er een liedje over schrijven. De melodie vinden waaraan je kunt horen hoe het is, snap je? En dan word ik midden in de nacht wakker, gewoon omdat ik niet kan stoppen erover na te denken, alsof alles wat dan in me zit naar buiten wil. En dan weet ik zeker dat ik dat moet doen, wat anderen er ook van zeggen en hoe mijn vader er ook op zal reageren.'

'Wauw.'

'Ik wil optreden,' zegt hij en hij maait met zijn handschoen door de goot boven de ramen aan de achterkant. 'En ik wil lesgeven.'

'Patrick, ik zie het helemaal voor me. Je zou geweldig zijn.'

Hij laat een stapel bladeren op de grond vallen en graait naar een volgende lading terwijl ik hetzelfde doe. 'Denk je?' vraagt hij.

'Zeker weten. Waarom vertel je dat niet gewoon aan je vader? Als hij zou weten hoe belangrijk muziek voor je is, weet ik zeker dat hij achter je zou staan. Of niet?'

'Nou... nee. Hij is niet alleen gefixeerd op dat partnerschap, maar hij heeft ook heel veel moeite met kunstenaars en muzikanten. Ma heeft hem min of meer voor het theater verlaten. Serieus, het is een soort ongeschreven regel bij ons thuis. Ik vraag nooit of hij naar een van mijn optredens bij Luna's komt en ik praat nooit over mijn moeders voorstellingen. Hij is nog steeds niet over haar heen, Delilah. Ik denk niet dat hij er ooit overheen komt. Ik weet dat hij er vanbuiten altijd vrolijk uitziet, maar vanbinnen... Het is net of zijn leven is blijven stilstaan op de dag dat ze bij hem wegging. En hij weet niet hoe hij het weer verder kan laten gaan.'

Ik denk aan Patricks vader en dat doet me denken aan Stephanie. Zoals de woorden over haar leven stil op de bladzijden van haar dagboek staan, zo is Jacks leven hier stil blijven staan. Hij wacht op een vrouw die nooit meer terug zal komen, zijn leven zal nooit verdergaan waar het gebleven was.

'Ik moet het hem binnenkort vertellen,' vervolgt Patrick. 'Ik heb ma beloofd dat ik dat deze zomer zou doen. Ik ben al toegelaten op een school in Manhattan. In de herfst begin ik. Hij weet er nog niets van. En elke keer als ik de moed heb verzameld, zie ik zijn gezicht en zijn lach en dan denk ik weer aan toen ma wegging en hoe kapot hij daarvan was. Dan doe ik mijn mond weer dicht, pak de hamer en timmer door.'

Er kruipt een spin onder mijn felgele rubberen handschoen vandaan uit de goot het dak op. Terwijl ik terugklim naar de vaste grond verdwijnt hij onder de dakrand. 'Ik ken die blik,' zeg ik. 'Mijn moeder heeft hem ook altijd als ik ergens over wil praten. We waren vroeger heel close. Maar nu is het net alsof ze steeds haast heeft. Ze rent naar haar werk. Rent van de ene vergadering naar de andere. Rent naar de bedrijven van klanten. Dat doet ze nu al zo lang dat het vanzelf gaat. Ze rent gewoon van me weg, terwijl ik haar eigen dochter ben.'

'Mijn moeder is ook veel weg,' zegt hij terwijl hij de bladeren op de grond in een zak doet. 'Veel audities. Elke keer zou het weer "haar grote doorbraak" kunnen zijn. Iedereen denkt dat het geweldig is om zo veel vrijheid te hebben, maar om eerlijk te zijn, er is niks aan. Ik zou liever willen dat mijn moeder af en toe thuis is en koekjes bakt of snauwt dat ik de muziek zachter moet zetten.'

Ik knik. 'Precies. Maar ondertussen is ze dat niet. En ik word geacht om over mijn toekomst na te denken, maar ik weet niet eens waar ik moet beginnen. Waarschijnlijk eindig ik precies zoals zij, in een kantoorbaan. Een paar posters met wijze leuzen ophangen. En dan een verantwoorde-lijk lid van de maatschappij worden, zeg maar een zombie. Verschrikke-lijk, toch?'

'Hmm, in zo'n baan kan ik me jou niet voorstellen,' zegt hij. 'Daar ben je veel te levendig voor. Van zo'n baantje zou je helemaal gesjeesd raken en dan zou ik iemand moeten vermoorden en dan zou jij de rest van je leven bezig zijn mij uit de gevangenis te krijgen.'

'Eh, hoe veelbelovend en weldoordacht dat ook klinkt... heb je mis-schien ook nog andere ideeën?'

Patrick lacht.

'Wat is er zo grappig?'

'Ik heb nog wel een ander idee,' zegt hij hoofdschuddend. 'Maar dat zou je moeder zéker niet goedkeuren.'

'En dat is?'

'Dat wil je niet weten.' Hij lacht weer.

Ik pak de tuinslang, knijp in het handvat en geef hem de volle laag. 'Waag het om nog eens te lachen, meneer de putjesschepper,' waarschuw ik.

Algauw zijn we allebei doornat en bedekt met een dikke laag vuil, klevende stukjes blad en een masker van modder met barstjes rond onze mond en ogen. Nadat we deze smerige taak volbracht hebben, geeft mam me officieel toestemming om naar Patricks optreden in Luna's te gaan, waarmee ze me de moeite van een ingewikkelde ontsnapping door het raam bespaart. Wanneer ze ons van dichtbij ziet, twee moerasachtige wezens diep uit het meer van Red Falls, glimlacht ze breed en diep, zoals die keer dat ik de brandblusser aanzette in Connecticut.

Als ik helemaal ontsmet ben en roze van de hete douche, smeer ik me dik in met Rachels zelfgemaakte vanillebodylotion en hul me in mams badjas. Hij ruikt naar haar, Coco Chanel. De eerste keer dat ze daar een fles van kocht, was ze net gepromoveerd tot fulltimemarketingmanager bij DKI, inclusief een salarisverhoging van dertig procent. We zijn naar een chocolaterie gegaan waar we een menu van louter toetjes bestelden, en meteen na de dubbele portie chocolademousse en aardbeien gedoopt in witte chocola zijn we ons te buiten gegaan in het winkelcentrum. Ik kreeg een iPod en zij dat parfum en dat hele eerste jaar stond de geur van Coco Chanel voor het vieren van succes, voor geluk. Toen was ze er nog, ze ging nog mee om mijn schooluniform te kopen, we keken nog samen films, ze bakte nog koekjes, werd nog boos over harde muziek, precies zoals Patrick zei. En daar rook ze heerlijk bij.

Nu, een paar promoties verder, is het kopen van een nieuwe fles parfum gewoon een van de vele taken op het lijstje van haar assistent. En Coco Chanel is de geur van een vrouw die weggaat; een dichtvallende deur na een terloops 'Wacht maar niet op me, ik ben waarschijnlijk laat thuis vanavond'.

'Hé, jij,' roept Rachel vanaf de veranda. 'Kom eens bij me zitten.'

Ik ga bij haar zitten, duw de schommelbank heen en weer met mijn voet. Naast ons drijven lavendelkaarsjes in een bak water.

'Waar is mam?' vraag ik. 'Ik dacht dat ze klaar was voor vandaag.'

'Nou nee,' zegt ze. 'Nog een vergadering. Ze is op haar kamer.'

'Was te verwachten.'

'Het is goed, Delilah. Echt. Ze heeft al veel voor de verkoop van het huis gedaan. Het gaat veel beter dan ik dacht.'

'Maar er zit je iets dwars.'

'Ik ben alleen wat... melancholisch,' zegt ze terwijl ze haar benen onder zich op de bank trekt. 'De kaarten voorspelden het al. Toen vond ik ook nog oude bakvormen beneden in de kelder. Van die goedkope, die je weggooit nadat je ze gebruikt hebt, weet je wel. Daardoor moest ik denken aan hoe ik vroeger bosbessen ging plukken met ma... Ik moet tien of twaalf zijn geweest. We hadden de hele dag samen doorgebracht, alleen wij met z'n tweetjes. Er waren overal bessen, ze waren zoet en warm van de zon, we aten ze recht van de struik. Later bakten we er een taart van en die verorberden we bijna helemaal zodra hij uit de oven kwam, uren voordat de anderen thuiskwamen. Ongelooflijk wat we ons allemaal herinneren, hè, terwijl we dachten dat we het waren vergeten. En dat allemaal door een stukje folie.'

'Ik weet wat je bedoelt,' zeg ik, terugdenkend aan het rode kardinaaltje en de klavertjesvier.

'Er wordt veel onderzoek gedaan naar de rol van geur bij herinneringen,' zegt Rachel. 'Ik heb een artikel gelezen... sommige wetenschappers denken dat geur een veel krachtigere emotionele prikkel is dan visuele dingen zoals foto's. Ik geloof daar wel in. Dat heb ik ook met echte ahornsiroop. Ik hoef het maar te ruiken of ik ben weer hier, terug in de tijd dat ma nog zelf ahornbonbons maakte.'

Ik sluit mijn ogen, houd mijn polsen bij mijn gezicht en adem in de mouwen van mams badjas. *Wacht maar niet op me, ik ben waarschijnlijk laat thuis vanavond.*

Door een open raam snerpt het elektronische geraas van het apparaat dat kan printen, scannen en faxen in één. Rachel en ik luisteren hoe mam naar beneden komt, de fax binnenhaalt en hem hardop voorleest aan degene aan de andere kant van de lijn. Gedempt door het papierachtige ritselen van de esdoornbladeren in de wind vervagen haar woorden tot een reeks niet van elkaar te onderscheiden geluiden, horten en stoten, maar ze klinken net zo urgent als altijd.

Terwijl tante Rachel me vertelt over de troep die ze uit de kelder heeft opgediept – gebruikt pakpapier dat opnieuw is opgevouwen en opgeborgen; ongeopende flessen shampoo en conditioner die ongetwijfeld in de aanbieding waren; bordspelletjes van vroeger – vermengen mijn eigen brokjes herinnering aan mijn grootouders zich met de hare. Ze vormen een onontwarbare kluwen van gebeurtenissen, geuren en uitspraken. Mijn beeld van oma wordt steeds helderder door Rachels levendige beschrijvingen van haar moeders kookkunsten, kleding en gewoonten en al die kleine dingen die maken wie we zijn. Als mam ons al kan horen, dan laat ze dat niet merken. In plaats daarvan houdt ze zichzelf bezig met het voortdurend ordenen en herordenen van haar papieren.

'Ik wou dat mam over dit soort dingen zou praten,' zeg ik. 'Ik weet dat zij het allemaal liever wegstopt, maar ik wil dat niet. Ik wil meer weten over oma. Ik wil weten wat er is gebeurd.'

Rachel doet haar ogen dicht en ademt de geur van de kaarsen in. 'Del, onze moeder heeft veel nare dingen gezegd op pa's begrafenis. Dingen die niet meer teruggenomen kunnen worden. En nu ze dood is, zullen we dat nooit meer ongedaan kunnen maken. Het is net alsof alles van toen gewoon... ik weet niet... stil is blijven staan.'

Stil blijven staan, net als Jack van hiernaast. Net als Stephanie op de bladzijden van haar witte dagboek.

Ik wil mijn tante niet geloven, want dat zou kunnen betekenen dat mijn relatie met mam misschien ook nooit meer te herstellen is. Dat het me misschien nooit meer zal lukken om alles op school op te lossen. Dat niks ooit echt ongedaan gemaakt kan worden.

'Nare dingen gebeuren nu eenmaal,' zeg ik. 'Maar waarom moeten die alle goede dingen uitwissen? Jij en mam waren zo close. Ik en mam ook. Ik snap niet hoe dat allemaal kapot kon gaan.'

Ze kijkt me een hele tijd aan, maar dan staat mam in de opening van de keukendeur. Ze heeft vijf minuten pauze tussen haar besprekingen en vraagt of iemand zin heeft in iets lekkers.

'Nee, dank je,' zeg ik, meer tegen tante Rachel dan tegen mam. 'Ik moet me aankleden en dan ga ik naar Luna's. Zie ik jullie straks nog?'

'Wij hebben vanavond een afspraak met de notaris,' zegt mam. 'Maar ik wil dat jij om tien uur thuis bent, begrepen?'

'Begrepen.'

Ik laat de hordeur achter me dichtvallen. Ik hoor het vertrouwde geluid van gefluisterde beschuldigingen erdoorheen. Zachte stemmen over en weer. Ik kleed me snel aan en glip de voordeur uit, voordat het tij van de familie Hannaford me meesleurt in zijn sterke onderstroom.

Hoofdstuk 12

Net als de SMELDORADO en de rest van Main Street, waar we de eerste dag doorheen zijn gereden, is het maar tien minuten lopen van oma's huis naar Luna's. Er is nog zon, maar het is niet zo heel warm en voor het eerst sinds we hier zijn tilt het vooruitzicht op iets leuks me als een reddingsboei boven de poel van ellende uit.

Als ik door de cafédeuren naar binnen loop, is het net alsof ik een van tante Rachels tarotboeken binnenstap. De muren zijn donkerpaars met rood en beplakt met een heleboel fluwelen, glinsterend zilveren manen en sterren. Boven de bijeengeraapte meubels waarop toeristen aan hun cappuccino nippen, drijft de geur van verse koffie met kaneel als een reddingsvlot op de zorgeloze zomerpret.

'Hé, Delilah!' roept Em vanachter de bar. 'Goeie timing. Patrick gaat zo lastiggevallen worden door zijn fanclub.' Ze knikt naar een dom blondje met grote borsten aan een tafeltje in de buurt. 'Dit gaat leuk worden. Let op.'

Patrick ziet mij en glimlacht, maar wordt onderweg tegengehouden door het domme blondje dat hem om de hals valt alsof ze hem enorm gemist heeft en die stomme vlinder in mijn buik knalt met een lamme vleugel tegen mijn ribben.

Blozend probeert Patrick zich los te maken uit haar langdurige en nogal irritante (tenminste, voor de gemiddelde toeschouwer die het iets kan schelen dan, want mij kan het, even voor de duidelijkheid, natuurlijk niets schelen, maar dat verandert niets aan het feit dat het irritant is) omhelzing. Wanneer hij daar eindelijk in geslaagd is, kijkt ze hem met grote bambiogen aan en belooft dat ze straks naar zijn optreden zal komen kijken. Dan kauwt ze even op het rietje van haar ijskoffie en zegt gedag, waarbij ze hem opnieuw omhelst. Maar in plaats van gewoon dag te zeggen, zoals een normaal mens zou doen, zegt ze 'Dada!' Dada? Blondie maakt een hele show van haar vertrek door zo langzaam te lopen dat het onmogelijk is om de woorden LEKKER DING te missen, die in glitterletters op de achterkant van haar bleke roze hotpants staan.

'Dus je hebt een fanclub?' zeg ik plagend tegen Patrick als ze eindelijk weg is.

'Jij noemt het een fanclub, ik noem het een stalker.'

'Ja ja. Zielig voor je, hoor, al die mooie meisjes die zich zo aan je voeten werpen,' zeg ik. 'Arme jij.'

'Ja, ze werpen zich inderdaad aan mijn voeten... Je zou mijn verzameling kanten strings en hotelkamersleutels thuis eens moeten zien.'

Ik weet dat hij me voor de gek houdt, maar het steekt me toch. Ik probeer hem te zien als kleine Ricky met een beugel en sproeten, maar dat maakt de onzichtbare aantrekkingskracht alleen maar groter. Het geeft me het gevoel dat ik recht op hem heb, alsof ik, omdat ik zijn verleden ken, recht heb om deel uit te maken van zijn toekomst. Alsof het heden onlosmakelijk verbonden is met de dagen dat we ons verstopten onder de wilgenbomen als zijn ouders ruziemaakten en hij niet naar huis wilde.

'De oudere dames zullen jou ook wel leuk vinden,' zeg ik.

'Het zijn er veel, hè?' Patrick lacht en draait zijn koffiebeker rond in het milieuvriendelijke, hittebestendige hoesje.

'Toen wij klein waren was Red Falls lang niet zo vol met toeristen,' zeg ik.

'Toen hadden we nog geen Luna's. Je kon hier alleen een beetje naar de bootraces kijken en ahornbonbons eten.'

'Wat zouden ze met oma's huis gaan doen?' vraag ik, met de nieuwe huisjes die Patrick me aan de overkant van het meer heeft aangewezen in gedachten.

'Ze zullen er wel een hotel van maken voor rijkelui die denken dat "rustiek" betekent dat ze hun eigen kont...'

'Die rijkelui komen anders wel allemaal naar jouw optredens.'

'Daar heb je een punt. Ik moet een toontje lager zingen, hè. Emily! Mag ik nog een koffie?' roept hij over de bar en hij zwaait met zijn lege beker. Em steekt haar middelvinger op. Ik kan haar wel zoenen.

'Een toontje lager,' zeg ik. 'Goed begin.'

Patrick moet zijn laatste spullen nog klaarzetten voor het optreden, dus neem ik plaats achter een vrije computer tegen de achterwand en check voor het eerst sinds we uit Key zijn vertrokken mijn e-mail.

Er zijn geen nieuwe berichten.

In plaats daarvan kwel ik mezelf door het bericht van Libby Dunbar over de foto's op het Prikbord te openen en probeer ik een beschaafd antwoord te bedenken.

Delilah, ik ga niemand censureren. Ik dacht echt dat jij wel zou weten hoe belangrijk persvrijheid is. Je vader heeft zijn leven ervoor gegeven.

Nu ik Libby's bericht opnieuw lees, realiseer ik me dat mijn woede over die hele fotoaffaire grotendeels is verdwenen, het is nog slechts een klein zeilbootje dat deint op golven van veel belangrijkere zaken. Waarom zou ik überhaupt antwoorden? Wat ze schrijft over mijn vader... ze zal het toch nooit begrijpen. Ze zal nooit begrijpen hoezeer ik me schaamde als mijn moeder vroeg of het oudergesprek ook over de telefoon kon. Ze zal nooit snappen hoe het voelde dat mijn rapporten – toen ze nog goed waren – altijd wekenlang ongeopend op het aanrecht bleven liggen.

'Jij hebt geluk,' zeiden mijn vriendinnen altijd. 'Niemand die aan je kop zeurt over cijfers en huiswerk. Mijn vader zit er de hele tijd bovenop.'

Nee, mijn vader zeurde nooit over cijfers en huiswerk. Hij gaf me ook nooit op mijn kop voor het per ongeluk jatten van lippenstift of voor deuken in de auto of stiekeme afspraakjes met Finn. Maar ik blijf maar naar de foto boven zijn artikelen op internet staren, naar de diepe lijnen in zijn gezicht en ik stel me voor dat die door mij komen. Zelfs nu nog, zo veel jaar na zijn dood.

Ik sluit mijn e-mail af en googel voor de zoveelste keer Thomas Devlin, maar het enige resultaat is dezelfde oude lijst met links en artikelen die hem tot in de eeuwigheid in kleine blauwe lettertjes tegen een witte achtergrond zullen herdenken. Ook mijn vader is stil blijven staan.

'Ik ben net klaar met werken,' zegt Emily als ik mijn ijskoffie kom halen aan de bar. 'Kom, we zoeken snel een tafeltje, voordat ze me weer terugroepen.'

Het wordt steeds voller in het café, maar Em en ik vinden nog een plekje recht voor het podium, precies op het moment dat Patrick begint te soundchecken. Emily vertelt nog wat meer over haar familie – over hun verhuizing van New Hampshire naar Vermont een paar jaar geleden, hoe dol ze is op haar broertje die in de brugklas zit, zelfs als ze gek van hem wordt, over haar ouders die haar deze zomer alleen naar Red Falls hebben laten gaan. Ze vraagt mij over school en mijn familie en wat ik thuis in mijn vrije tijd doe, gaat gewoon verder waar we de vorige keer in oma's huis gebleven waren. Ik vertel dat mam altijd veel werkt, net zoals hier. Ik vertel dat mijn vader nog voor mijn geboorte gestorven is, maar ik houd het gesprek licht. Vloeiend. Begin steeds over iets anders voordat de nieuwsgierigheid over mijn vaders dood wortel kan schieten.

Aan een ronde tafel, niet ver van het podium vandaan, zit een oudere man met twee kinderen te wachten tot het optreden begint. Hij maakt grapjes, wijst naar buiten alsof hij iets ziet en pikt dan stukjes taart van hun bordjes.

Normaal mis ik mijn vader niet. Maar op momenten zoals deze vraag ik me wel dingen af. Dan speel ik nutteloze spelletjes: Stel dat....? Misschien...? Stel dat de *National Post* hem die opdracht niet had gegeven? Dan had mam mij niet alleen hoeven opvoeden. Misschien had ze dan niet fulltime hoeven werken. Misschien was ze dan niet zo ongelukkig geweest. Stel dat mam met Thomas had kunnen hebben wat Stephanie met Casey had? Stel dat ze getrouwd waren? Misschien was hij dan met ons meegekomen om mam en Rachel te helpen met de verkoop van het huis. Misschien had hij dan hier met ons in Luna's gezeten en ons tijdens het wachten op Patricks optreden verteld over de Britse bands die in de jaren zestig de Amerikaanse hitlijsten aanvoerden.

'Wacht maar tot je hem hoort,' zegt Emily als Patrick nog een versterker aansluit. 'Hij is geweldig. En dat zeg ik niet alleen omdat we op de avonden dat hij optreedt meer fooi krijgen.'

Ik roer met mijn rietje door het restje ijs van mijn drankje. 'Ik ben benieuwd,' zeg ik. Het is zo gek om hem daar te zien.'

'Hoezo? Wat bedoel je?'

'De vorige keer dat ik Patrick zag sprongen we nog van tribunes af en rolden we van de heuvel om duizelig te worden. Het is nu allemaal zo anders. Goed anders, bedoel ik. Het is te gek.'

'Dat is het zeker,' zegt ze. 'Hij heeft de hele week voor jou geoefend. Maar denk eraan, dat heb je weer niet van mij.' Ze glimlacht.

'Hoe bedoel...'

'Goedenavond, Red Falls!' Patricks openingsakkoord onderbreekt ons en ontketent een golf van gejuich en gefluit. Ik wuif de vraag weg en ga recht op mijn stoel zitten, klaar om te klappen en te joelen en Patrick samen met de rest van Red Falls juichend welkom te heten als hij zijn eerste liedje inzet.

En mijn god wat kan Patrick zingen.

Dan heb ik het niet over tralala-zingen. Ik bedoel echt zingen-zingen. Het soort van zingen waar je kippenvel van krijgt, waar je je adem bij inhoudt, waar je een brok van in je keel krijgt en tranen in je ogen, waar je hart van op hol slaat.

Hij zingt vol overgave, zijn stem is honingzoet, vol, warm en helder. Ik wil erin verdrinken. Mijn kleren uitdoen en in zijn muziek stappen als in een heet bubbelbad. Het ene liedje gaat over in het andere, sierlijk, foutloos. Patrick houdt precies lang genoeg in om de spanning tot in de verste en donkerste hoeken van de zaal op te bouwen. Luna's is stampvol, zodra we de woorden kennen zingt iedereen mee. Handen, vuisten en koffiemokken deinen in de lucht, bij elke noot wordt gegild en gejuicht en geklapt. Zoals beloofd is Blondie het hoofd van de fanclub, alias stalker, er ook, vlak naast het podium, fluitend en juichend in een glittertopje zonder beha, een en al oog voor hem terwijl haar vriendinnen foto's maken met hun telefoons. En ik vind haar niet eens meer stom. Ik snáp het.

Patricks stem gaat dwars door de mensenmassa, het gejuich en het geluid van zijn gitaar heen mijn lichaam in, tot mijn voeten aan toe. Hij straalt. Hij gaat er helemaal in op en is zo in zijn element daar op het podium. Hij is hiervoor geboren, zoals sommige mensen geboren zijn om moeder te worden of dokter of kunstenaar. Het plezier in muziek spat van zijn gezicht, dat schittert in het geflits van de camera's als iedereen voor hem klapt. En als hij tijdens zijn laatste liedje naar me knipoogt en me de hele tijd blijft aankijken, is het net alsof we samen een kostbaar geheim delen, hij en ik. Ik zal het nooit vergeten. En ik zal het nooit prijsgeven, al zouden er nog acht of zelfs tachtig of achthonderd jaar voorbijgaan voor ik hem weer zie.

'Hé, je had wel verteld dat je kon zingen, maar niet dat je kon zíngen.' Ik schud mijn hoofd, heb het gevoel dat mijn ogen nog steeds wijd opengesperd staan terwijl we naar huis lopen. 'Niet zó.'

'Dank je,' zegt hij. 'Ik ben blij dat je er was.'

'Patrick, ik meen het. Je bent ongelooflijk.'

'Ik weet dat je het meent. Dank je wel. Dat meen ik ook.' Hij glimlacht, blijft aan het begin van onze straat in het maanlicht staan en draait zich naar me toe. 'Ik ben blij dat je er weer bent. Ik...'

Hij valt stil, laat zijn ogen van mijn ogen naar mijn mond gaan. Hij legt zijn handen om mijn gezicht en ik voel de grond, op die typische, stiekeme manier zoals de grond dat kan doen, onder mijn voeten wegzakken. Ik hoor niets meer, alleen nog het geluid van mijn eigen adem, vurig en opgewonden en een beetje gesmoord. Ik voel hoe mijn lichaam naar hem toe wordt getrokken, alsof alles wat we hebben gezegd alleen maar hiernaartoe werkte, als twee koelkastmagneetjes. En ik denk niet na over eventuele moeilijkheden, want in het hier en nu kijken zijn ogen in de mijne. Hij sluit ze, zijn wimpers werpen halfronde schaduwen op zijn huid en...

Trrrr.

'O!' Mijn telefoon trilt in mijn zak. 'Dat ben ik. Sorry! Dat is mijn telefoon.'

Laat hem toch rinkelen, Delilah.

'Ik denk dat ik even moet opnemen.'

Ben je gek?

'Gewoon, ik weet niet, het kan belangrijk zijn. Of zoiets.'

Mijn god, je klinkt net als je moeder. Hou daarmee op! Hou daar onmiddellijk mee op!

'Momentje.' Ik negeer de stemmen in mijn hoofd en klap mijn telefoon open zonder te kijken wie het is. 'Met Delilah.'

'Lilah.'

'Heee...' Het klinkt meer als ademen dan als praten, in één zucht komen al mijn gevoelens naar buiten.

'Wat ben je aan 't doen?' vraagt Finn. Het is voor het eerst dat ik weer iets van hem hoor sinds ik ben vertrokken uit Key.

'Gewoon... iets drinken. Vlak bij waar we logeren. Je hebt mijn sms over Vermont toch gekregen?'

'Ja,' zegt hij. 'Balen dat je daar in je eentje in de middle of nowhere zit, hè? Je had mij daar wel kunnen gebruiken.'

'Het gaat best.' Ik probeer het schuldgevoel dat in mijn maag opborrelt te negeren. Patrick en ik hebben niet eens iets en Finn is mijn vriendje niet, dus waarom zou ik me schuldig voelen dat ik met hem praat? 'Hoe gaat het?'

'Ik wou dat jij er was,' zegt Finn. ' Zonder jou is er niets aan hier.'

'Ik denk dat we hier de hele zomer blijven. Mijn oma is overleden. Er moet een hoop geregeld worden.'

Nu hoor je te zeggen: 'Delilah, wat erg voor je. Gaat het wel?'

'Shit, echt? Nou, bel me maar als je weer terug bent, goed? Ik wilde alleen even gedag zeggen. Ik ga je hangen. Feestje vanavond. Je weet hoe dat gaat.'

'Eh, ja. Oké. Ik...'

Maar het gesprek is voorbij. 'Dag,' zeg ik tegen de dode lijn. Ik klap mijn telefoon dicht en stop hem in mijn zak. Patrick vraagt niets en probeert ook niet verder te gaan waar we gebleven waren. Het is net alsof hij ineens iemand anders is geworden, alsof er vijf minuten geleden een ander in hem zat die nu is verdwenen. De magie is weg, daar staan we dan.

De rest van de weg naar huis zeg ik niets meer. Ik blijf gewoon naar Patrick glimlachen en mijn hoofd schudden en de hele tijd woorden mompelen als 'geweldig' en 'ongelooflijk'. Hij lacht, slaat een arm om me heen en laat me beloven dat ik, zolang hij een gitaar heeft en ik in Red Falls ben, altijd naar Luna's kom om voor hem te juichen.

'Beloofd,' zeg ik bij de deur van het huis aan het meer en ik zwaai. Hij zwaait terug en slaat het pad in naar de blauw-witte villa.

Hoofdstuk 13

De deur van oma's slaapkamer boven aan het einde van de gang is gesloten en voor zover ik weet is er sinds mam met de urn terugkwam van de
begrafenisondernemer niemand meer geweest. Ik heb haar advies opge-
volgd en ben er uit de buurt gebleven, maar vanavond is anders. Misschien probeert het universum, waar Rachel het altijd over heeft, me weer
een boodschap te sturen. Misschien word ik geroepen door de as. Of misschien zit ik gewoon vol liefde en hoop en melancholie nadat ik Patrick
heb horen zingen, want vanavond wil ik niet in Stephanies dagboek lezen. Ik wil bij mijn oma zijn.

De deur zit niet op slot, hij gaat gemakkelijk open als ik op de klink
duw. Er klinkt geen gekraak of gekreun, er zijn geen schaduwen van klop-
geesten of ander rondspokend onheil en als ik het licht aandoe sta ik in
een gewone slaapkamer met gewone slaapkamerspullen en twee grote
ramen. Er hangt een geur van medicijnen, handcrème en geparfumeerd
poeder.

Het behang herinner ik me nog: dezelfde keurige rijen gele tulpen tegen een witte achtergrond. Het beige tapijt ziet er nieuw uit, maar het gele
donzen dekbed en de gordijnen zijn nog hetzelfde, alleen wat verbleekt
na jaren van wassen en zon. Op het nachtkastje staat een waterglas naast
zo'n pillendoos met voor elke dag van de week een vakje, z m d w d v z, en
ik besef dat ze hier haar laatste adem heeft uitgeblazen.

De urn staat op oma's eikenhouten dressoir alsof hij daar altijd heeft
gestaan: een eenvoudige zwarte doos met roze en gouden bloemen en
planten erin gegraveerd. Twee porseleinen poppen met glanzend zwart
zijden haar en geschilderde ogen bewaken de doos, ze kijken naar me
alsof ik ze uitleg verschuldigd ben.

Waarmee kunnen we u van dienst zijn, mevrouw Hannaford?

Ik negeer de poppen, leg mijn hand op de doos en ga met mijn vingers langs de gegraveerde planten aan de zijkant.

Hij voelt koud aan. Ik trek mijn hand terug.

Voor de poppen op het dressoir ligt van alles en nog wat: bonnetjes, een horloge dat het niet doet, vier gouden armbanden, een klein boekje over de vrouwen van de presidenten van Amerika. Een zilverkleurig beeld van een hand met nepringen aan elke vinger en een glazen kralenarmband aan de duim. Een klein metalen doosje met roze glazen kraaltjes aan de buitenkant. Een losse foto van een sint-bernard die met zijn tong uit zijn bek in de voortuin ligt. Ollie, denk ik.

Ik schuif een la open. Ik hoop zo erg dat ik brieven of haar dagboek of foto's of de sleutel van een geheime kast met alle antwoorden zal vinden, ik verwacht het zelfs zozeer dat de alledaagsheid van haar sokken en kousen, keurig gesorteerd op de kleuren wit, zwart en beige, me verrast. In de volgende la ligt hetzelfde kleurenpalet aan ondergoed. De volgende is voor kleren: truien, t-shirts, nachthemden, lange broeken, korte broeken. Bovenop achter de poppen en de doos is nog één la, klein en sierlijk. Ik trek aan het handvatje in het midden, voorzichtig om de urn niet te storen. Het laatje is grotendeels leeg. Alleen wat pastelkleurige proefjes handcrème, wat losgeld, een doos wattenstaafjes en oma's medicijndoosje.

De potjes zijn doorzichtig oranje met etiketten van de apotheek uit de stad. De meeste namen van de medicijnen ken ik van de reclames waarin mensen eerst met een dokter praten en dan staan te dansen of gaan zwemmen of vissen met hun kleinkinderen. Pillen voor je cholesterol en voor je bloeddruk en pillen die volgens mij tegen botontkalking zijn.

Maar er zijn ook andere. Drie halflege potjes waarvan de inhoud waarschijnlijk deels is verdeeld over de vakjes in het z m d w d v z-doosje naast het bed. En wanneer ik de namen met de reclames combineer, de symptomen met de bijwerkingen, de beelden van 'voor' en 'na', begrijp ik het.

Mijn oma stond onder behandeling voor een depressie.

Door het doorzichtige oranje van de pillenpotjes worden sommige herinneringen helderder, terwijl andere vervagen. Ik denk aan oma op die dag van het kardinaaltje, hoe ze er nauwelijks op reageerde. Ik herinner me dat ze bij sommige festivals en zomerfeesten excuses verzon om vroeg weg te gaan van buurtbijeenkomsten of etentjes met vrienden.

Nu even niet, Delilah. Waarom gaan jij en Ricky niet lekker buiten spelen, dan kan ik een beetje rusten.

Ik rol een van de potjes heen en weer in mijn handpalm, de pillen glijden naar achteren en naar voren in het plastic. Ik stel me voor hoe ze hier in de slaapkamer lag, 's nachts in haar eentje, hoe ze pillen innam voor ze naar bed ging en in slaap viel met niets dan haar verdriet. Als je bedenkt dat ze nooit heeft geprobeerd om met mij in contact te komen na die familieruzie, zou het me eigenlijk niets moeten kunnen schelen. Maar het kan me wel iets schelen en mijn keel knijpt samen als ik eraan denk.

De porseleinen poppen kijken naar me. Naast hun lange zijden jurken met kant ben ik in mijn witte topje praktisch naakt. Ik pak een beige trui van de plank naast het dressoir en trek hem over mijn hoofd, er gaan elektrische schokjes door mijn haar.

Onder de tafel naast haar bed ligt een stapel boeken. Ik ga ervoor op de grond zitten en haal er een paar horrorboeken tussenuit. *Dodenwake* en *De vervloeking* van Stephen King. *Bloemen op zolder* van Virginia Andrews. Ik lees wat passages hardop voor, ervan overtuigd dat een paar griezelige zinnen haar geest zullen oproepen en een boodschap van gene zijde zal blootleggen.

Er gebeurt niets.

Met haar trui nog aan verplaats ik me naar de kaptafel en ga op het kleine rieten stoeltje ervoor zitten. Ik rommel door haar make-up en haar sieraden in de hoop vanuit mijn ooghoeken een blik van haar in de spiegel op te vangen: een reflectie van het hiernamaals. Ik doe een teer hangertje om mijn nek, een piepklein zilveren hartje aan een dun kettinkje, en dep met een zachte, roze poederdons een beetje van haar talkpoeder op mijn gezicht.

'Wat zou ik ook tegen je moeten zeggen?' vraag ik aan de lucht voor me terwijl ik naar de zilveren flikkering op mijn sleutelbeen kijk.

'Misschien kun je me uitleggen waar je naar op zoek bent?' klinkt een stem op de gang.

Ik spring op en stoot het stoeltje omver.

'Mam, ik schrik me dood!'

'Ik had gehoopt dat je deze kamer aan mij en Rachel zou overlaten.'

Ik kijk naar mijn voeten, die, net als alles eromheen, bedekt zijn met de talkpoeder die ik heb laten vallen toen ik dacht dat mijn oma vanuit het hiernamaals tegen me tekeerging.

'Ik dacht alleen...'

'Het is wel goed, Delilah.' Ze klinkt moe en zwak na de lange afspraak met de notaris. 'We wilden er deze week toch mee beginnen.'

Ik neem het kettinkje om mijn nek in mijn hand en houd het omhoog om haar het hartje te laten zien. 'Deze vond ik tussen haar sieraden,' zeg ik. 'Ik wilde het niet pikken, als je dat soms dacht.'

'Hou op.' Mam zucht. 'Die keer bij de drogist was gewoon... Hoor 's, ik realiseer me best dat ik niet zo vaak thuis ben. Ik weet ook dat we helemaal geen tijd meer samen doorbrengen, zoals vroeger. En dat vind ik jammer, maar jij weet ook hoeveel tijd en energie mijn baan kost. Ik wil erop kunnen vertrouwen dat jij voor jezelf kunt zorgen, zodat ik kan werken om geld te verdienen voor later.'

'Dat weet ik wel, maar...'

'Nee, Del, ik geloof niet dat jij beseft hoezeer ik op mijn werk onder druk sta. Overal wordt bezuinigd en we moeten harder werken dan ooit om onze huidige klanten te behouden en nieuwe opdrachten binnen te halen. Mijn hele team moet de schouders eronder zetten. Hoe denk je dat het overkomt als ik dan de hele tijd weg moet om ervoor te zorgen dat jij je niet nog verder in de nesten werkt?'

'Het spijt me. Ik weet het. Ik...'

'Er staat dit jaar zoveel te gebeuren voor jou. Binnenkort zijn de examens en voor je het weet moeten we je aanmelden voor een vervolgopleiding... Je kunt nu echt niet afdwalen. Ik weet dat dit niet de ideale situatie is, maar ik hoop dat we de tijd hier kunnen gebruiken om weer wat dichter bij elkaar te komen. Even weg van ons dagelijkse leven thuis en dan aan het einde van de zomer terug om een nieuwe start te maken. Ik wil alles best vergeven en vergeten en jou nog een kans geven, maar alleen als jij bereid bent om die aan te grijpen.'

Ze tilt mijn kin op met haar vingers en aait met haar duim over mijn wang.

'Ik hou van je, Delilah. Ik wil gewoon dat je gelukkig bent en dat het goed met je gaat, snap je dat?'

'Weet ik.'

'Nou, kom mee dan,' zegt ze. 'Dat kettinkje mag je houden. Het staat je mooi.'

'En deze rotzooi dan?' Ik pak de lege pot en probeer de talkpoeder er weer in te vegen, wat een witte wolk van stof veroorzaakt.

'Laat maar liggen. Dat zuig ik morgen wel op.' Ze steekt haar hand uit naar het lichtknopje en wacht tot ik mee naar buiten ga. Misschien komt het doordat we in oma's slaapkamer zijn, tussen haar as en al haar spulletjes die ineens heilig zijn geworden omdat ze dood is, maar ik wil plotseling zo graag dat mijn moeder van me houdt, dat ze me begrijpt, dat ze meent wat ze zegt over dat ze wil dat het goed met me gaat... Ik wil niet dat ze het licht uitdoet. Ik wil nog niet gaan.

'Mam?' Ik kijk haar aan, mijn hand zweeft ergens bij mijn heup, op zoek naar iets om vast te pakken. 'Eh... hoe was het bij de notaris?'

Ze blijft even staan. Haar lichaam komt naar voren alsof het dichterbij wil komen, maar haar voeten werken niet mee. 'Niets om je druk over te maken,' zegt ze terwijl ze haar grijze jasje uitdoet. 'Het was gewoon... Ach, weet je, Delilah, ik ben doodop en voordat ik naar bed ga, moet ik mijn e-mail nog checken. We hebben het er morgen over, goed?'

'Oké, mam.' Ik geloof haar net zo min als zijzelf, maar ik knik, volg haar naar buiten en duik mijn kamer in om de poeder van mijn kleren te kloppen, terwijl zij met een zachte klik oma's deur in het slot trekt.

Hoofdstuk 14

Ik heb mam niet verteld dat ik vorige week oma's medicijnen heb gevonden.

We hebben niet gepraat over de pillen, de afspraak bij de notaris, Patricks optreden en hoe tante Rachel steeds meer afstand van ons neemt door zich overdag in de kelder terug te trekken om oma's spullen uit te zoeken en 's avonds met Megan de hort op te gaan.

Ik heb mam ook niet verteld over het dagboek. De verslagen worden steeds heftiger en persoonlijker nu Stephanie als een blok voor Casey is gevallen en zichzelf daar een beetje in verliest. Als ik aan Patricks optreden denk, hoe ik hem hoorde zingen alsof het alleen voor mij bestemd was, dan kan ik me voorstellen hoe makkelijk het is om jezelf in iemand te verliezen. Het is angstaanjagend. Opwindend. Een oceaan zonder strandwacht. Stephanie was echt tot over haar oren verliefd op Casey en nu weet ik hoe dat voelt... Ik zie het zwart op wit staan en voel de lucht om de bladzijden heen knetteren terwijl ik de woorden lees... Dat zal ik nooit met mijn moeder kunnen delen. Mijn moeder zou het verschrikkelijk vinden om het scherpe contrast te zien tussen de intens levende Steph op de pagina's en de kille, onherroepelijke realiteit van haar dood. Hoe kun je accepteren dat iemand die zo temperamentvol, zo levendig was, nooit meer terugkomt? Eigenlijk heeft zij meer recht om het dagboek te lezen dan ik, maar zelfs als ik niet zou denken dat het te moeilijk voor haar zou zijn... Liefde? Passie? Het leven? Mam en ik praten gewoon niet over dat soort dingen.

Ik ben er zo aan gewend geraakt om haar te ontlopen dat het me even tijd kost om te bedenken wat ik moet zeggen om haar binnen te laten als ze die morgen op mijn deur klopt terwijl ik mijn verfkleren aantrek. Nadat ik haar binnen heb gelaten, zegt ze dat ze wil praten. Dat we móéten praten. Ik vraag me af wat ik nu weer heb gedaan.

'Eh, goed,' zeg ik. 'Wat is er aan de hand?'

Mam gaat op de rand van mijn bed zitten en strijkt haar badjas glad, ook al zitten er geen kreukels in.

'Ik dacht dat we misschien konden praten over... Ik wilde je vertellen over de notaris,' zei ze. 'Ik was die avond zo moe en daarna ben ik het helemaal vergeten.'

'Geeft niet. Ik was het ook een beetje vergeten,' lieg ik.

'Het blijkt dat de gemeente het huis vorig jaar op de monumentenlijst heeft gezet. Het is een van de weinige overgebleven originele koloniale huizen in Vermont.'

'Wat betekent dat?' vraag ik terwijl ik de veters van mijn oude gympen strik. 'Moeten we er een museum van maken of zo?'

Mam schudt haar hoofd. 'Nee, dat niet. Alleen meer papierwerk. Ze denken ook dat we een koper kunnen vinden zonder makelaar.'

'O.' Ik sta op om uit het raam te kijken. Patrick en Em zwaaien naar me vanuit de tuin, klaar om aan de verfpartij te beginnen. 'Goed. Nou, wij doen vandaag het schuurtje, dus...'

'Wacht... Er is nog iets,' zegt ze. 'Mijn ouders hebben wat geld gespaard. Ze hebben slim geïnvesteerd en hadden ook nog het een en ander over van pa's veteranenuitkering.'

'Dat is mooi.'

'Het is genoeg om het huis mee te renoveren en het in de verkoop te zetten. De kosten voor de uitvaart zijn ook gedekt.'

'Geweldig. Bedankt dat je me op de hoogte houdt. Kan ik...'

'Delilah, ze heeft ook nogal wat geld aan jou nagelaten. Voor je opleiding.'

'Wat?'

'Het staat op een spaarrekening. Het is genoeg om een groot deel van de kosten voor je vervolgopleiding van te betalen. Misschien zelfs iets meer.'

Mams blik glijdt naar de pot met knopen op de ladekast, haar ogen vullen zich met tranen.

'Maar... Ik begrijp het niet, mam. Sinds we hier weg zijn gegaan, hebben we nooit meer contact gehad. Waarom zou ze mij iets nalaten?'

Ze glimlacht, kijkt weer naar mij. 'Ik weet het niet, Engeltje. Ik denk dat ze wilde dat jij het goed hebt, ondanks... Nou ja, ondanks alles.'

'Maar als ze mij zo belangrijk vond, waarom heeft ze dan nooit geprobeerd om me te bellen of te schrijven? Al die jaren heb ik niks van haar gehoord. Probeert ze dat nu goed te maken door mijn vervolgopleiding te betalen? Wat maakt dat nu nog uit, mam? Jij hebt zelf geld gespaard. Dat van haar hoef ik niet.' Ik wrijf met het zilveren hartje langs mijn sleutelbeen. Ik wou dat ik die duizenden dollars kon ruilen voor de acht verloren jaren.

'Delilah, het is een genereus gebaar. We weten niet wat haar motieven waren. Ze is er niet meer. We zullen er nooit achter komen...'

'Ik kan me haar niet meer herinneren, mam,' fluister ik met dichtgeknepen keel. 'Ik probeer me steeds te herinneren hoe haar gezicht eruitzag, hoe haar stem klonk, maar het lukt me niet.'

Mam slaat haar arm om me heen en trekt me tegen zich aan, maar ze zegt niks. Ik voel haar onregelmatige adem op mijn haar en ik wou dat we gewoon terug konden gaan naar Key, terug naar de dag voor dat gedoe bij de drogist. Dan zou ik niet vergeten om de lippenstift te betalen. Ik zou haar overhalen om vrij te nemen en alle telefoons uitzetten en dan zouden we met z'n tweetjes pizza bestellen en films kijken. We zouden het telefoontje van tante Rachel negeren en nooit weten dat dit allemaal was gebeurd. Dan hoefden we hier nu niet te zijn, in de oude kamer van haar overleden zusje, en ons af te vragen wat we nu in godsnaam moeten doen.

'Goed,' zegt mam terwijl ze opstaat van het bed en met de rug van haar hand haar ogen afveegt. 'Het wordt vandaag een heel mooie dag en jullie hebben al ontzettend veel gedaan. Jullie moesten maar eens een dagje van het meer gaan genieten, voordat alle toeristen komen om op 4 juli Onafhankelijkheidsdag te vieren. Dat schuurtje kan wel even wachten. Beschouw het maar als een snipperdag, oké?'

Mam komt naar me toe, maar halverwege blijft ze staan, afgeleid, alsof ze zich plotseling realiseert dat ze vergeten is de auto uit te zetten. Ze steekt haar handen in de zakken van haar badjas en loopt achteruit de kamer uit. We blijven elkaar in de ogen kijken tot ze zich omdraait om naar haar eigen kamer te gaan.

Buiten zitten Patrick en Emily met hun rug tegen het schuurtje in de schaduw. Om hen heen liggen blikken verf, rollers en afdekfolie op de grond.

'We mogen een dag vrij nemen,' roep ik uit het raam. 'Laten we gaan kajakken.'

Als ik naar de keuken loop, horen mam en tante Rachel niet dat ik eraan kom. Maar ik kan hen wel horen en vang flarden van hun gefluister op.

'Claire,' zegt Rachel, 'in plaats van boos te worden op mij kun... met haar over praten?'

'Je weet best dat ik dat niet kan,' zegt mam. 'Het is veel... ingewikkeld... en...'

'Omdat jij het ingewikkeld... hoe langer je... erger...'

'Denk je niet...?'

Voorzichtig doe ik nog een stap naar beneden en span me in om ze door de muur van de gang en het gehak van Rachels mes op de snijplank heen te horen.

'Nee, dat denk ik niet,' zegt Rachel. *Hak hak hak.*

'...ter sprake brengen,' zegt mam. '...je dat ik zeg?'

'...geen idee,' zegt Rachel. 'Je.... ik het er niet mee eens.... ermee omging... Casey?' *Hak hak hak.*

Ik spits mijn oren als ik de naam van Stephanies vriendje hoor. Wat heeft hij ermee te maken? Weten ze waar hij is? Ik wou dat ik kon horen wat ze zeggen, maar als ik nog één stap naar beneden doe, zien ze me.

'...pas zestien,' fluistert mam. 'De situatie... nogal... niet begrijpen.'

'...is geen achtjarig kind...' zegt Rachel. 'Praat met haar... waarheid.'

Ik wacht nog even, maar ze zeggen verder niets meer, ik hoor alleen Rachel die verwoed staat te hakken. Ik neem de laatste tree en dan sta ik in de keuken. Ze worden allebei zo bleek als de gordijnen voor de ramen.

'Delilah?' zegt mam. Het laatste deel van mijn naam blijft steken en ze schraapt haar keel. 'Heb je... Ik dacht dat je vandaag iets leuks zou gaan doen.'

'Ik was me boven aan het klaarmaken. Waar hadden jullie het over?'

'Hoe bedoel je?' Mam kijkt naar Rachel.

'Ik heb jullie gehoord.'

'Wat heb je gehoord?' vraagt ze. 'We zitten hier al de hele ochtend over van alles te praten.'

'Kom op, mam. Nu net. Rachel probeerde je over te halen iets aan mij te vertellen. Wat is er aan de hand?'

Ze kijkt weer naar haar zus, maar Rachel is druk bezig om de wortels in stukjes te hakken en reageert niet.

'Je tante en ik hadden het over het testament,' zegt mam. 'Ik vertelde haar dat ik jou had verteld over het geld voor je vervolgopleiding. We moeten nog het een en ander met de advocaten regelen om bij het geld voor de verbouwing en de grafsteen te komen. Niets waar jij je zorgen over hoeft te maken.'

Ik snap niet wat de woorden 'ingewikkeld' en 'Casey' te maken hebben met testamenten en grafstenen, maar mam wil duidelijk niet meer vertellen en Rachel zou net zo goed op stap kunnen zijn met Megan, zo weinig als zij bijdraagt aan het gesprek.

'Oké,' zeg ik terwijl ik een appel van de schaal op tafel pak. 'Ik ga kajakken met Patrick en Em. Ik ben voor het eten weer terug.'

'Vegetarische chili vanavond,' zegt Rachel op een toon alsof ze applaus verwacht. 'Doet het altijd goed bij filmfestivals.'

'Klinkt goed. Tot straks.'

'Delilah?' roept mam als ik bij de deur ben. 'Vergeet niet om een zwemvest aan te doen,' zegt ze. 'Ik moet er niet aan denken dat er iets met je gebeurt.'

Hoofdstuk 15

'Kennen jullie ene Casey Conroy?' vraag ik als we naar de kade lopen waar ze kajaks en motorbootjes verhuren.

'Nooit van gehoord,' zegt Em. 'Maar ja, ik ben hier ook nieuw.'

'Volgens mij wonen er op dit moment geen Conroys in Red Falls,' zegt Patrick. 'De naam zegt me niks, maar ik kan het eens aan mijn vader vragen. Hij zal het vast weten.'

Ik trek een blauw met geel zwemvest aan over mijn T-shirt. 'Nee, doe maar niet. Het is gewoon een naam die ik de laatste tijd een paar keer hoorde. Ik denk dat mijn moeder en Rachel hem kenden.' Ik vertel ze niet over het dagboek, de flarden van het gesprek die ik vandaag in de keuken heb opgevangen en de initialen onder het bed. 'Jullie kennen me. Ik ben weer eens ergens door geobsedeerd.'

Patrick glimlacht. 'Mooi. Ga jij maar even lekker geobsedeerd zitten zijn, dan halen wij de kajaks.'

Terwijl Patrick en Em de kajaks losmaken en naar de waterkant trekken, dwalen mijn gedachten af van mam en Rachel naar het andere nieuws van vanmorgen: oma's spaarrekening. Acht jaar lang had ze geen kleindochter. En toch heeft ze genoeg geld opgepot voor mijn hele vervolgopleiding. Dat zijn tienduizenden dollars. Waarom heeft ze die niet aan het stadje nagelaten, of aan Staatsbosbeheer of aan het Nationale Fonds voor sint-bernardshonden? Was het haar schuld dat wij zijn weggegaan uit Red Falls en wil ze die schuld afkopen? En stel dat ik niet op de universiteit word toegelaten? Stel dat ik niet naar de universiteit wil? Moet ik het geld dan teruggeven? Staat ze dan op uit de dood om bij mij te komen spoken?

En wat heeft Casey Conroy hier allemaal mee te maken?

'Delilah?' vraagt Em. 'Kom je?' Zij en Patrick dobberen in een rode en een blauwe boot op het water en wachten tot ik me van de kant af duw om mee te gaan.

'Sorry, jongens.' Ik schud alle raadsels van me af, grijp mijn gele boot bij de zijkanten om hem van het strandje af te trekken en klim erin, één voet tegelijk. Na een paar pogingen lukt het me om erin te komen en lang genoeg rechtop te blijven zitten om de peddel op mijn benen te leggen. Dat is de laatste keer dat ik rechtop zit in het hele kajakavontuur.

'Niet slecht voor een eerste keer, toch?' vraag ik aan Patrick terwijl ik op zijn schouder leun en de pizzeria om de hoek van Luna's binnen strompel.

Patrick trekt een wenkbrauw op. 'Je bent in elk geval niet verdronken, als je dat soms bedoelt.'

'Maak je geen zorgen, Del,' zegt Emily en ze zet een stoel voor me neer. 'Het wordt steeds makkelijker. Volgende keer gaat het al beter.'

Patrick lacht. 'Wie zegt dat er een volgende keer komt?'

'Hé! Ik weet zeker dat ik niet de enige ben die zich bezeert bij de eerste poging, of wel?'

'Nee,' zegt Patrick. 'Heel wat mensen bezeren zich bij het kajakken. Ze slaan onverwacht om en krijgen water in hun neus. Ze laten de boot op hun tenen vallen wanneer ze hem de kant op trekken. Hun schouders raken overbelast door te hard te peddelen. Maar al die jaren dat ik hier het meer op ga, mijn hele leven lang elke zomer, ben ik nog nooit iemand tegengekomen die zijn knie verstuikte in het water, zestig meter van de kajaks, de kade en iedereen vandaan.'

'De golven gooiden me omver!' zeg ik. 'Ik zag het niet aankomen. Ik had wel kunnen verdrinken. Emily, sta me bij!'

Em lacht. 'Del, het water kwam nog niet eens tot je knieën. Eerlijk waar, ik snap niet hoe je onderuit kon gaan.'

'En je hebt het voor elkaar gekregen om zo ongeveer elf keer uit de boot te donderen,' zegt Patrick terwijl hij een cola voor me neerzet. 'Niet dat ik het bijgehouden heb of zo.'

'Ik probeerde of ik in evenwicht kon blijven.'

'Niet dus!' roepen Em en Patrick lachend terwijl ik mijn been op een stoel leg.

We delen met z'n drieën een kaaspizza en een grote Griekse salade en ondanks het kloppen van mijn knie blijf ik de hele tijd lachen en blijf ik voorzetten geven voor grapjes terwijl we de dag doornemen, want het onderwerp van spot zijn is het enige wat me afleidt van het besef dat mijn moeder iets voor me achterhoudt. Iets wat over mij gaat. Iets belangrijks.

En Rachel weet wat het is.

'Wat is er met je knie gebeurd?' vraagt mam als ik binnen kom strompelen tussen Patrick en Em in.

'Een krasje, meer niet.' Ik pak een paar mueslirepen als toetje en kijk naar de rij porseleinen beeldjes en de poppen van oma's dressoir op de keukentafel.

'Wat is dit allemaal?' vraag ik.

'Er is een taxateur langs geweest,' zegt Rachel. 'Hij was het ermee eens dat we het huis het beste gemeubileerd kunnen verkopen, zodat we niet de hele inboedel apart hoeven te verhandelen. Voor de andere spullen kunnen we een inboedelverkoop organiseren, maar er zat één verrassing bij. Als we hier geen koper voor vinden, kunnen we hem laten veilen.' Ze houdt een blauw met witte porseleinen roomkan in de vorm van een koe omhoog.

Patrick loeit.

'Dit oerlelijke ding is van vroegzeventiende-eeuws Delfts blauw porselein uit Nederland,' zegt Rachel.

Em pakt de koe op om hem beter te kunnen bekijken. 'Zo lelijk is ze niet,' zegt ze. 'Ik vind haar wel schattig.'

'Ja, dat vond de taxateur ook,' zegt Rachel. 'Vierduizend dollar-schattig, opgeborgen in een doos kerstspullen in de kelder.'

'Vier mille?' Em zet de koe terug op tafel, ver bij de rand vandaan.

Ik gooi het papiertje van mijn mueslireep in de afvalbak en zie de doorzichtige oranje potjes uit oma's dressoir liggen tussen biologische eierschalen en koffiefilters.

'Hebben jullie vandaag oma's slaapkamer gedaan?' vraag ik.

'Voor het grootste gedeelte,' zegt mam terwijl ze het aanrecht zo snel afneemt dat de gemiddelde bacterie het nooit zou kunnen zien aankomen. 'Ik heb de boeken en sieraden laten liggen voor als jij die nog wilt bekijken. Maar er zit niet echt iets waardevols tussen.' De poppen op tafel kijken beledigd, maar net zoals de rest van de familie houden ze hun mond. Ik laat het deksel van de afvalbak dichtvallen boven de medicijnpotjes en zeg ook niks.

Later, als Patrick en Emily weg zijn en Rachel naar de supermarkt loopt voor nog wat fruit, schenk ik twee glazen *ice tea* in en ga naast mam op de veranda zitten. Met mijn voet duw ik de schommelbank heen en weer.

'Hebben jullie het leuk gehad op het meer vandaag?' vraagt ze terwijl ze een slokje neemt.

'Het was geweldig. Patrick leert me kajakken.'

'Hoe gaat het met je knie?' Ze leunt naar voren om hem te bekijken.

'Het stelt niks voor. Maar waar zaten Rachel en jij daarstraks over te kibbelen?'

Ik zie hoe de lijnen in haar gezicht veranderen als ze achterover in de schommelbank leunt en uitkijkt over de oprijlaan. 'Waar heb je het over? Wanneer?'

'Vandaag. Voordat ik wegging.'

Mam schudt haar hoofd. 'Nergens over. Dat zei ik toch al. Juridisch gedoe over het testament.'

'Het klonk alsof jullie ruziemaakten.'

'Ze zei iets wat ik vervelend vond.'

'Ging het over wat er acht jaar geleden is gebeurd?'

Mam draait zich naar me toe, haar vingers rond haar glas icetea zijn wit. 'Del, je dramt hier zo over door,' zegt ze. 'Ik begrijp dat het moeilijk voor je was dat we hier weggingen, en misschien had ik het allemaal anders moeten doen, maar je moet nu even goed naar me luisteren. Er is hier geen groot geheim. In families wordt nu eenmaal ruziegemaakt. Daardoor kunnen ze uit elkaar gerukt worden. Er is niet altijd een happy end of een logische verklaring. Dat moeten we accepteren en doorgaan. Zo eenvoudig kan het soms zijn.'

'Maar ik weet dat je iets voor me achterhoudt,' zeg ik en ik duw mijn eigen schuldgevoel over het geheimhouden van Stephanies dagboek weg.

Mam legt haar hand op de mijne, maar hij voelt koud en hard. 'Echt, Delilah, het heeft geen zin om in het verleden te graven. Concentreer jij je nou maar op het op de rails krijgen van je eigen leven. Ik wil dat je je daar nu mee bezighoudt. Daar moeten we ons allemaal mee bezighouden.'

Ze staat op van de schommelbank en loopt naar de keuken, terug naar haar bureau en haar laptop, voordat ik nog meer kan aandringen. Ik loop achter haar aan, ga aan de keukentafel zitten en kijk naar de vreemde verzameling spulletjes van oma.

'Hou erover op, Delilah. We kunnen er gewoon niet meer naar terug.' Dat is wat mam elke keer zei als ik naar oma vroeg na die ruzie. Elk jaar pakte ik mijn koffers weer in om de zomer in Red Falls door te brengen en huilde terwijl zij ze weer uitpakte. Uiteindelijk hield ik op met inpakken. Ik hield op oma te missen en Ricky en het kardinaaltje en de vuurvliegjes boven het meer. Ik hield op met vragen stellen. Ik hield op me dingen af te vragen. En oma en opa en het hele slaperige stadje Red Falls gingen op in de lange rij Onbespreekbare Dingen uit de geschiedenis van de familie Hannaford.

Terwijl ik naar mams achterhoofd kijk, naar haar handen die langs haar haren strijken als ze de headset opzet, krijg ik het gevoel dat ik me vergist heb. Mam heeft gelijk. In families wordt nu eenmaal ruziegemaakt. Misschien is het inderdaad zo eenvoudig. En misschien moet ik inderdaad stoppen met graven in het verleden op zoek naar een waarheid waarvan de stukjes zo verspreid liggen en zo diep zijn weggestopt door zo veel verschillende handen dat niemand nog weet waar ze zijn.

Mam slaakt een diepe zucht boven haar bureau en de hele atmosfeer in de keuken verandert, alsof er elektriciteit in de lucht zit, zoals vlak voor een storm. Ze schraapt haar keel en ik wacht op lichtflitsen, op kortsluiting die ons dagenlang in duisternis zal hullen.

Maar er gebeurt niets.

'Dag,' zegt ze in de headset. 'Met mij. Bedankt voor je e-mail. Het schijfje met het dossier van dat project ligt op mijn kantoor. Vier afbeeldingen en de video. Juist.'

Ik kijk weer naar de spulletjes op tafel.

'Boe,' fluister ik tegen de koe. Ze geeft geen antwoord.

Hoofdstuk 16

'Eén huisgemaakte melange en één hazelnoot-chocola met extra slagroom,' kondigt Luna aan. 'Deze krijgen jullie van de zaak.'

'Bedankt, Luna.' Ik pak mijn drankje van de bar, dankbaar dat mam en tante Rachel vanavond weer een afspraak met de makelaar hadden. In de nasleep van het gesprek over Casey dat ik vorige week hoorde en dat abrupt werd afgebroken, hebben we alles wat daarmee te maken heeft weten te vermijden. Uit schuldgevoel, omdat ze afgeleid werd door andere dingen of omdat ze me misschien echt een tweede kans wil geven, heeft mam de teugels wat laten vieren. Het was gemakkelijk om weer in onze oude routine terug te vallen, waarin we langs elkaar heen leven als twee schepen die elkaar passeren in de nacht. Ik was blij dat ik vanavond weg kon van de ongemakkelijke stilte die in het huis hangt. Weg van het dagboek dat in de la van mijn kast om aandacht ligt te schreeuwen. Weg van de urn en de as van mijn oma en haar dode hond. Weg van het verleden, al is het maar voor een uurtje.

Ik kijk naar Patrick die aan de andere kant van het café nieuwe snaren op zijn gitaar zet, en naar Luna, die vraagt of ik de overgebleven scones mee naar huis wil nemen. Ik denk aan Emily, die zo open is en ongecompliceerd, zonder enige verwachting. En aan Megan, die bijna elke dag langskomt om tante Rachel te helpen. Al die mensen die ik hier in Red Falls heb ontmoet, die zomaar mijn leven zijn binnengewandeld door de tragische gebeurtenissen van deze zomer... Zij wéten hoe raar de Hannafords zijn en toch veroordelen ze ons niet. Ze eisen niets. Ze gaan nergens van uit. Ze zijn er gewoon. Willen ons kennen. Willen bij ons zijn. Er bestaat een woord voor dit soort mensen. Soms heb ik het gevoel dat ik op het punt sta heel belangrijke dingen te begrijpen, dat ik alle antwoorden kan zien maar er net niet bij kan, alsof het appels zijn die te hoog in een boom hangen. Maar vanavond rek ik me uit en kan ik erbij. Bij het woord.

Vrienden.

'Vind je het goed als we nog even blijven?' vraagt Patrick aan Luna vanaf het podium, terwijl hij een paar akkoorden aanslaat op zijn nieuwe snaren. Luna heeft het bordje OPEN al omgedraaid, alleen Patrick en ik zijn nog binnen. 'Ik werk aan een nieuw liedje en ik heb het bijna,' zegt hij.

'Blijf maar zo lang als jullie willen,' zegt ze. 'Als je de deur maar op slot doet als jullie weggaan.'

Als ze weg is, wordt het stil in het café, op het lage gebrom van de koelkast en het gezoem van de plafondlampen na. Zonder het gebruikelijke gekrioel van mensen lijkt alles anders, van een andere intensiteit. De geur van gebrande koffie. De zilveren maan en sterren die langzaam ronddraaien aan het plafond en lichtvlekken rondstrooien. En Patricks ogen, helder en intens bij het werken aan zijn muziek. Hier. Nu. Wij tweeën. Alleen.

'Waar denk je aan?' vraagt hij.

'Vrienden.'

'Mis je ze?'

'Die van thuis? Nee, helemaal niet. Gek eigenlijk. Ik heb daar wel mensen. Je zou ze vrienden kunnen noemen. Dat deed ik. We deden veel samen, gingen naar dezelfde feestjes, dat soort dingen. Er was altijd wel iets te doen in het weekend. Maar dit jaar zijn er dingen veranderd en nu ik een paar weken weg ben... om ze nog vrienden te noemen... dat voelt niet goed meer. Alsof ze alleen maar tijdverdrijf waren. Ze verdienen het niet om vrienden genoemd te worden. Is dit nog te volgen?'

'Helemaal.' Patrick knikt. 'Ik heb vorig jaar in New York hetzelfde meegemaakt met een oude schoolvriend. We hebben geen ruzie gehad of zo, maar in de derde was het weg. We begonnen allebei met andere groepjes om te gaan en de paar keer dat we nog samen waren, klikte het niet meer zo goed. Ik vond het erg, want hij was echt leuk.'

'Wat was er gebeurd?'

'Eh, we zijn uit elkaar gegroeid. Ieder een andere kant op gegaan. Ik kwam hem nog wel eens tegen en dan deden we heel gewoon tegen elkaar. Maar we brachten de weekenden niet meer samen door en spraken na schooltijd ook niet meer af om te gaan fietsen.'

'Was je daar verdrietig om?'

'Ja, maar toen realiseerde ik me dat ik iets probeerde vast te houden wat er niet meer was. Dat de persoon die ik miste niet meer bestond. Mensen veranderen. Je gaat andere dingen leuk vinden. We kunnen wel willen dat dat niet gebeurt, maar het gebeurt toch.'

'Precies. Ik heb het ook geprobeerd.'

'En vrienden,' zegt hij, 'ik bedoel echt goede vrienden... ik dacht altijd dat sommige mensen in mijn leven voor het echie waren. Dat wij altijd bij elkaar zouden blijven. Maar hoe ouder ik word, hoe beter ik snap wat mijn vader zei: in je hele leven kun je je echt goede vrienden waarschijnlijk op één hand tellen. Misschien zelfs op één vinger. Die vrienden moet je koesteren en ik zou ze nog niet voor honderd anderen willen ruilen. Ik zou liever altijd alleen zijn dan met mensen die geen echte vrienden zijn. Die alleen maar tijdverdrijf zijn.'

'Dat begin ik ook in te zien,' zeg ik en ik denk aan alle mensen die mijn pad gekruist hebben en aan alle mensen die mijn pad nog zullen kruisen. Maar als Patrick naar me lacht, verdwijnt het verdrietige gevoel. Voor nu is alles even goed.

'Moet je zien,' zegt hij en hij duikt achter het podium. Hij dimt het cafélicht en doet een stel ronde, gekleurde theaterlampen aan die vanaf de voor- en zijkant het podium belichten.

'Luna heeft ze vorig weekend laten installeren. Wat een verschil, hè? Het is hier klein, dus voor het geluid hoeven we de versterkers niet heel hard te zetten. Maar het moeilijkste is als het publiek is afgeleid. Dat gebeurt niet zo heel vaak, maar het is vervelend om daaroverheen te moeten zingen. Niet alleen omdat je dan moeilijk te verstaan bent, maar ook omdat je weet dat er dan niemand luistert. De belichting helpt om hun aandacht vast te houden. En dan moet ik gewoon wat harder werken om ervoor te zorgen dat ze het mooi vinden.'

'Patrick, ik heb je horen zingen. Hoe kunnen ze het nou niet mooi vinden?'

'Niet iedereen die hiernaartoe komt op de avonden dat ik optreed komt om mij te zien. Sommige mensen zijn meer geïnteresseerd in de koffie. Of in de scones. Of in het versieren van Emily.'

'O, maar ik zei ook niet dat ik er niet was om Em te versieren,' zeg ik. 'Ik bedoel alleen dat Em versieren en van de muziek genieten elkaar niet uit hoeven te sluiten.'

'Is dat zo?'

'Dat is zo.'

'Dan ben ik blij dat we het hierover hebben. Ik zal Em laten weten dat ik de concurrentie op ga voeren. Ze is een geduchte tegenstander, vooral als het gaat om uiterlijk – stukken knapper dan ik.'

Ik lach met mijn hoofd naar beneden, om te verbergen dat mijn gezicht waarschijnlijk knalrood is. Ik bedoel, Em ís knap. En fantastisch en supergrappig en lief. Dus waarom valt hij niet op haar? Of doet hij dat wel?

'Moest jij niet iets oefenen?' vraag ik. 'Laat eens horen.'

'Tot uw orders, Hannaford. Jij wint. Kom hier.' Hij gebaart dat ik voor hem moet komen zitten, overhandigt me zijn plectrum en bespeelt de snaren met zijn blote vingers. Onze knieën raken elkaar. Het enige wat nog tussen ons in staat, zijn de gitaar en de aanzwellende golf klanken.

Als Patrick zingt doet hij zijn ogen dicht en zijn gezicht krijgt een heel intense en tevreden uitdrukking, alsof hij een lange, mooie reis maakt maar zich heel goed op de route moet concentreren. We zitten met z'n tweetjes op het podium en dwars door de onaffe tekst heen beroert zijn stem mijn huid en bezorgt me kippenvel. De melodieën nemen me mee, weg van alle teleurstellingen en geheimen en ik zie alleen nog maar mooie dingen en vooruitzichten, eindeloos en puur. Ik heb niet eens door dat ik met gesloten ogen zit te luisteren, totdat de muziek ophoudt. In de echo van de laatste noot landt er een kus op mijn lippen. Hij smelt als een sneeuwvlok, koel en heerlijk en zo anders dan alles wat ik ooit heb gevoeld. Patrick trekt me dichter tegen zich aan en het zilveren hartje van mijn kettinkje tinkelt zo zacht als een regendruppel tegen de snaren van zijn gitaar.

Onze kus wordt intenser, Patrick vindt zijn weg voorbij mijn lippen. Het geraas in mijn hoofd valt stil, angst en zorgen vervagen terwijl ik me er helemaal aan overgeef, alles helemaal wil voelen en proeven en inademen. Het is alleen hij en ik en buiten houdt de wereld zijn adem in, wacht tot we stoppen, wacht om te zien wat er zal gebeuren, om te zien of ik hierna nog wel zal weten hoe ik mijn benen moet gebruiken.

Maar als Patrick opschuift om zijn gitaar tussen ons vandaan te halen, is de betovering verbroken. Ik besef hoe dicht we bij elkaar zijn, te dichtbij, verstikkend dichtbij, en er is niets wat hem kan tegenhouden om nog dichter bij mijn ware ik te komen.

'Het spijt me,' barst ik uit. 'Ik, eh... ik moet gaan. Ik moet... eh, ik moet iets doen. Ik heb tegen mijn moeder gezegd dat ik haar zou helpen en ik moet nu echt gaan.'

'Weet je zeker dat ze niet nog een paar minuutjes kan wachten?' vraagt Patrick. Hij glimlacht, maar in zijn ogen zie ik teleurstelling.

'Ja.'

'Mooi. Kom hier.'

'Nee, ik bedoel, ja, ik weet zeker dat ze niet kan wachten.' Ik ga staan om het stof van mijn broek te slaan en de benodigde afstand te scheppen voor hij me alsnog overtuigt om te blijven. 'Je kent mijn moeder.'

'Gaat het wel goed, Del? Ik hoop dat ik niet... ik... gaat het?'

'Nee, het is goed, het gaat prima. Ik vind het liedje geweldig. Heel erg Bob Dylan.' Als mijn woorden voetstappen waren, was ik erover gestruikeld en had ik nu mijn beide benen gebroken. 'Ik dacht alleen net aan dat ene met mam, dat is alles. Slechte timing.'

'Nee, maak je geen zorgen. Ik breng je naar huis,' zegt Patrick. 'Ik moet dit alleen even op...'

'Laat maar. Het gaat wel. Ik moet echt gaan, voordat ze boos wordt. Ik was het bijna vergeten en nu ben ik al laat. Ik zie je morgen, goed?' Ik geef Patrick niet meer de kans om te antwoorden of me met zijn verwarde blik te vangen voor ik de deur uit ben. Buiten maakt de plakkerige zomer-avondlucht mijn huid onmiddellijk vochtig. Het duurt even voordat ik me realiseer dat ik daar maar sta te staan, rillend ondanks de luchtvochtig-heid.

De ene voet voor de andere, Delilah, weet je nog?

Hoofdstuk 17

Later, als ik er zeker van ben dat mam, Rachel, Patrick en de rest van Red Falls slapen, sluip ik op mijn tenen de trap af en ga op blote voeten door de zijdeur naar buiten. De krakende derde tree sla ik over. Met Stephanies dagboek loop ik door de straat, weg van oma's huis, voorbij Patricks huis, helemaal naar het andere uiteinde. Onder de enige lantaarnpaal van Maple Terrace strek ik mijn armen uit. Ik doe alsof het licht een krachtveld is dat een stralenkrans om me heen werpt om me af te schermen van de duistere dingen buiten. Wanneer het zo iedereen-slaapt-stil is als nu wordt Vermont overgenomen door de krekels. Ik hoor ze overal om me heen, met elke ademhaling klinken ze luider en luider en luider, smelten samen tot één hartslag in mijn oren, één zacht gebons, één zoem, één laag gonzen van het draaien van de wereld om zijn as.

Soms vraag ik me af of mijn hele leven zo voorbij zal gaan: wachtend in de schaduw, wachtend tot er iets gebeurt. Wachtend tot iemand anders iets laat gebeuren. Iets nieuws of anders, iets geks en geweldigs. Ik heb het al zo lang op deze manier gedaan, anderen alles voor me laten bepalen, op de stroom meegedreven zonder dat ik mijn eigen richting bepaalde of er bewust over nadacht. Alleen gereageerd op wat er gebeurde. Aandachtvragerij noemt mam het. Impulsief. Roekeloos.

Ik denk aan Finn en al die keren bij de kreek. Ik denk aan Patrick. Ik denk aan Stephanie en Rachel en mam en mijn dode vader uit de krant en ik krimp ineen vanbinnen. Het maakt dat ik weg wil, weg wil rennen, met een klein zwart notitieboekje in een vliegtuig wil springen en net zo lang steden en dorpen en huizen van mensen in en uit wil lopen tot ik precies weet hoe mijn vader zich die dag in Tuksar voelde, toen hij met zijn pen op het papier in de loop van dat geweer keek en zijn lot in handen lag van een jongen die nog niet eens de baard in de keel had.

Ik ga onder de lantaarnpaal op de stoep zitten en open het dagboek op mijn knieën.

Lief dagboek,

Het is vier uur 's nachts en ik ben al twee dagen wakker. Mijn hoofd gonst, al mijn cellen gonzen, alles om me heen gonst. Ik word helemaal gestoord van mam, ik moet hier weg. Ik moet weg uit deze stad. Ik moet ergens heen. Waar dan ook. Ergens anders naartoe.

C heeft beloofd dat hij me hier weg zal halen. Dat we snel ver weg zullen gaan en nooit meer om zullen kijken. En toen hij zei 'Ik beloof het je, ik beloof het je, Stephie, de hele wereld is voor jou als je dat wilt...' toen kuste ik hem en wist ik dat hij het meende. Ik zei dat ik met heel mijn hart van hem zou houden tot het bittere eind. En dat meende ik en de oude man van het popcornkraampje glimlachte toen hij ons zag kussen.

Dus hoe lang nog? Hoe lang duurt het nog tot we ergens anders door straten vol nieuwe gezichten zullen lopen en hen zullen zien glimlachen als ze zien hoe verliefd wij zijn??

Steph

Thuis, als mensen mij met Finn zien, glimlacht niemand. Ze staren. En dan word ik weer de krijgshaftige boself-prinses van de eerste keer toen ik met hem was en bij een feestje aan de kreek uit het bos kwam lopen met bladeren in mijn haren, op één schoen, en iedereen fluisterde. Finn heeft zich nooit druk gemaakt over geheimen of moeders of vriendschap. Dat kon hem niets schelen. Als ik met hem was ging het maar om één ding. Bij hem was ik onverschrokken. Waanzinnig. Vol leven. En een beetje van: O ja? Waag het eens om er iets over te zeggen.

Ik wed dat Thomas Devlin zo was. Het is dan wel zijn dood geworden, maar hij vóélde in elk geval iets. Dat zie ik aan zijn verhalen – altijd over plaatsen ver weg, altijd vol vaart en adembenemend, pagina's vol woorden als ninja's, klaar om ons onverhoeds aan te vallen. Is dat wat hij mij heeft nagelaten? Mijn genetische erfenis? Waanzinnig. Vol leven. En een beetje...

Toen ik thuiskwam na die eerste keer met Finn op dat feestje aan de kreek, vond ik een opstandig pijnboomtakje in mijn haar. Ik heb het bewaard in een schoenendoos zodat ik het nooit zou vergeten, dat moment dat Finn over het vuur heen naar me keek, bijna onzichtbaar knikte in de richting van het bos en één wenkbrauw vragend optrok.

Zullen we...?

Ja, laten we...

Maar dat is geen liefde, niet het soort liefde dat tante Stephanie voor Casey voelde. Wat ik met Finn heb is meer zoals dat wat mijn ouders hadden. Dat is vreemd en afschuwelijk om over na te denken, maar wel waar. Ik ben niet verliefd op hem. Ik ben verliefd op de manier waarop hij de dingen uitwist. Daarom heb ik dat pijnboomtakje bewaard. Ik koester die avond niet uit verlangen of vanwege een soort dromerige hoop. Ik koester hem om te kunnen vergéten.

Maar als ik mijn hoofd nu op dezelfde manier probeer leeg te maken, snijdt Patricks stem er dwars doorheen, zingend met zijn ogen gesloten. In plaats van vervagen en verdwijnen, vermenigvuldigen mijn gedachten zich, worden intenser. Het is alsof het allemaal zijstroompjes zijn die samenkomen. Kronkelend komen ze bij elkaar en altijd eindigen ze in dezelfde onvermijdelijke rivier: die kus.

Ik doe het dagboek dicht, adem diep in en houd de avondlucht van Vermont vast in mijn longen, terwijl de krekels doorgaan met zingen en ik aan mijn tante denk en me afvraag of het wel goed met haar ging toen ze nog leefde. En dan... dan komen zachtjes de woorden van Patricks liedjes, de woorden die ik me kan herinneren, en ik zing ze steeds opnieuw terwijl ik met mijn duim over zijn plectrum wrijf die veilig in de zak van mijn shirt zit.

Vergeten is geen optie meer.

Hoofdstuk 18

'Morgen is het vier juli,' zegt mam terwijl ze een kop koffie inschenkt en haar telefoon aan de oplader legt.

'Ja?' Vorig jaar heb ik vier juli bij Seven Mile Creek gevierd, met z'n allen op dekens en stoelen in het bos, terwijl mam voor haar werk naar Chicago was. We konden het vuurwerk niet eens zien. Niemand gaf erom.

'Jullie zouden naar het Sugarbush Festival moeten gaan,' zegt mam. 'Er is vast weer kermis. Weet je nog? Je at altijd te veel suikerspinnen en dan kreeg je buikpijn in het reuzenrad. En Patrick zat altijd naast je.'

'Fijn dat je me daaraan herinnert.'

'Zo was het wel. En hij bleef altijd bij je, zelfs als je moest overgeven. Arm jong.'

Er gaat een rilling door me heen als ik aan gisteravond denk. Maak je geen zorgen, mam. Ik denk dat hij er wel overheen is.

'Dat weet ik ook nog,' roept Jack vanuit de serre. Ik had me niet eens gerealiseerd dat hij er was. 'Zijn т-shirt moesten we weggooien.'

'Geweldig. Bedankt voor de informatie,' roep ik terug.

'Voor jou altijd, Delilah. Voor jou altijd.' De drilboor klinkt en ik moet schreeuwen om me voor mam verstaanbaar te maken.

'Ik zal vragen of Patrick zin heeft om er morgen heen te gaan,' zeg ik.

'Moet je doen. Goed, ik ga aan het werk. Vanwege de feestdag is het kantoor morgen gesloten, maar dat betekent wel twee keer zo veel e-mails op woensdag. Ben je er klaar voor vandaag?'

'Volgens mij zou ik Rachel helpen met de inboedelverkoop,' zeg ik. 'Patrick komt Jack helpen met de vloer in de serre. Ze gaan het hebben over...'

Trrrr.
'Het spijt me, Del. Deze moet ik boven nemen, daar is het stil. Maar ik waardeer je hulp heel erg. We schieten echt op.'

Ik vertel Rachel niet in zo veel woorden over de kus, maar ze gaat maar door over De Geliefden die ze heeft getrokken toen ze gisteravond een vraag over mij had gesteld aan de tarotkaarten. En als het geluid van Patricks stem mij naar de kelder doet vluchten, heeft ze geen glazen bol nodig om het te begrijpen. Ze werpt me een samenzweerderige blik toe als ik de deur van de kelder opendoe en haar achterlaat om een goed verhaal te verzinnen.

Patrick loopt de hele dag in en uit, maar met hulp van Rachel lukt het me om het grootste deel van de middag uit zijn blikveld te blijven. Zodra hij in de buurt van het huis komt, duik ik de kelder in om dozen vol prullaria te ordenen. Maar vlak voor het eten, als ik net een doos kampeerspullen naar boven draag, staat hij er opeens, met zijn amberkleurige ogen en speelse kuiltjes in zijn wangen. Hij duwt me terug naar beneden en verplaatst de doos van mijn armen naar de vloer, zodat er niets meer dan lucht en stof tussen ons in is.

'Ik vroeg me de hele dag al af waar je was,' zegt hij, zo dichtbij dat ik zijn adem op mijn lippen voel. 'Ik maakte me gisteravond een beetje zorgen om je. Ik hoop dat ik je niet aan het schrikken heb gemaakt.'

Ik schud mijn hoofd terwijl ik naar de grond kijk, zodat mijn haar voor mijn glimlach valt.

'Dus het is goed tussen ons?' vraagt hij.

'Het is goed tussen ons.'

'Ik ben blij dat te horen.' Hij tilt mijn kin op tot we elkaar in de ogen kunnen kijken en zijn lippen strijken over de mijne, eerst zo zacht als de pluisjes van een paardenbloem wanneer je een wens doet en dan... helemaal. Gulzig. Adembenemend en vol overgave en ik wil niet dat het stopt. Zo ben ik nog nooit gekust, niet door Finn en ook niet in mijn hoofd door de onbereikbare beroemdheden op wie ik verliefd was. Niet in mijn stoutste dromen.

Boven gaat een deur open en dicht. Patrick maakt zich los en laat me duizelig en in shock achter, met mijn rug tegen de muur om te voorkomen dat mijn lichaam verdampt in de lange, hete zucht die ik slaak.

'Ik moet met pap mee naar de houthandel,' zegt hij, 'maar we gaan morgen samen naar het festival, goed?'

Ik kan niet eens meer praten, dus ik knik alleen. Ik zal een of andere ingenieuze alternatieve manier van communiceren moeten uitvinden, zoals symbolen in de modder tekenen of de letters in morsecode tegen mijn hoofd kloppen, want ik ben duidelijk alle controle verloren over het gedeelte van mijn hersenen dat het vormen van woorden regelt.

'Tot snel, Delilah.' Patrick lacht, pakt de doos kampeerspullen op en verdwijnt naar boven. Ik hoor hoe hij met Rachel en Jack praat in de keuken, keuvelt over de verkoop, zwetst over spijkers en boortjes, kletst over het weer en blablabla en hahaha, terwijl ik hier in mijn eentje sta en niet eens meer weet hoe ik mijn eigen naam moet uitspreken. Het enige wat ik nog zeker weet is dat het begint met een D en eindigt met Aaaah.

Zoals beloofd staat Patrick de volgende dag buiten op me te wachten. Hij ziet er precies hetzelfde uit als altijd, behalve zijn ogen. Die zijn nog steeds amberkleurig, maar op een of andere manier lijken ze dieper. Helderder. En als hij ze over mijn gezicht laat gaan en stilhoudt bij mijn lippen, staat mijn huid onder stroom en dat blijft de hele wandeling naar het dorp zo.

'Waar is Em?' vraag ik, me bewuster van haar afwezigheid in deze nieuwe situatie tussen ons.

'Megan en zij helpen Luna in haar kraam,' zegt hij. 'Ze delen gratis ijsdrankjes uit, dus het gaat superdruk worden.'

'De hele dag?'

Patrick lacht. 'En de hele avond. Ben je bang om alleen met me te zijn, Hannaford?'

'Nee.' Ja. 'Ik vroeg me gewoon af waar Em was.'

'Ze zal je niet kunnen redden,' zegt hij en hij trekt me naar zich toe voor een kus, terwijl we langzaam in de richting van Main Street lopen.

De jaarlijkse 4 juli-optocht en het Sugarbush Festival zijn precies zoals het spandoek in de stad heeft beloofd... en meer. De deelnemers aan de wedstrijd 'Balanceren op boomstammen' vallen met kostuum en al in het meer. Kinderen grijpen met plakkerige handjes de manen van de bruin met witte pony's die rondjes lopen. Tamboerijnen, trompetten en Amerikaanse vlaggen walsen in een optocht door Main Street. En al het eten is doordrenkt van de ahornsuiker uit de esdoorns, zoals de wereldberoemde hoorntjes vanille-ijs besprenkeld met echte ahornsiroop en met een ahornbonbon in de vorm van een blaadje erbovenop. Patrick is zo dom om te vragen of ik het zijne wil vasthouden terwijl hij ballen gooit.

'Eèèèèèèn we hebben een winnaarrrrrrrrrr!' roept een man met een dreunende kermisstem in de microfoon, terwijl ik de laatste restjes van Patricks ijsje van mijn vingers lik. 'Kies maar een prijs uit voor dat beeldschone meisje.'

'Voor jou,' zegt Patrick en hij knielt voor me neer met een eland in zijn uitgestrekte handen.

Ik houd het knuffelbeest tegen mijn borst. 'Dank je wel. Ik zal altijd van hem blijven houden. Ik noem hem Holden Caulfield.'

'Naar het boek?'

'Ja, naar het boek. Je lag het te lezen toen ik je voor het eerst zag.'

'Heb je dat onthouden?'

'Het is een van mijn lievelingsboeken,' zeg ik.

'Je hebt me staan keuren.'

'Patrick! Niet waar Holden Caulfield bij is!' Ik leg mijn handen op de flaporen van de eland en hoop dat hij en Patrick mijn rode wangen niet zien.

'Kom mee.' Patrick slaat zijn arm om me heen en leidt ons naar het grote reuzenrad. 'Van daaruit heb je het allerbeste uitzicht,' zegt hij. 'Je kunt het hele meer overzien, weet je nog?'

De laatste keer dat ik in een reuzenrad zat was hier, acht zomers geleden. Het ronddraaien hoog in de lucht, honderden meters boven de grond in een gammel metalen bakje zonder muren of gordels of parachutes... Het is precies zoals mam en Jack zich herinnerden.

'Delilah, gaat het?' Patrick probeert mijn vingers los te maken van de zogenaamde veiligheidsstang die losjes op onze bovenbenen drukt.

'Best. Het gaat best.' Wat zei Rachel ook al weer over diep zuiverend ademhalen? In... twee... drie. Uit... twee... drie.

Patrick laat mijn porseleinwitte vingers voor wat ze zijn en slaat zijn arm om me heen. 'Om van het beste uitzicht van Red Falls te genieten is het wel een soort van belangrijk dat je je ogen opendoet.'

Ik lach en vergeet even dat ik bang ben, maar niet lang genoeg om mijn ogen open te doen.

'Hé, als we nu vallen, met deze snelheid en van deze hoogte, dan zijn we op slag dood. Dan voelen we het niet eens.'

'Als je het zo zegt...'

'Vertrouw me maar, goed? Het gaat prima. Kijk, Holden Caulfield maakt zich nergens zorgen over.'

Ik doe mijn ogen open, slaak een diepe zucht en concentreer me op Patricks arm die beschermend om mijn schouders ligt. Met zijn vrije hand houdt hij de eland omhoog, zodat ik diens geborduurde glimlach kan bekijken.

'Moet je zien.' Patrick wijst voor ons als het rad zijn hoogste punt heeft bereikt en stopt om nieuwe mensen in te laten stappen. Onder ons strekt een lange rij zich als een slang uit over het festivalterrein. Ik hoor mensen gillen in de attracties die ronddraaien en de zwaartekracht trotseren. Overal klinkt muziek, er hangt een geur van barbecue, mannen slaan met enorme hamers en kinderen likken roze en blauwe suikerspin van hun vingertoppen.

Verder weg, voorbij de menigte, glinstert het meer van Red Falls in de middagzon. We zien vrijwilligers het vuurwerk controleren dat klaarstaat op een enorme platte boot in het midden van het meer. Hierboven in onze stalen kooi lijken we wel reuzen, terwijl beneden mieren aan het werk zijn en de zeemeeuwen om hen heen zweven en duiken.

'Volgens mij kan ik hier een mooie foto van ons maken,' zegt Patrick terwijl hij zijn mobiele telefoon pakt. 'Maar dan moet je wel een beetje naar deze kant leunen. En je ogen openhouden. En lachen.'

Ik doe wat hij zegt. Ik houd mijn handen om de veiligheidsstang, maar leun tegen hem aan. Hij klapt zijn telefoon open en knipt net voordat het rad weer begint te bewegen, ons rond- en rond- en ronddraait tot ik het verschil tussen de lucht en het meer niet meer kan zien, omdat ze allebei even blauw en mooi en helder zijn en bijna zo dichtbij dat je ze kunt aan-raken.

Vanaf het hoogste puntje van de wereld kijk ik met Patricks hand op mijn knie en Holden Caulfield onder mijn arm uit over het festivalter-rein. Ik doe net alsof ik mam en Rachel kan zien. Alsof ze aan het wande-len zijn met oma, opa voortduwen in zijn rolstoel en omhoogkijken naar mij om een foto te nemen. Rachel eet een babyblauwe suikerspin. Opa laat kronkelige frietjes als spaghettislierten in zijn mond zakken en mam maakt de foto. Ze zwaait met haar andere hand en lacht en lacht en lacht.

Het rad draait, de denkbeeldige Hannafords verdwijnen. Maar Patrick is er nog. Hij kijkt naar me, neemt mijn gezicht in zijn handen, doet zijn ogen dicht en kust me. Onze lippen zijn warm, zoet als ahornsiroop en blijven de hele afdaling op elkaar.

Nadat we alle gewone en de helft van de kinderattracties hebben gehad, nadat ik wel zes keer alle eetkraampjes langs ben gegaan, nadat we Luna's kraampje hebben bezocht en Emily hebben geholpen met het uitdelen van gratis drankjes, nadat ik bijna al mijn geld heb uitgegeven aan het spel met waterpistolen en Patrick een karikatuur heeft laten tekenen van ons met Holden Caulfield, begint het donker te worden en vinden we een goed plekje aan het meer om naar het vuurwerk te kijken. Als de show begint, rennen de kinderen van Red Falls tussen de picknickkleden heen en weer. Ze laten lichtgevende linten ronddraaien in de lucht en gillen als de hemel begint te knallen, te fluiten en te ontploffen en een witte flits uiteenspat in een regen van sterren.

'Die vind ik de mooiste,' zeg ik. 'Ze doen me aan de bomen denken. Weet je nog dat we ons daar altijd onder verstopten?'

'De treurwilgen? Ja,' zegt Patrick. 'Dat doe ik nog steeds wel eens. Gewoon eronder gaan liggen en naar de takken kijken. Het lijkt daarboven een heel andere wereld.'

'Ik heb een idee.' Ik sta op en trek hem achter me aan. We persen ons door de menigte heen en duiken achter de kraampjes langs die lichtgevende zijden rozen, hotdogs, pannenkoeken en ijsjes met ahornsiroop verkopen. We lopen langs de zijkant van het meer en klimmen een lage heuvel op tot aan de groep treurwilgen die ik vorige week tijdens ons mislukte kajakavontuur heb ontdekt.

'Hier,' zeg ik en ik wijs op de grootste boom. De takken hangen als een grote, zachte parachute rond en bol om de stam heen tot op de grond. 'Net als vroeger.'

Patrick lacht en houdt de takken van elkaar zodat ik ertussendoor kan. Ik moet bukken om onder de buitenste takken door te kunnen, maar binnenin verwelkomen de takken me als een breed, fluwelen baldakijn, weelderig en dichtbegroeid. De bladeren dempen het geluid van de menigte buiten, maar er dringt genoeg licht van de festiviteiten en het vuurwerk doorheen om ons in een bleek, groenblauw schijnsel te zetten. Ik ga tegen de stam onder de takken zitten.

'Zo moet het niet,' zegt Patrick. 'Weet je nog? Je moet op je rug gaan liggen, zo.' Hij strekt zich uit in het gras met zijn handen onder zijn hoofd. Ik doe hem na, giechel als onze ellebogen tegen elkaar botsen en zijn voet tegen de mijne aan valt.

We liggen een hele tijd naast elkaar, de takken van de treurwilg hangen als lang, golvend haar om ons heen en er waait een zacht briesje doorheen. Het is niet koud, maar ik geef me over aan een rilling, een zachte trilling die begint in mijn hoofd en via mijn hart door mijn handen en voeten naar buiten komt. Patrick voelt het en schuift dichterbij totdat zijn been warm tegen het mijne aan ligt. Ik blijf met mijn gezicht naar de wilgenstam gericht liggen, probeer helemaal naar de top te kijken waar de eekhoorntjes klimmen en de vogels vliegen en de groene bladeren zich naar de hemel uitstrekken. Ik voel hoe hij zich op zijn elleboog draait zodat hij me aan kan kijken. Zijn hand beweegt loom in de richting van mijn haar. Zijn vingers gaan erdoorheen, zachtjes langs mijn kaak en mijn nek. Ik probeer door te ademen. Ik weet wat hierna komt en ik wil het meer dan wat dan ook.

Patricks hand blijft de lijnen van mijn gezicht volgen als ik mijn ogen sluit. Zijn vingers gaan door mijn haar, naar mijn schouders en weer terug, zachtjes langs mijn oorlelletjes, mijn wenkbrauwen, mijn wangen. Mijn nek en sleutelbeen worden warm onder zijn aanraking en als zijn vingers over mijn lippen glijden, doe ik mijn ogen open. Hij moet me kussen. Hij moet me nu kussen, anders sterf ik duizend doden, plof ik onder de grootste treurwilg van heel Vermont in duizend kleine vuurwerkvonkjes uit elkaar.

Ik trek aan zijn arm tot hij zich vooroverbuigt en op me stort, me zacht en hard tegelijk kust, met zijn beide handen in mijn haren. Buiten barst de grote finale los, de lucht knalt en knettert en dondert: een kortstondige explosieve viering van dit kortstondige explosieve iets wat wij hebben, wat het ook mag zijn. Mooi en adembenemend en vol withete, stoutmoedige, zomerse heftigheid die niet blijvend kan zijn, maar slechts een korte oplichtende uitbarsting is.

Terwijl het laatste vuurwerk ploffend, fluitend en sissend het meer in valt, maken we ons langzaam van elkaar los en we nestelen ons onder de boom, ik tegen zijn borst gevlijd, hij met zijn hand onder mijn haar. Buiten barst iedereen in juichen uit, alsof het voor ons is.

Hoofdstuk 19

Patrick brengt me terug naar een donker huis. Nadat ik me ervan heb verzekerd dat Rachel weg is en mam veilig in haar kamer zit, smokkel ik hem mee naar boven, doe mijn slaapkamerdeur op slot en we lopen op onze tenen in het donker naar mijn bed. We proberen verder te gaan waar we onder de treurwilg gebleven waren, maar het voelt niet goed met Holden Caulfield die ons begluurt, oma's naaispullen die vanaf de tafel toekijken en het gewicht van Stephanies dagboekverslagen als een onzichtbare aanwezigheid in de kamer. Dus in plaats van Patrick te kussen, neem ik hem mee naar de kast, leun naar hem toe om hem fluisterend over het dagboek te vertellen en laat hem het gat zien waar het lag.

'Hé, er ligt nog iets,' zegt hij als ik aan het koord van het kastlicht trek en ons in een zacht, wit schijnsel zet.

'Wat bedoel je?'

'Tegen de achterkant. Het ziet eruit als een envelop of zoiets.' Hij rekt zich uit om erbij te komen en trekt een dikke envelop tevoorschijn met vergeelde randen. 'Foto's.'

Samen gaan we op de vloer zitten en spreiden ze tussen ons uit – foto's van mijn familie die mijn oma moet hebben weggestopt nadat iedereen dood was gegaan. Of, in ons geval, weg was gegaan.

Met Patrick sterk en warm naast me bekijk ik ze allemaal, mijn moeder en Rachel als meisje samen met een ander meisje dat op een jongere versie van mij lijkt: Stephanie. Ik houd haar in het licht, kijk in haar ogen en wenste dat ze nu hier bij ons was, de foto's bekeek, me vertelde waar ze waren genomen en er de duizenden woorden aan zou geven die erachter zitten, zodat ik eindelijk alles te weten zou komen. Er liggen schoolfoto's bij en tekeningen en een stel footootjes van Stephanie en Megan als tiener, die ze in een pasfotohokje hebben genomen. Er zitten afdrukken bij van mijn moeder die op de bank ligt te slapen tussen stapels boeken en papieren, van Rachel die Steph in een klein, rood karretje voorttrekt en van mijn opa, rechtopstaand voor zijn trouwfoto, voordat ze zijn been afzetten en hij tot een rolstoel veroordeeld werd. Op de grond tussen ons in ligt meer Hannaford-familiegeschiedenis dan ik ooit in mijn leven heb gezien en toch missen er jaren. Er zijn geen foto's bij van Stephanie als oudere tiener, tegen het einde van haar leven. Geen enkele van mam en Rachel op de universiteit, zelfs niet van de vakantieperiodes waarin ze thuis moeten zijn geweest. Geen enkele waarop iemand staat die Casey zou kunnen zijn – alleen een paar van Stephanie met iemand die eraf gescheurd is of doorgekrast. Verwijderd. Uitgewist.

Nog meer vragen.

Ik weet dat ik mam heb beloofd dat ik mijn aandacht bij andere dingen zou houden, dat ik zou stoppen met vragen stellen waar geen antwoorden op zijn, dat ik zou ophouden in het verleden te graven. Maar nu er om me heen op de houten vloer van Stephanies oude kamer allemaal kiekjes liggen met alles wat er van mijn familie is overgebleven, weet ik dat ik die belofte niet voor eeuwig kan houden. En mijn moeder zou dat niet van me mogen vragen.

Ik haal het dagboek uit de la en hoewel ik het niet uit handen geef, vertel ik Patrick wel over Casey Conroy en een paar andere dingen die ik heb gelezen. Over mijn vermoeden dat mijn overleden tante net als mijn oma aan een vorm van depressie leed. Zelfs al fluister ik, het uit te spreken voelt al bijna als verraad. Mijn keel zit dichtgeknepen en ik realiseer me hoezeer ik de twee mensen uit het dagboek probeer te beschermen, mensen die ik nooit heb ontmoet. Mensen die net als mijn vader deel zouden hebben uitgemaakt van mijn familie, als ze lang genoeg geleefd hadden.

'Hé, kijk niet zo, Del,' zegt hij en hij streelt mijn wang.

'Hoe?'

'Alsof je je schuldig voelt dat je het gelezen hebt.'

Ik ga met mijn hand over het beschadigde leer. De roos op het omslag lijkt een beetje op de gouden bloemen op oma's urn. 'Maar zo voel ik me ook.'

'Ze leeft niet meer. En het dagboek heeft daar wel iets van zeventien jaar gelegen. Er moet een reden voor zijn dat niemand het ooit eerder gevonden heeft. Misschien was jij voorbestemd om het te vinden.'

'Dat dacht ik in het begin ook.'

'Ik zou het ook hebben gelezen. Je wilt gewoon meer te weten komen over je familie.'

Ik hoor tante Rachel op de veranda, ze komt binnen door de keukendeur. Als ze naar boven komt, houden Patrick en ik ons muisstil. Haar voetstappen stoppen bij mijn deur en ik adem diep in en uit alsof ik slaap. Het schijnsel van het kastlicht is zo zwak als een nachtlampje, niet feller dan het schijnsel van de maan door het raam. Al snel gaan Rachels voetstappen verder naar de Paarse kamer, waar ze de deur stevig achter zich dichttrekt.

Ik ga van fluisteren over op bijna alleen nog maar ademen en schuif dichter naar Patrick toe terwijl ik verderga. 'Ik wou gewoon dat ik meer over haar leven wist,' zeg ik. 'En over Casey. Wat er met hem gebeurd is na haar dood. Wat hij nu doet.'

'Je familie praat er niet over, hè?'

'Nee. Ik denk dat het gewoon te moeilijk voor ze is. Tot nu toe heb ik nog niks in het dagboek gelezen over een depressie of medicijnen of zoiets. Maar sommige stukjes zijn superlevendig. En andere zijn heel mat, alsof ze die dag niet eens uit bed wilde komen. Daarbij sliep ze ook nog eens hartstikke slecht. En ze was zo bezig met die Casey. Als mijn moeder en Rachel dingen over hem aan haar vroegen, of ze wel zeker over hem was en zo, dan werd ze echt woedend. Ik las gisternacht een stukje waarin ze schrijft dat ze twee weken niet met Rachel gepraat had alleen maar omdat Rachel had gevraagd of ze er wel eens aan dacht om met andere jongens uit te gaan.'

'Ga je je moeder hier iets over vertellen?'

'Ik weet het niet. Soms denk ik dat het mijn moeder niet eens zou kunnen schelen. Ze heeft hier allemaal geen tijd voor, snap je? Ze vindt het verschrikkelijk om hier weer te zijn. Hoe eerder we alles ingepakt en verkocht hebben, hoe beter, wat haar betreft.'

'Misschien vindt ze het verschrikkelijk om hier weer te zijn omdat ze hier niets van weet,' zegt Patrick terwijl hij een andere stapel foto's doorkijkt. Zwart-wit dit keer.

'Ik heb erover nagedacht. Maar ik heb haar beloofd dat ik mijn aandacht bij het huis zou houden en niet meer naar vroeger zou vragen. Ze wil er niet over praten. En een deel van mij haat haar daarom en vindt haar stom en egoïstisch.'

'En het andere deel?'

'Het andere deel kijkt naar deze foto's en het dagboek en ik kan me niet eens voorstellen hoe vreselijk het moet zijn geweest toen Stephanie stierf. Wat het met hun gezin moet hebben gedaan. En dan voel ík me egoïstisch dat ik van haar vraag om het allemaal weer op te rakelen, alleen maar omdat ik antwoorden wil vinden die misschien niet eens bestaan.'

Patrick geeft me een foto van zijn stapel. 'Als ik eerlijk ben, Del, dan vind ik dat je het moet proberen. In elk geval om je moeder de foto's te laten zien, zelfs als je niet over het dagboek vertelt.'

Ik pak de foto van hem aan en houd hem voor mijn gezicht. Wij zijn het, mijn moeder en ik. Zij glimlacht, ik zit op haar schoot en blaas bellen in de zomerlucht. Ik heb vlechtjes in mijn haar, ik heb het ongetwijfeld warm van de zon en haar handen. Terwijl ik ernaar kijk, kan ik ze voelen op mijn kleine schoudertjes. Ik kan me de foto herinneren. Ik herinner me dat opa hem nam, want het duurde even voordat het hem lukte – ik bleef me maar omdraaien om de bellen aan mam te laten zien. Opa maakte koeien- en kikker- en varkensgeluiden om mijn aandacht te trekken. Uiteindelijk lukte het met het varken en toen ik uitgegiecheld was, keek ik hem recht aan en blies de grootste bel die Red Falls ooit had gezien.

Ik kijk naar de foto in mijn hand, naar de vrouw met de glimlach en het golvende chocoladebruine haar en het kleine meisje met vlechtjes, en vraag me af hoe ze zo ver uit elkaar hebben kunnen drijven, als schepen met wapperende piratenvlaggen in de schaduw van een voortdurende storm.

'Dit is belachelijk,' fluister ik en de woorden krassen als kleine stukjes glas in mijn binnenste. 'Hoe kunnen ze nou niet over haar praten? Heeft jouw vader ooit iets gezegd?'

'Nee, Del. We hebben het nooit over Stephanie gehad. Ik was pas één toen ze doodging. Jij was nog niet eens geboren.'

'Ik weet dat ik er een beetje neurotisch over doe... Ik heb gewoon het gevoel dat Stephanies dood, Casey Conroy en wat er na Stephanies dood is gebeurd, te maken hebben met die ruzie van acht jaar geleden.'

Patrick knijpt in mijn schouder. 'Misschien. Ik weet het niet. Je familie heeft veel meegemaakt. Die ruzie kan ook over miljoen andere dingen gegaan zijn. Stephanie was acht jaar geleden al niet eens meer in leven.'

'Maar waarom zouden ze anders nu niet over haar willen praten?' dring ik aan. 'Waarom praten ze nooit over haar? Er waren hier in huis

nooit foto's van haar – niet dat ik me kan herinneren. Waarom liggen die allemaal zo in de kast? Zelfs de foto's van Meg... Wacht eens!'
'Wat is er?'
'Megan. Zij was Stephs beste vriendin.'
'Dat zou misschien wel een poging waard zijn,' fluistert hij. Hij kust me nog één keer en dan is het tijd om hem weer naar beneden en het huis uit te smokkelen.

Ik blijf nog twee uur liggen lezen om het dagboek uit te krijgen. De stukjes gaan over haar late tienerjaren en met elke pagina worden de tussenpozen langer. Soms schrijft ze weken of zelfs maanden niet. Andere periodes schrijft ze verwoed en warrig, twee of drie keer op een dag.
Ik twijfel er niet langer aan dat Stephanie aan een depressie leed.

Vandaag ben ik weer bij de dokter geweest – mams dokter. Weer meer pillen. Hij zegt dat ze mijn gemoedstoestand stabiliseren, me weer op de rails zullen zetten, maar ik heb alleen maar het gevoel dat ze mijn persoonlijkheid veranderen. En als mijn persoonlijkheid verandert, dan ben ik mezelf niet meer en dan zullen de vrienden die mijn oude ik leuk vinden en de man die van mijn oude ik houdt me verlaten.
Ik raak ervan in de war en slaap slecht, maar de dokter zal wel weten wat hij doet, dus we zullen zien.
Intussen komt de diploma-uitreiking dichterbij. Ik mag van pap een jurk uitkiezen, welke ik maar wil. Claire en Rachel komen ervoor naar huis. Het is spannend om te denken aan alle nieuwe dingen die nu gaan komen, maar het is ook eng. Waar gaan we heen? Wanneer vertrekken we? Het is de bedoeling dat Casey deze maand een baan in New York gaat zoeken. Als dat niet lukt, gaan we misschien wel echt ver weg, richting Californië. Waarom niet? Ik denk soms dat ik van een afstand veel beter in staat zou zijn om van mam te houden.
Oké. Ze heeft ook haar goede momenten. Vandaag was een goede dag. Morgen moeten we nog maar zien. En als dokter dinges kan beloven dat zijn magische pillen ervoor zullen zorgen dat ik niet zo word als mijn moeder, dan neem ik de hele pot.
Hé, daar is de zon. Ik kan beter proberen nog wat te slapen. Casey neemt me morgenavond mee uit.

S.

En een paar dagen later...

Mam blijft onder aan de trap maar roepen dat ik te laat kom voor
school. Nou en. Ga vandaag nergens heen. Heb al honderd jaar niet
geslapen. Ik haat dit.

S.

Hiervan zijn er meer, opmaten voor het laatste verslag. Volgens de datum
heeft ze het maar een paar maanden voor haar dood geschreven.

Het doet me niets meer. Het kan me niets meer schelen.
Wat mijn moeder ook tegen me zegt... hoe hard ze ook schreeuwt en
hoe lang ze mijn vader en mij ook negeert, ik heb altijd C. nog. En
hoe ver mijn zussen ook weg zijn, hoe weinig ze ook langskomen of
schrijven, hoe vaak ze ook beloftes doen en die dan weer vergeten en
alles gewoon weer doorgaat, C. is er altijd.
    In mijn hele leven, in alle jaren dat we samen zijn, is Casey
Conroy de enige die me nog nooit in de steek heeft gelaten. Die me
nooit heeft veroordeeld of tegen me heeft geschreeuwd of me heeft
genegeerd of me helemaal is vergeten. Ik kom altijd weer bij hem uit.
Het is zijn gezicht dat in mijn hart gebrand staat en me wakker
maakt uit mijn nachtmerries, de zon doet opgaan, het donker wegjaagt. Ik hou van hem en hij houdt van mij en als de wereld vergaat,
is zijn belofte alles wat telt.
    Maar stel dat de wereld vergaat en hij en ik zijn niet langer
samen? Daar ben ik het meest bang voor. Dat is wat niemand
begrijpt als ze me bestoken met woorden als messen, woorden zoals
obsessie. Als ik geobsedeerd ben door zijn liefde, nou, dan is dat
maar zo. Dan ben ik maar geobsedeerd. Ik ben geobsedeerd om niet
zo apathisch te eindigen als de rest van de wereld, dus laat ze me
maar bestoken met alle woorden die ze kunnen verzinnen. Woorden
zijn nutteloos en ik weet niet meer wat ik ermee moet. Ik heb geen
woorden meer.
    Dus nu, vanavond, is het moment dat ik afscheid neem, lief
dagboek. Dag.

Stephanie Delilah Hannaford

Dat is het, de laatste keer dat ze geschreven heeft. Er volgen nog een paar pagina's, maar die zijn allemaal leeg. Er lijkt niets uit te zijn gescheurd. Ze... stopte gewoon met schrijven. Nam afscheid van haar dagboek, precies zoals ze zei dat ze zou doen. Toen heeft ze het onder de vloer gelegd en ging door met haar leven, hoe weinig daar ook nog van over was.

Het dagboek laat me met bijna net zo veel vragen achter als antwoorden. Wat is er in de maanden tussen haar laatste verslag en haar overlijden gebeurd? Wist iemand hoe ziek ze was? Bleef ze medicijnen slikken? Wat was de oorzaak van haar hartaanval? Wist Casey het? Is hij bij haar gebleven toen het moeilijk werd of heeft hij haar uiteindelijk ook teleurgesteld, zoals alle anderen?

En als Stephanie een ziekte had en haar moeder had een ziekte, hoe zit het dan met mam en tante Rachel? En met mij?

Ik leg het dagboek terug in de la en ga nog een keer door de foto's op de grond. Bij een grote zwart-witfoto van mam en Rachel houd ik stil. Ze zijn jong – zes of zeven misschien – en ze hebben zich mooi aangekleed, misschien voor een bruiloft, of voor Pasen. Ze staan op het paadje dat van de stoep naar de voorkant van het huis loopt, langs de rand staan allemaal bloemen in potten. Ze lachen, kijken naar elkaar met hun armen vol bloemen uit de potten en als ik de blijdschap in hun ogen zie en de bloemen en de zonneschijn, moet ik denken aan mams kaartlegging op de eerste avond dat we terug waren in Red Falls.

Bekers Zes... jeugdherinneringen... nostalgie.

Ik stop de stapel foto's terug in de envelop en leg hem in de la naast het dagboek.

Morgen moet ik Megan zien te vinden.

Hoofdstuk 20

De dag na 4 juli, als iedereen die geen vakantie heeft weer aan het werk gaat, wacht ik op de parkeerplaats bij het winkelcentrum tot Megans dienst erop zit. Als ze me ziet, glimlacht ze, zwaait en steekt het terrein over naar mijn bankje op de stoep.

'Hé, Delilah! Goeie timing!' Ze steekt me een open zak chocoladekoekjes toe. 'Versgebakken. Hoe gaat het? Moet je boodschappen doen?'

Ik neem een koekje. 'Eigenlijk hoopte ik dat we even konden praten.'

'Gaat het allemaal wel goed?' vraagt ze.

'Alles gaat prima,' zeg ik. 'Alleen een beetje moe. Het is gisteravond laat geworden. Heb je tijd voor een kop koffie?'

'Ik heb foto's gevonden in oma's kast,' vertel ik haar nadat Em onze drankjes heeft gebracht bij Luna's. 'Foto's van mijn moeder en tante Rachel en een paar van tante Stephanie.'

'Ik heb altijd gedacht dat je grootmoeder die had weggegooid,' zegt Megan met tranen in haar ogen. 'Na Stephanies dood heeft ze alles van de muren gehaald. Wauw. Weet je, soms lijkt het wel eeuwen geleden dat Stephanie overleed. Andere momenten is het net alsof het gisteren was. Vandaag is zo'n gisterendag.'

'Wat was ze voor iemand?' vraag ik, verlangend naar een wat minder persoonlijk portret dan het dagboek.

'Stephanie was... heel gevoelig. Zo kun je haar het beste omschrijven, Del. Zo kun je haar het beste omschrijven.'

Megan weet veel verhalen te vertellen over mijn jongste tante, sommige zijn hilarisch, sommige hartverscheurend, andere niet zo veelzeggend, twee meisjes die door de stad wandelen, naar de film gaan, pret hebben over iets op school, friet eten.

'En later?' vraag ik. 'Vlak voordat... ik bedoel, toen jullie van mijn leeftijd waren. En daarna.'

Megan kijkt uit het raam en strijkt langs de rand van haar koffiemok. Buiten lopen twee moeders langs, vrouwen met roze T-shirts van Vermont aan, ze lopen achter een kinderwagen, lachen in het zonlicht.

'Liefje, wat weet jij allemaal over Stephanies dood?' vraagt Megan.

'Niet zoveel. Alleen dat ze is overleden aan een hartstilstand toen ze negentien was. Ik was nog heel klein toen ze me erover vertelden, dus ze hebben de meeste details weggelaten. En nu vinden ze het vervelend om erover te praten.'

Megan legt haar hand op de mijne op de tafel. 'Het is waar, Delilah. Ze is gestorven aan een hartstilstand. Maar ze leed ook aan een depressie. Ze slikte verschillende medicijnen. Een tijdlang... ik weet het niet. Stephanie was mijn beste vriendin, maar tegen het einde van haar leven groeiden we uit elkaar. Ze was wel onder behandeling, maar het ging gewoon niet goed met haar. Ik weet niet of ze de verkeerde diagnose had gekregen of dat ze haar medicijnen niet goed innam of iets anders, maar ze was niet meer de Stephanie die wij kenden. Ze was ontzettend gefixeerd op haar vriendje. Slaagde op het nippertje voor haar eindexamen. Wist niet wat ze daarna met haar leven moest doen. Alles draaide om hem. Ik weet het niet. Soms denk ik dat ik haar meer had kunnen steunen. Minder bevooroordeeld had kunnen zijn over haar relatie met Casey, in plaats van me zorgen te maken over hoeveel tijd ze met elkaar doorbrachten. Ik had moeten weten dat ze ziek was. Ik had haar moeten helpen. Het achtervolgt me nog steeds, Del. Ik wist niet meer hoe ik haar vriendin moest zijn. Hoe graag ik ook van haar wilde houden, ik had geen idee meer hoe ik dat moest doen.'

Ik wou dat ik Megan het dagboek kon laten zien, maar ik weet dat het alleen maar moeilijker voor haar zou worden als ze zou lezen hoezeer Stephanie in de war was geraakt. Hoe weinig ze over Megan en haar andere vrienden schreef. Hoeveel ze met Casey bezig was. Hoe geobsedeerd ze was, precies zoals in haar laatste verslag staat.

'Wat is er met haar vriendje gebeurd?' vraag ik.

'Casey is al die tijd bij haar gebleven. Hij was geen slechte jongen of zo. Haar dood was een enorme klap voor hem. Vlak na de begrafenis is hij hier weggegaan. Naar Los Angeles, dat is het laatste wat ik van hem gehoord heb. Niemand van ons heeft echt contact met hem gehouden.'

Tranen vullen mijn ogen als donderwolken de lucht boven het meer, stromen over mijn wangen en tonen mijn gevoelens. Teleurstelling dat Megan niet meer weet over Casey. Verdriet om mijn tante Stephanie. Verdriet om mijn moeder en tante Rachel en hun ouders.

'Weet je,' zeg ik terwijl ik mijn ogen afdroog met een servetje, 'ik kan gewoon niet geloven dat mam en tante Rachel na dit alles hun vrienden hier in Red Falls konden achterlaten, ook al waren ze kwaad op hun moeder. Ik bedoel, jíj was er nog. En Jack en al die anderen die ons kenden. Het klopt gewoon niet.'

Megan knijpt in mijn hand. 'Ik weet niet waarom jullie weg zijn gegaan, Delilah. Ik heb de details van wat er die avond gebeurd is nooit gekend. Zelfs nu wil Rachel er nog niet over praten en we hebben de afgelopen weken toch een hoop tijd met elkaar doorgebracht. Je moet bedenken dat ik je moeder en Rachel eigenlijk alleen nog tijdens de schoolvakanties zag, nadat ze naar de universiteit waren gegaan, weg uit Red Falls. Ik was altijd het meest bevriend met Stephanie en toen zij ziek werd veranderde alles. Nadat ze was gestorven ging ik in de zomer nog wel met je moeder en Rachel om, vooral nadat jij was geboren. Maar toen ze niet meer kwamen, hebben we gewoon het contact verloren.'

'Waarom? Waarom heeft niemand de telefoon gepakt of een e-mail gestuurd?'

Megan haalt haar schouders op. 'Het is ingewikkeld. Ik denk dat je op een gegeven moment op een punt komt dat het te moeilijk is om door te gaan nadat er nare dingen zijn gebeurd, of er nu iemand is doodgegaan of dat mensen ruzie hebben gekregen of uit elkaar zijn gegaan. Er gaat dan zoveel verloren. Er zijn zo veel verschillende versies van de waarheid. Zo veel versies van hoe het anders had kunnen lopen. We verlangen allemaal naar hoe het had kúnnen zijn, Del. Voor sommige mensen is het nu eenmaal makkelijker om door te gaan en te proberen alles te vergeten.'

'Maar jij hebt niets verkeerd gedaan. Waarom praatten ze ook niet meer met jou?'

Megan neemt een slokje van haar koffie en kijkt achterom naar Main Street. 'Het is helaas zo dat als er ruzie is binnen een familie, allerlei mensen daarin meegetrokken worden. Het ging gewoon zo. Jouw oma was een lastige oude tante. Ze maakte duidelijk dat zij er niet over wilde praten en dat was dat. Wij woonden hier met haar in Vermont. Ik weet zeker dat ik, als ik net als jullie in Pennsylvania had gewoond, het contact met je oma had verbroken in plaats van met jullie.'

'Er is nog één ding dat ik niet begrijp. Ik weet dat Stephanie aan een hartstilstand is gestorven, maar hoe komt het dat haar hart er zomaar mee is gestopt? Kwam dat door de medicijnen?'

'Ik weet het niet precies.' Megan drinkt de rest van haar koffie op. 'Het spijt me, Del. Ik denk echt dat je het hier met je moeder over moet hebben. Het is niet dat ik niet over Steph wil praten, maar ik heb het gevoel dat ik misschien een beetje buiten mijn boekje zou gaan.'

Ik knik. 'Dat snap ik. Het was niet mijn bedoeling om je in een lastig parket te brengen. Mijn familie is gewoon zo goed in dingen begraven en doorgaan alsof er niets aan de hand is.'

Megan glimlacht. 'Misschien lijkt het wel alsof ze dingen hebben begraven, maar je moet bedenken dat iedereen een andere manier heeft om met dingen om te gaan. Hoe eenvoudig het er van buitenaf ook uit kan zien, er zit vaak heel wat onder. Neem bijvoorbeeld ons.' Ze gaat zachter praten en knikt in de richting van Luna die achter de bar staat. 'Toen wij een paar jaar geleden onze vader verloren, heeft mijn moeder zich helemaal op dit café gestort. We beschuldigden haar er allemaal van dat ze zijn dood ontkende, dat ze haar verdriet uit de weg ging. Tot ze me op een avond een notitieblok liet zien, waarin zij en mijn vader een heel bedrijfsplan hadden uitgewerkt, met pagina's vol aantekeningen, grafieken en ontwerpen. Die twee hadden samen jarenlang gespaard om een café te beginnen. Daar hadden ze altijd van gedroomd en nu, na zijn dood, had ze er eindelijk het geld voor. Ze heeft het geopend ter nagedachtenis aan hem. Wij wisten van niets. Wij dachten alleen maar dat ze gek was geworden.'

Ik kijk naar Luna, hoe ze de toonbank en de tuitjes van de ketels schoonmaakt, kletst met de klanten, de inventaris opneemt, en ik vraag me af hoeveel er is wat we niet zien. Hoeveel we van elkaars leven waarnemen en als echt beschouwen terwijl de rest van de ijsberg – het zwaarste en grootste gedeelte – verborgen en onzichtbaar blijft.

'Iets om over na te denken, Del,' zegt Megan. 'Ze zou bijna jarig zijn. Ze zou dit jaar zevenendertig zijn geworden.'

'Weet ik. Aanstaande zaterdag.' Ik denk aan de eerste bladzijde van haar dagboek, die ze volschreef op de avond van haar zestiende verjaardag.

'Ja. Misschien is dat een goed moment om met je moeder te praten. Geef haar die kans.' Megan glimlacht. Zij weet nog hoe het was toen het nog goed ging in mijn familie.

Ik weet dat ook nog.

We verlangen allemaal naar hoe het had kúnnen zijn.

Hoofdstuk 21

Op de ochtend van de dag dat Stephanie zevenendertig zou zijn geworden, word ik wakker uit een nachtmerrie. Het gezicht van mijn overleden tante blijft me zelfs in het helderwitte ochtendlicht achtervolgen. In mijn droom had iedereen uit Red Falls zich verzameld bij het meer. Ze groeven allemaal kuilen in het zand. Toen ik dichterbij kwam zag ik dat ze de spullen die we voor de inboedelverkoop hadden uitgezocht aan het begraven waren: oma's snuisterijen en kleren en de hondenspeeltjes van Ollie. Het meer was een poel zwarte slijk, het rook naar teer, en mam stond erboven op een enorm platform met een fakkel. Onder luid gejuich liet ze hem vallen en het meer vatte vlam als een olieveld in de woestijn. Toen de vlammen de lucht in schoten, werd ze omringd door zwarte, opstijgende rook. Daarna verscheen ze op de kade. Ze liep over de bergen spullen van oma met een pak papier in haar handen. Dat gaf ze aan mij en ze zei dat ik het in het vuur moest gooien. En toen ik dat deed, zag ik de foto's van Stephanie. Ik probeerde ze uit de vlammen te halen, maar ze brandden te hard, de randen krulden om en smolten weg terwijl het meisje op de foto gilde dat ik haar moest redden en de mensen uit de stad toekeken en applaudisseerden.

Ik schud de nachtmerrie van me af, trek mijn kleren aan en blaas de onzichtbare rook weg. Ik pak de envelop met foto's uit de la met het dagboek en neem ze mee de trap af, stap voor stap, terwijl ik hoop dat ik op tijd de juiste woorden kan vinden. Als ik de keuken binnen kom staan mam en Rachel al bij de deur. Mam heeft de autosleutels in haar hand en Rachel draagt een pot kleine roze rozen.

'Gaan jullie naar de begraafplaats?' vraag ik.

'Ja, schat,' zegt Rachel, als mam geen antwoord geeft. 'We gaan naar Stephanie.'

'Ik weet dat het haar verjaardag is,' zeg ik.

Eindelijk zegt mam iets. 'We gaan alleen even de bloemen langsbrengen en... ik weet niet. Misschien iets zeggen. Het spijt me, Delilah. Ik had niet verwacht dat je al zo vroeg wakker zou zijn. We blijven niet lang weg.'

'Ik heb boven wat foto's gevonden.' Ik ga aan de keukentafel zitten en leg de envelop neer terwijl mam en Rachel stoelen pakken.

'Wat bedoel je?' vraagt mam. Zij en mijn tante ademen tegelijk scherp en kort in en uit, als een wipwap. 'Wat voor foto's?'

Ik slik de brok in mijn keel weg terwijl ik de envelop in mijn hand neem, de flap opendoe en de foto's als water over de tafel laat stromen. Boven op de stapel zit Stephanie op haar fiets op de heuvel en zwaait, haar bruine haar wappert achter haar aan alsof ze nu nog beweegt, platgeslagen op een foto in de keuken van haar overleden moeder.

'Het spijt me... ik... ik wil meer over haar weten. Ik wil over haar praten. Jullie zien er op deze foto's allemaal zo jong en gelukkig uit en nu is zij er niet meer en oma en opa zijn dood en alleen wij zijn nog over en ik wil weten waar we vandaan komen.'

Mijn handen trillen als mam ze over de tafel heen vastpakt boven de foto van de kaarsjes op de taart van Stephanies tiende verjaardag. Haar vingers knijpen hard in de mijne, maar haar ogen staan niet boos, alleen verdrietig en er zit een nieuw soort onzekerheid in. Ze zegt niets.

'Er zijn nog maar drie Hannafords over, mam. Niemand anders weet wat er gebeurd is en niemand anders zal zich ons herinneren.'

Mam knikt en staart naar de foto's die op de tafel liggen. 'Wil je haar zien?'

'Mag ik met jullie mee?' vraag ik.

Ze schuift haar stoel naar achteren, staat op en steekt haar hand uit. Rachel pakt de bloemen van het aanrecht. Ze klemt nog steeds een foto tegen haar borst, alsof Stephanie, zwaaiend in een oranje opblaasboot vanaf het meer van Red Falls, haar zus' hartslag zou kunnen overnemen om terug te komen.

Ik ga met ze mee in mams Lexus Sedan, die nog altijd metallic zwart is met kasjmierkleurige bekleding en waarin de nog altijd angstaanjagend kalme TomTom-vrouw praat alsof er de afgelopen weken niets is gebeurd tussen Key en hier. Ik ga met ze mee omdat ik ze nog een kans wil geven, ze de gelegenheid wil bieden om mij te vertellen wie Stephanie was en waarom ze nooit over haar hebben gepraat. Ik ga met ze mee omdat ik meer te weten wil komen.

Niemand zegt iets. Rachel houdt een zakdoek tegen haar neus en haar zus concentreert zich op een plek achter de voorruit: blik op de weg, denk aan het doel, en alles komt goed. We rijden door Main Street, langs de SMELDORADO en Luna's café, langs de ijzerwarenwinkel en al die plekken die ik op onze reis terug in de tijd naar Red Falls heb gezien. Aan de rand van de stad, waar het bos begint, rijden we door een zwart ijzeren hek waarop in krullerige letters BEGRAAFPLAATS staat.

Overal om ons heen staan witte stenen in het gras langs de brede zandweg als losse tanden in een heldergroene mond op de aarde te kauwen. We rijden door het nieuwste gedeelte, waar de stenen nog glanzen en in sommige nog geen namen gegraveerd staan. De begraafplaats lijkt enorm, met rijen en rijen stenen die het einde van honderden levens symboliseren. Duizenden jaren komen hier bij elkaar in een dikke, ondergrondse brij. Ik lees de namen terwijl we erlangs rijden: Martin en Kowalski en O'Connor en Dannon. Wie waren deze mensen? Wie hebben ze achtergelaten? Hoeveel verhalen en raadsels zijn hier begraven als verzonken ijsbergen in de modder?

Als we aankomen bij een gedeelte met meer bomen en minder graven, stopt mam. Ze stapt uit de auto en gebaart dat we achter haar aan moeten lopen langs een rij gladde, blauw-witte stenen.

'Hier ligt ze,' zegt mam. Ze knielt en gaat met haar hand langs een gewelfde witte steen van iets meer dan een halve meter hoog. Haar vingers volgen de vleugels van een klein vogeltje dat in de steen is gegraveerd.

'Het is een kardinaaltje,' zegt ze. 'Daar hield Stephanie veel van. Het leek wel of ze ze aantrok. Ze had een hele verzameling rode veertjes.'

'Een kardinaaltje?' Ik denk weer aan het zangvogeltje dat vastzat in de serre jaren geleden, hoe overstuur oma ervan werd om dat verhaal steeds weer te horen.

'Ze doen me nog altijd aan haar denken,' zegt mam. 'Ik zie ze niet meer zoveel.'

Rachel knielt naast haar en zet de roze rozen naast een pot witte tulpen die er al stond. De steen links is van Benjamin Hannaford en aan zijn andere kant ligt een leeg stuk gras te wachten op mijn oma. Het doet pijn om de naam van opa in de steen te zien; de man die een hele zaal kon vullen met zijn lach is stilgevallen en slaapt nu voor eeuwig naast zijn jonge dochter.

'Stephanie Delilah Hannaford,' fluistert mam terwijl ze met haar vingers over de gegraveerde letters gaat. 'Ons kleine zusje. Ze was pas negentien. Nog zo jong...'

Mam en Rachel wisselen een blik en als Rachel knikt en haar hand uitsteekt om die van haar zus te pakken, haalt mam diep adem. 'Delilah,' zegt ze. 'Tegen het einde van haar tienerjaren werd vastgesteld dat Stephanie aan een depressie leed. Rachel en ik kregen dat niet meteen te horen – we woonden toen niet thuis. We kwamen er een paar maanden later achter tijdens een van onze bezoekjes. Ze vertelde dat ze medicijnen slikte en onder behandeling was.'

'We waren natuurlijk bezorgd,' zegt Rachel, 'maar het leek goed met haar te gaan. Vader zei dat hij erop lette dat ze haar medicijnen innam en dat Stephanie vooruit leek te gaan. Moeder wilde dat we een semester vrij zouden nemen, maar vader haalde ons over om dat niet te doen. Hij dacht niet dat het nodig was. Er zijn veel mensen die lijden aan een depressie. Veel van hen weten ermee om te gaan. Maar na een tijdje, werd ze... het licht in haar doofde.'

'Op een gegeven moment,' zegt mam, 'was Stephanie aan slaappillen gekomen. Haar dokter had ze niet voorgeschreven en we hebben nooit een potje gevonden, dus we dachten dat ze ze van een vriendin had, of dat ze ze misschien ergens uit een medicijnkastje had gestolen. De dokter zei dat ze ze mogelijk al een paar dagen had geslikt. Misschien een week. Toen, op een avond, nam ze er te veel. Vijf. Zes, misschien. Genoeg om in combinatie met haar andere medicijnen een reactie te veroorzaken. Haar hart stopte ermee. Het was in feite een overdosis.'

'O mijn god, mam. Heeft ze... ik bedoel, hoe weet je...'

'Tot op de dag van vandaag weten we niet of ze zichzelf van het leven heeft beroofd,' zegt Rachel. 'Vijf pillen? Dat lijkt opzet. Maar als iemand depressief is en gewoon wat wil nemen om te kunnen slapen... het zou een vreselijk ongeluk kunnen zijn geweest. Eén pil werkte niet. Twee werkten niet. Ze heeft geen briefje achtergelaten. Zij en haar vriendje waren tot aan die avond bezig geweest met plannen maken om te verhuizen.'

'We zullen het nooit weten,' zegt mam. 'Mijn moeder heeft haar de volgende morgen gevonden, ze lag op de grond in de serre. Ze moet daar die nacht heen zijn gedwaald, nadat ze de pillen had genomen. Maar toen was het al... ze was... dood.'

Mam gaat weer met haar vingers over de steen en legt haar hand erbovenop. 'Mijn moeder geloofde dat Stephanie zichzelf van het leven had beroofd. Ze verweet ons dat we het niet hadden zien aankomen. Wij waren er niet om de kleine veranderingen te zien. De dagelijkse verschillen. Ik denk dat ik me altijd zal blijven afvragen of het anders was gelopen als ik dat semester wel vrij had genomen.'

Ik ga voor de steen op de grond zitten en denk aan Stephanies dagboek, dat jarenlang verborgen lag onder de planken in de donkerste hoek van de kast. Alle gedachten die ze heeft opgeschreven worden sterker, intenser, duisterder in de schaduw van mams woorden.

'Het is zo moeilijk,' zegt Rachel met bibberende stem. 'Om te denken dat ze misschien zichzelf heeft gedood... Ik was woedend dat ze ons had verlaten. Dat ze zich niet door ons had laten helpen. En als ze het niet met opzet heeft gedaan, dan voel ik me schuldig dat ik er niet ben geweest. Dat ik niet... ik weet het niet.'

Ik zie de roos voor me die voor op het dagboek staat en ik vraag me af of zij haar hadden kunnen redden – mam en Rachel. Of ze op tijd waren geweest om iets te veranderen als ze het hadden gevonden en de laatste bladzijden hadden gelezen.

Dus nu, vanavond, is het moment dat ik afscheid neem, lief dagboek. Dag.

Mam kijkt uit over het met witte stenen bezaaide grasveld. 'Nadat Stephie was gestorven, heeft mijn moeder al haar foto's van de muren gehaald, ze heeft haar naam nooit meer genoemd. Vader heeft nooit geloofd dat het zelfmoord was. Tot op de dag dat hij doodging heeft hij gezegd dat het een ongeluk was. Kwaad toeval. Ik wist niet wat ik moest geloven. En zelfs nu mam dood is... weet ik het nog niet. Het is moeilijker om oud zeer op te rakelen en er opnieuw doorheen te gaan dan om het te laten rusten.' Mam huilt niet, maar haar stem klinkt dun, de woorden bereiken mijn oren langs een strakke metalen draad.

'Ik heb altijd gedacht dat ze alle foto's had weggegooid,' zegt Rachel. 'Helemaal nadat wij waren weggegaan. Ik ben blij dat je ze gevonden hebt, Del.'

Ik streel de fluweelzachte blaadjes van de tulpen en verlies mezelf in een wirwar van gedachten, herinneringen, verdriet en ja, boosheid. Ik heb Stephanie nooit gekend, maar ook ik ben boos op haar. Al die dingen in haar dagboek... al die mensen van wie ze hield... Heeft ze echt een einde aan haar leven gemaakt? Waarom heeft ze niet met haar zussen gepraat? Waarom niet met Megan? Met Casey? Waarom stopte ze met schrijven? Als één iemand had geweten hoe ze zich voelde, dan was ze nu misschien hier bij ons geweest. In plaats daarvan staan wij hier, de enige overgebleven Hannaford-vrouwen, gehurkt bij Stephanies graf met onze hoofden gebogen als verwelkte bloemen, niet in staat om de pijn achter ons te laten, de pijn die alle stukken aan elkaar blijft naaien tot een misvormde lappendeken.

'Dit wist je misschien niet van je grootmoeder,' zegt Rachel. 'Ze hield veel van tulpen, maar het lukte haar nooit om ze te kweken. Ze heeft alles geprobeerd, elke soort, elke kleur, elke bol die ze kon vinden, maar ze wilden maar niet uitkomen. De lente nadat Stephanie was gestorven, stond moeders tuin voor het eerst in bloei – maar alleen de witte tulpen deden het. Elk jaar kwamen ze op dezelfde dag terug. Waarschijnlijk nog steeds. Deze komen zeker van Megan,' zegt ze.

'Er is nog steeds zoveel wat ik niet weet,' fluister ik. 'Stephanie. Oma. De ruzie.'

Het is eruit, zomaar ineens, als een knappende tak die de vogels opjaagt.

Mijn moeder reikt me de hand en trekt me overeind. 'Het doet er niet meer toe,' zegt ze met haar hand tegen mijn gezicht. 'Wij zijn er nog, wij drieën, zoals jij zei. Wij zijn samen. Wij gaan door.'

Rachel glimlacht naar mam. 'Wij redden ons wel.'

Ik kijk nog een keer naar de letters van mijn opa's naam in de steen naast die van Stephanie, maar ze onthullen niets; iedereen neemt zijn geheimen mee het graf in.

Ik probeer aan Megan te denken en aan alles wat onder de oppervlakte kan liggen, maar het is te veel. Het is te veel om te vragen, te veel om onder de modder vandaan het heldere daglicht in te slepen. Ik hoef niet nog meer over Stephanie te weten, over waarom ze stopte met schrijven in haar dagboek of waarom ze de pillen nam of waarom we hier niet meer terugkwamen of waarom mijn moeder en Rachel nog steeds op de vlucht zijn. Ik wil gewoon naar huis.

Ik laat de twee zussen achter bij de graven van hun dode familieleden en wacht opgekruld in een van de kasjmieren stoelen van mams Lexus Sedan tot ze na twintig minuten eindelijk terugkeren naar de auto. Rachel loopt een paar passen achter haar oudere zus. Hun blik is naar beneden gericht, alsof ze hun ogen dicht hebben.

Hoofdstuk 22

Patrick en Jack zeggen dat dit soort originele, honderdvijftig jaar oude koloniale luiken op geen enkel huis in New England meer te vinden zijn – in elk geval geen luiken die het hele raam bedekken en in zo'n goede staat zijn, en al helemaal geen dertig exemplaren.

Dertig. En we moeten ze er allemaal afhalen omdat de schilders morgen komen. Na de begraafplaats en de bloemen en de stilte in de auto op de terugweg lijkt het weghalen van dertig originele, honderdvijftig jaar oude koloniale luiken het meest zinloze ter wereld.

'Waarom geven ze de luiken niet gewoon dezelfde kleur als het huis?' vraag ik. 'Dan kunnen de schilders alles in één keer doen.' Het is dertig graden, het zweet loopt over mijn rug en ik krijg de nachtmerrie niet uit mijn hoofd. Na ons bezoek aan de begraafplaats lijken de nare beelden alleen maar echter.

'Luiken zijn ingewikkeld, Del,' zegt Patrick. 'Je kunt niet zomaar over het ijzerwerk heen schilderen, want dan blijven ze vastzitten en werken ze niet meer. Heb je de zakjes meegenomen?'

'Yes, sir.' Ik houd de doos plastic zakjes omhoog.

'Bekijk jij nooit eens iets van de positieve kant?' vraagt Patrick als ik lusteloos tegen de onderkant van de ladder aan hang.

'Lekker makkelijk om de positieve kant te zien als je per uur wordt betaald.'

'Delilah, ik geef je graag mijn hele salaris plus een maand lang gratis koffie verkeerd met hazelnoot en chocola, of hoe je die ook drinkt, als je nu van plaats en van kleren met me ruilt.'

'Je hebt geen t-shirt aan.'

'Dat is de deal, Hannaford,' zegt hij. 'Alles of niets.' Hij bevrijdt een luik uit zijn verweerde, vastgeschilderde cachot en schuurt met zijn schouder langs de buitenkant van het huis.

'Dan niets, Reese.' Ik lach, maar mijn grijns is al snel weer verdwenen. Overal waar ik kijk zie ik de ogen van het meisje dat op mij lijkt en in mijn hoofd klinken luid haar woorden, spokend en vragend en smekend om haar te redden uit het vuur in mijn droom, van haar ziekte, uit haar graf onder de stenen op de begraafplaats.

Het kost ons de hele morgen om de luiken te verwijderen en ze op volgorde op zeildoeken op het gazon te leggen. Ik haal het ijzerwerk eraf, plak er etiketten op en doe ze in zakjes. Als we klaar zijn ziet de tuin eruit als een toetsenbord dat zich bijna helemaal tot aan Patricks huis over het gras uitstrekt.

'Zo erg is het niet,' zegt Patrick. 'Aan het einde van de maand, als we klaar zijn met al het werk, is het huis ons magnum opus.'

'Ja, behalve dat ze het dan verkopen, dus ik zal het nooit meer zien.'

'Eh, de positieve kant?'

'De positieve kant is... ik moet hier weg. Kunnen we gaan varen? Met zijn tweetjes?'

Mam zit achter haar laptop als ik binnenkom om me om te kleden. Haar telefoon zit tegen haar oor geplakt, ze is weer helemaal terug bij wat het ook was dat ze vanmorgen achterliet om haar overleden zusje te gaan feliciteren. Ik neem niet de moeite te zeggen waar ik heen ga – laat alleen een briefje achter, gekrabbeld op een Post-it, en plak dat op haar kalender aan de muur:

'Even weg met Patrick. Straks weer terug.'

Patrick vaart voor me uit. De spieren in zijn rug spannen zich en ontspannen weer, terwijl de peddels het wateroppervlak van het meer klieven en hem voorwaarts doen schieten. Ik kopieer zijn bewegingen – aanspannen, ontspannen, aanspannen, ontspannen – ik pauzeer alleen af en toe even om te luisteren hoe stil alles hier is, hoe de afstand tot de kant alles dempt en klein maakt, ver weg van de vaders en moeders op het strand met hun baby's die naar de zeemeeuwen wijzen. Ver weg van de begraafplaats. Ver weg van mijn moeder en Rachel en de geesten van de familie Hannaford.

Het kajakken gaat gemakkelijker dan de eerste keer toen hij en Emily me meenamen. Terwijl ik door het meer glij likt het water zachtjes aan mijn boot, als een puppy die leert drinken. De zon verwarmt mijn banaangele kajak en schittert als miljoenen sterren op het water. Vanbuiten branden mijn schouders van de zon, vanbinnen van het peddelen, maar ik wil niet stoppen. Hier, weg van alles, zou ik voor altijd door kunnen gaan.

Als we weer bij de kant zijn, klimt Patrick sierlijk uit zijn rode boot, één voor één zet hij zijn voeten aan de zijkant in het water. Hij trekt hem het meer uit en kijkt toe hoe ik mijn kajak aan de punt het zand op sleur.

'Hoe voel je je?' vraagt hij met stralende en tevreden ogen. 'Hebben je schouders het volgehouden?'

Ik kijk hem aan en schud met mijn armen. 'Het gaat prima. Een beetje moe, maar wel goed.'

'En voor de rest?' Patrick kijkt dieper in mijn ogen, zijn kuiltjes verdwijnen.

Ik haal mijn schouders op. 'Ik ben het allemaal nog aan het verwerken, denk ik. Ik heb ze vanmorgen de foto's laten zien en ze hebben me meegenomen naar haar graf op de begraafplaats. Vandaag zou haar verjaardag zijn.' Ik vertel hem het verhaal. De rozen en de tulpen. De pillen. De onzekerheid. 'En na mijn gesprek met Megan, het lezen van het dagboek en het zien van mam en Rachel op de begraafplaats... blijf ik maar denken... stel dat... stel dat het in de familie zit?'

'Hé,' zegt hij en hij pakt mijn handen. 'Met jouw moeder en met Rachel gaat het prima, en met jou ook. Doe jezelf dit niet aan.'

'Maar hoe kun je dat nu zeggen? Hoe kunnen we dat nu weten? Ik weet zeker dat Steph ook heel lang heeft gedacht dat het prima met haar ging. Mijn moeder slikt pillen om de dag door te komen. Stel dat ze op een dag wakker wordt en besluit dat ze niet meer naar haar werk wil? Of dat ze geen alleenstaande moeder meer wil zijn? En dat ze dan gewoon...'

'Delilah, dat gebeurt niet.'

'En ik? Stel dat ik gewoon...'

'Onmogelijk. Jij bent veel te koppig om zo te eindigen. Merkte je niet hoe je met die kajak omging na wat er de vorige keer is gebeurd? Die boot werd behoorlijk aangepakt.'

Ik glimlach. 'Ik was hem vandaag best wel de baas, hè?'

'Je bent zonder om te slaan helemaal tot hier gekomen, toch? Volgens mij hebben we wel een beloning verdiend voor deze gedenkwaardige prestatie.' Patrick lacht, haalt onze tassen uit de boot en gaat me voor naar een open plek omringd door esdoorns.

'Ongelooflijk hoe stil het hier is,' zeg ik met mijn mond vol druiven. 'Je kunt hier wel met de auto komen, maar je kunt deze plek vanaf de weg niet zien,' zegt Patrick. 'De meeste toeristen kennen hem niet. Maar de bewoners vinden het een fijne plek. Het verbaast me dat we hem helemaal voor onszelf hebben. Dat komt vast door de wolken.'

Ik kijk omhoog en tuur naar de lucht. De middagzon schijnt nog steeds fel op het zand, maar aan de overkant hangen dikke, grijze wolken.

'Hoe heet deze plek?' vraag ik.

'Brighton Beach.'

'Dacht ik al. Rachel heeft me erover verteld. Ze zei dat mijn opa hen er als kind vaak mee naartoe nam, toen hij nog kon rijden.'

'Ja. Mijn ouders gingen hier als kind ook vaak naartoe. Ze hebben me een paar keer meegenomen, maar nu ga ik hier meestal alleen naartoe met de kajak. Het is een goede plek om even weg te zijn en na te denken.'

Ik kijk uit over het water en mijn gedachten dwalen onwillekeurig weer af naar mijn familie. 'Er is één ding dat ik door Stephanie nu wel begrijp... Het verklaart hoe een controlfreak als mijn moeder een onenightstand kon hebben met een willekeurige vent die ze ontmoette in een café. Ik kan me niet herinneren dat ze ooit in mijn leven een vriend heeft gehad, behalve haar laptop. Ze heeft niet eens tijd om te speeddaten. Echt. Ze moet toen nog steeds een wrak zijn geweest.'

'Dat weet ik wel zeker. Maar dat het een onenightstand was tussen haar en je vader komt alleen omdat hij vlak daarna vermoord werd. Je weet niet wat er was gebeurd als hij zijn vlucht had gemist of in Afghanistan naar het verkeerde huis was gegaan of een andere opdracht had aangenomen. Misschien hadden ze dan nog een keer afgesproken. Waren ze verliefd geworden. Wie weet was je moeder naar Londen verhuisd. Je had als Britse geboren kunnen worden, weet je dat?'

'Dan zou ik jou nooit hebben ontmoet,' zeg ik. 'Aan de andere kant zou ik dan wel dat mooie accent hebben gehad, dat weegt daar misschien tegen op.'

Patrick gooit een druif naar me toe en voordat ik wraak kan nemen, gaat hij er met de hele tros vandoor, gooit ze één voor één naar me toe tot ik hem recht het water in jaag. Hij grijpt me vast en trekt me mee. We worden allebei kletsnat en verliezen de rest van de druiven aan de zeemeeuwen.

Na die zwempartij gaan we op onze rug op de door de zon verwarmde handdoeken liggen, zij aan zij, met onze armen van schouder tot pink tegen elkaar aan. We praten over vogels en wolken en hoe groot alles is.

Ik draai me naar hem toe en ga met mijn wang op de handdoek liggen. 'Weet je wat het ergste is? Dit hele gedoe is weer een extra geheim van mijn moeder voor mij. Nog iets wat ze me nooit heeft verteld. Hoe goed ze ook hebben uitgelegd waarom ze niet over Stephanie wilden praten, ik heb het gevoel dat er meer achter zit. Ik wil niet egoïstisch zijn en blijven vragen naar iets wat duidelijk zo pijnlijk is – ik bedoel, ik kan me niet eens voorstellen hoe het is om iemand op die manier te verliezen. Maar zodra we weer thuis waren, ging Rachel naar de kelder om de verkoop voor te bereiden, ik begon aan de luiken en mam zat achter haar computer alsof er niets aan de hand was. Maar er is wel iets aan de hand, Patrick. Misschien heeft hun zusje zelfmoord gepleegd. Hoe kunnen we dan ooit nog doen alsof er niets aan de hand is?'

Patrick vouwt zijn vingers om de mijne en zucht naar de lucht. Een hele tijd zeggen we geen van beiden iets. We kijken hoe de wolken aan de andere kant van het meer groter worden. De zeemeeuwen cirkelen krijsend boven ons en ik kan niet ophouden alles in mijn hoofd steeds opnieuw af te spelen. Ik ben niets dichter bij de antwoorden dan op de parkeerplaats van de SMELDORADO toen Rachel me vertelde over hoe ze vroeger met haar zusjes schoolspullen ging kopen. En hoe graag ik ook wil doen wat mam zegt, verdergaan met mijn leven, loslaten, stoppen met graven... Het lukt me niet om de eindeloze stroom gedachten, die voortdurend door mijn hoofd razen en met elkaar verbonden zijn door een lange rij onuitstaanbare vraagtekens, te stoppen.

'Kijk,' zegt Patrick en hij duwt een gladde, platte steen in mijn hand, perfect om over het water te keilen.

Ik bestudeer hem van dichtbij, draai hem om in mijn hand. Er staat iets in het oppervlak gekrast, diep en in blokletters.

PR + DH

'Ongelooflijk, toch?' vraagt hij. 'Ik vond hem gewoon. Het is een teken van het universum. Vraag maar aan Rachel. Ik weet zeker dat ze het met me eens is.' Zijn lippen zijn vlakbij, zijn haar valt over zijn voorhoofd. Hij kijkt naar me alsof ik een oase ben in de woestijn.

'Delilah?' Nu is hij nog dichterbij, zijn gefluisterde woorden strijken als veertjes langs mijn huid terwijl hij met zijn vingers over mijn wenkbrauwen gaat. 'Je bent heel mooi, weet je dat?'

Ik verlies me in zijn kus. De zon schijnt minder fel nu de wolken dichterbij komen en ik zou moeten voelen dat het kouder wordt, ik heb alleen mijn zwemkleding aan, maar mijn buik en benen zijn warm van het gewicht van Patricks lichaam. De smaak van sinaasappellimonade op zijn lippen vermengt zich met die van druiven op de mijne en ik wil niet meer weg van dit strand, nooit meer. Ik trek hem dichter naar me toe, sla mijn armen om hem heen terwijl hij me in mijn nek zoent. Niets zou me nog moeten kunnen schelen, maar als ik mijn ogen opendoe en de steen naast me zie liggen, doen de initialen me denken aan de initialen die in de houten vloer onder het bed gekrast zijn.

SH + CC

'Ik denk dat we terug moeten,' zeg ik terwijl ik me van hem af draai. 'Het spijt me. Ik... ik blijf maar aan haar denken.'

'Het geeft niet. Kom.' Hij veegt mijn haar uit mijn gezicht en drukt een kus op mijn voorhoofd. We staan op om het zand uit onze handdoeken te schudden.

We pakken de tassen in en duwen ons snel van de kant af, het slib schraapt langs de bodem van onze boten als we dezelfde weg over het water terug nemen – aanspannen, ontspannen, aanspannen, ontspannen, aanspannen, ontspannen. Als we het midden van het meer over zijn, branden mijn schouders en armen van de inspanning van het peddelen. De wolken schuiven nu helemaal voor de zon en nog voor de eerste druppel mijn gezicht raakt weet ik dat er regen zal komen om de dag schoon te spoelen. Maar als het dan eindelijk begint, wordt er niets schoongespoeld. De regen slaat slechts zijwaarts en hard tegen ons aan en ik krijg het koud. In stilte zetten we vaart achter onze terugtocht over het water.

Hoofdstuk 23

Het weekend dat we de eerste lading spullen gaan verkopen begint met een hoop ergerniswekkende drukte. Om zes uur 's morgens staat Rachel bij mijn bed in een t-shirt met de tekst EVERYBODY LOVES COWGIRLS! In haar ene hand heeft ze een prijspistool, in haar andere een kop koffie en in haar ogen een blik die ik met mijn duffe hoofd niet anders kan omschrijven dan... gestoord.

'Kijk eens wat Megan voor ons heeft meegenomen uit de winkel,' zegt ze en ze plakt een sticker op mijn voorhoofd. 'Ze gebruiken deze dingen niet eens meer.'

Ik ga rechtop in bed zitten, pak de koffie aan en trek het prijsje van mijn huid.

Voor één dollar kunnen ze me meenemen.

'Ik hoop dat het sterke koffie is, Rachel. Want zodra ik uit bed ben, pak ik je.'

Rachel plakt een nieuw prijsje op me. 'Ik dacht het niet, Del. Jouw tarotkaart van vandaag is Pentakels Acht.'

'Dus?'

'Die staat voor de leerling. Aandacht voor het detail. Hard werken. Jezelf onderwerpen aan een leermeester. En raad eens wie dat is?' *Klik, klik* zegt het prijspistool.

'Is er ook een kaart die staat voor moorden?' vraag ik. 'Ik ben alleen maar benieuwd, hoor, wanneer die tevoorschijn zal komen.'

'Heel grappig. Ik verwacht je binnen een kwartier buiten.' Ze blaast in het uiteinde van het prijspistool en stopt hem onder haar riem. 'Het is tijd om de vijf ton troep van de ene vrouw om te zetten in schatten voor de andere.'

Patrick en Em komen later op de dag ook nog langs, maar nu zijn we nog met z'n tweetjes. We schikken en stickeren historische Hannaford-bezittingen, zoals twaalf porseleinen jonge katjes van de Kat van de Maand Club uit 1983, een hele seizoenscollectie polyester broeken met elastiek in de heupen, veertien bakblikken om muffins in de vorm van blaadjes mee te bakken en acht enigszins aangevreten hondenbakken uit de befaamde Ollie-collectie. Madam Claire Hannaford heeft natuurlijk weer een uiterst belangrijke bespreking met haar salesmanager en een of andere grote klant uit het kleinbedrijf.

'Ze zit het grootste deel van de dag vast,' vertelt Rachel terwijl ze aan het einde van de oprit een enorm bord met OPEN neerzet. 'Het zal vast een heel belangrijke bespreking zijn.'

'Belangrijk.' Ik kijk naar de opklaptafels met alle spulletjes van mijn oma en denk aan het dagboek. De begraafplaats, de pillen en de geheimen en alle verloren jaren. 'Ze zijn allemaal wel erg belangrijk, hè?'

Rachel zucht. 'Del, ik weet dat er nog steeds spanningen zijn tussen jou en je moeder, maar we zijn allemaal verdrietig. Boos en bitter doen helpt niet. Je moet proberen er op een wat positievere manier mee om te gaan.'

'Misschien moet ik het gewoon elke avond met jou en Megan op een zuipen zetten, want jij gaat er duidelijk fantastisch mee om.'

De goedhartige glimlach op het gezicht van mijn tante verdwijnt. Ze zoekt in haar zak naar haar wierook en sinaasappelolie. Haar zilveren armbanden glijden rinkelend langs haar arm naar beneden en schuldgevoel golft door mijn maag.

'Rachel, ik bedoelde het niet...'

'Je hebt een klant.' Ze spuit wat in de lucht om me heen en laat me alleen met een oude vrouw met roodgeverfd haar in een T-shirt waarop harige hondjes genaaid zijn.

'Hebben jullie de trui gevonden?' vraagt de vrouw.

Ik wijs naar een rek op het gras. 'We hebben nog niet alle kleren uitgezocht, maar volgens mij hangen daar wel een paar truien.'

'Nee, die niet.' Ze kijkt om zich heen of er niemand meeluistert en fluistert dan: 'Die ene trui. Van Ollie.'

'Maken ze truien voor sint-bernardshonden?'

'Niet vóór de honden. Ván ze. Als je het haar uit de borstel bewaart, kun je er een trui of een sjaal van laten maken. Het is zachter dan wol en net zo warm.'

'Houdt u me voor de gek?'

'Zeer zeker niet. Ik heb hem zelf gemaakt.' Ze zegt het op een hoge, trotse toon alsof ik er niets van begrijp. Wat ook zo is, moet ik toegeven.

'Ik wist niet dat mensen dat konden.' Ik probeer geen vies gezicht te trekken bij de gedachte aan een regenbui in een trui van hondenhaar. 'Nou ja, als hij niet op het rek hangt, dan ligt hij nog ergens binnen. We zijn nog bezig om alles uit te zoeken.'

'Wil je kijken of je hem vindt? Je kunt het zien aan het label aan de binnenkant. Daarop staat "Handgemaakt door Alice", met twee hartjes aan de zijkanten. Misschien wil je dat even opschrijven? Of wacht, ik zal je mijn kaartje geven.'

Alice, de hondenweefster, doorzoekt haar tas, waarvan ik eerst dacht dat het een hippe namaaktas was, maar die waarschijnlijk van een langharige teckel komt.

'Heb jij huisdieren?' vraagt ze als ze me een verfomfaaid kaartje met ALICES DIERCREATIES overhandigt. Ik ga met mijn duim over de zilveren hartjes rondom haar naam.

'Geen huisdieren,' zeg ik. 'Maar bedankt voor uw kaartje. We zullen het u laten weten als we hem hebben gevonden.'

'Dank je wel, meiske. Trouwens, wanneer is de dienst voor Liz? Ik begreep dat jullie iets bij het meer organiseren?'

'Volgende maand, de zeventiende. Het is nog niet bekend hoe laat, maar we doen het bij Point Grace.'

'Bedankt,' zegt ze. 'Dan zie ik je daar, behalve als ik al eerder iets van je hoor over de trui.'

Ik stop haar kaartje in het geldkistje onder de briefjes van tien.

'Man, ze kopen echt alles,' zegt Patrick terwijl hij vlak nadat hij is aangekomen een paar briefjes van vijf in het kistje stopt. 'Ik ben hier nog geen halve minuut en een of andere vent drukt me al vijftien dollar in mijn handen voor een doos oude cassettebandjes. Maken ze überhaupt nog wel cassetterecorders?'

'Ze maken alles,' zeg ik. 'Vraag maar aan Alice.' Ik knik in de richting van de roodharige vrouw die nu bij de tafel met het bordje VAN ALLES EN NOG WAT staat te onderhandelen met Rachel over een set houten snijplanken in de vorm van boerderijdieren.

'Aha, Alice Bradley, directrice van de firma Diercreaties. Ze is vorig jaar hiernaartoe verhuisd vanuit Boulder. Nogal populair bij de mensen van de dierenbescherming. Je hebt geluk dat ik nog niet begonnen ben met het kopen van kerstcadeautjes. Ben je meer een labrador- of een Duitse herdersmeisje?' Patrick legt zijn hand op mijn schouder, komt dichterbij en fluistert in mijn oor.

'Heb je me gemist?' vraagt hij, zijn adem warm op mijn huid.

'Het is nog maar een dag geleden.' Ik bedoel: ja!

'Nog maar een dag? O, het lijkt al jaren geleden dat ik je hoorde zuchten en steunen over het schilderen van die paaltjes van het hek.'

'Dat hek was gisteren en ik was niet aan het zuchten en steunen. Ik zei gewoon dat schilderen zwaar werk is.' Ik probeer zijn hand weg te slaan, maar hij grijpt de mijne vast. Vanachter haar tafel aan de andere kant van het grasveld werpt Rachel me een grijns toe die zegt 'Dat had ik toch allang in de kaarten gelezen'. Ik glimlach terug en de spanning van daarnet lost op.

De ochtend gaat in een flits voorbij. Een niet-aflatende stroom klanten kuiert de oprijlaan op om door oma's oude spullen te snuffelen. De meesten van hen condoleren ons en velen houden lange verhalen over de spullen op de tafels: over de bruiloft in de herfst waar ze allemaal zijn geweest en waar ze die gehaakte pannenlappen in de vorm van een esdoornblaadje hebben gekregen. Over de rollen stof met tijgerprint die ze verdeeld hebben na de uitvoering van Cats door de plaatselijke toneelvereniging. Over de deurkloppers in de vorm van een skelet die de buurtkinderen ooit verkochten om geld in te zamelen voor school. Ze kloppen op mijn schouder, kijken meelevend en vragen naar de dienst, de plannen. En, nu we het er toch over hebben, willen mam en Rachel dat ze na de begrafenis ontbijt- of lunchschotels langsbrengen, of laten ze liever een intekenlijst rondgaan?

Als Em aankomt heeft Rachel Patrick net de opdracht gegeven om dozen uit de kelder te halen, terwijl ik me met een buslading pensionado's bezighoud, die hun eerste twintig minuten hier doorbrengen met hun neus in de encyclopedieën.

'Druk zeg,' zegt Em. 'Geweldig.'

'Geweldig als je van boekensnuivers houdt.'

'Boekensnuivers vind ik super! Hé, nu we het toch over gekken hebben, waar is Patrick? Hij zei dat hij vandaag hier zou zijn.'

'Riep u mij?' Patrick komt achter een kledingrek op de oprit vandaan met een dienblad in zijn handen en een oud, strak over zijn borst geknoopt smokingjasje aan. Maar voor we de tijd krijgen om op zijn outfit te reageren, stuurt Rachel hem alweer terug naar de kelder. Ik kijk hoe hij het grasveld oversteekt en ben me plotseling bewust van Emily's wijd opengesperde, lachende ogen.

'O mijn god,' zegt ze. 'Ik ken die blik.'

'Wat? Wat voor blik?'

'Jij! Díé blik!'

'Waar heb je het over?'

'Patrick.' Ze gaat over op fluisteren. 'Delilah, ben je verliefd op hem?'

'Nee!' Ik gooi mijn paardenstaart voor mijn gezicht.

'Ja!'

'Niet waar. Ik bedoel, niet écht. Alleen... ik weet niet... Em, ik word er gek van!'

'Wat? Waarom?'

'Omdat het zo heftig is, snap je? En ik had met mezelf afgesproken dat ik me niet zo aan iemand zou gaan hechten. Nooit.'

We pauzeren ons meisjesachtige geklets even om drie van de twaalf jonge katjes, januari tot en met maart, af te rekenen. Emily probeert voor elkaar te krijgen dat ze niet van elkaar gescheiden worden, maar de vrouw heeft er maar drie nodig als verjaardagscadeautjes.

'Delilah,' zegt ze nadat de vrouw haar tasje met katjes heeft aangepakt, 'je kunt niet met jezelf afspreken dat je niet verliefd wordt op iemand. Ik ben niet echt een deskundige op het gebied van relaties, maar ik geloof niet dat het zo werkt.'

'Em, Patrick woont in New York en ik woon in Key. Dat is al een probleem. En hij gaat deze herfst naar de universiteit en ik heb geen idee wat ik met mijn leven moet doen. En dan... god, er zijn zo veel redenen waarom dit geen goed idee is.'

'Je hebt echt je best gedaan op dat lijstje, hè?' Emily glimlacht en ik ga zachter praten als Patrick opnieuw het grasveld oversteekt met een veel te zware doos sportspullen.

'Als ik naar mijn ouders kijk, word ik doodsbang. Weet je nog dat ik je heb verteld dat ik mijn vader nooit heb ontmoet? Nou, mijn moeder kende hem nauwelijks. Ze kwamen elkaar tegen in de kroeg en toen kregen ze iets en niemand weet hoe het verder zou zijn gegaan als hij niet een paar dagen later ergens in het buitenland bij een opdracht voor zijn werk was doodgegaan. Hij was journalist.'

'Jeetje, Delilah, wat erg.'

Ik zucht. 'Het punt is, mam wil er niet over praten. Dus ik weet niet of het iets voor een avondje was of liefde op het eerste gezicht of wat dan ook. Ik zal het nooit weten. Ik weet alleen dat hij dood is en dat zij alleen is en alleen maar werkt en zo wil ik niet eindigen, nooit.'

Emily overdenkt mijn verhaal terwijl ze de katjes herordent. 'Dus jij wilt iemand op wie je hartstikke verliefd bent laten lopen omdat het tussen je ouders niet goed is gegaan? Omdat je vader dood is en je moeder een workaholic? Omdat je bang bent dat er misschien ooit iets mis zal gaan?'

Ik haal mijn schouders op. 'Ik weet dat het neurotisch is, maar mijn leven is gewoon... een chaos. Dat is het beste woord ervoor. School, mam, dingen thuis. Liefdesverdriet kan ik er nu niet bij hebben, Em. Of het nou iemand is die doodgaat of me bedriegt of te ver weg woont... ik kan het gewoon niet. Ik heb al mijn aandacht nodig om mijn leven weer op de rails te krijgen. Een beetje rust te vinden, snap je?'

'Rust?' Emily moet lachen om Patrick die doet alsof hij He-Man is bij het neerzetten van een nieuwe lading dozen op de oprit en dan weer het huis in verdwijnt. 'Op de een of andere manier heb ik niet het gevoel dat dat bij je past.'

'Ik weet niet wat bij me past.'

'Hoe zit het met de jongens in Key?'

Ik lach. 'Er is wel iemand, Finn, maar hij telt niet echt. Hij is meer een scharrel.'

'O, ik heb ook wel eens een scharrel gehad. Wel makkelijk, maar het betekent niets. Heel kortstondig.'

'Precies. Maar dat wilde ik ook. Met Finn is het ook heftig, maar het is niet serieus tussen ons. We hebben geen plannen of verwachtingen of beloftes gedaan. Er zijn geen regels. Geen misschiens. Gewoon wat het is, op dat moment.'

'Dat is prima. Ik bedoel, als je dat wilt. Geen verplichtingen.'

Ik schud mijn hoofd. 'Ik heb altijd gedacht dat dat is wat ik wil. Maar toen we naar Vermont kwamen en alles in het honderd liep met mam, begon ik dingen anders te zien. Ik heb met mezelf afgesproken om niet aan Finn te denken, zodat ik me met dit familiegedoe bezig kon houden... ik bedoel, het ging al een tijdje niet meer zo goed thuis, niet alleen omdat mijn oma overleed. Ik wilde echt... ik weet het niet. Er met mijn moeder uitkomen. Ik weet dat het allemaal een beetje Oprah Winfrey-achtig klinkt, maar zo is het wel. We konden vroeger veel beter met elkaar opschieten. Als ik haar nu zie, hoe ze soms naar me kijkt, dat is gewoon klote.'

'Ik snap het helemaal. Waarom denk je dat ik deze zomer hier bij mijn tante ben in plaats van bij mijn ouders?'

'Ik dacht dat je stage liep.'

'Doe ik ook,' zegt Em, 'maar dat was slechts een bijkomend voordeel. Mijn moeder dacht dat het goed voor me zou zijn om even weg te zijn. Met haar kan ik heel goed opschieten, maar tussen mijn vader en mij loopt het niet zo lekker. Nou ja, dat is nog zacht uitgedrukt.' Ze lacht en brengt een man naar de rest van de verouderde collectie muziek op een andere tafel. 'Maar hoe gaat het dan met je Oprah-missie?'

'Met mam en Rachel gaat het op en neer,' zeg ik. 'Wat betreft jongens... het ging prima toen ik niet aan Finn dacht, of aan wie dan ook, maar toen kwam ik Patrick tegen en dat gooide alles ondersteboven. Sinds we gezoend hebben, is alles...'

'O mijn god, hebben jullie gezoend? Waarom hoor ik dit soort dingen altijd als laatste?'

'Sst! Niet iedereen hoeft je te horen!' Ik lach en doe fluisterend verslag van de hoogtepunten van de avond bij Luna's.

'Dat is het beste eerstezoenverhaal dat ik ooit heb gehoord,' zegt Em. 'Ondanks het feit dat je er daarna meteen vandoor bent gegaan. Het telt toch. Hoe ging het verder?'

'De volgende dag was het festival,' vervolg ik, 'en toen werd het allemaal nog heftiger.'

'Hebben jullie weer gezoend?' vraagt ze en haar blauwe ogen glanzen als het meer op een zonnige dag.

'Eh, ja. Eigenlijk hebben we sinds die avond nogal vaak gezoend. En nu, ondanks al mijn voornemens aan het begin van de zomer, kan ik niet meer stoppen aan hem te denken. Ik weet niet wat ik moet doen.'

'Dat is echt niet zo'n groot probleem,' zegt Emily en ze wrijft over mijn knie. 'Allereerst, wat doe je met Finn? Wil je niets meer met hem?'

'Finn, over wie heb je het?' Op de eerste paar dagen en die ene keer dat hij belde na, heb ik daadwerkelijk niet meer aan hem gedacht sinds ik uit Key ben vertrokken.

'Goed antwoord,' zegt Em en we liggen dubbel van het lachen, totdat de man van middelbare leeftijd die voor ons staat zijn keel schraapt. Hij heeft opa's visgerei in zijn ene en twee damesonderbroeken in zijn andere hand, een beige en een zwarte.

'Het is een lang verhaal,' zegt hij, alsof we hem met onze lachbui om uitleg vragen.

Ik doe zijn aankopen in een tasje, hij zegt dat we het wisselgeld mogen houden. Daarna komen Emily en ik niet meer bij van het lachen als Patrick opduikt op een paar nepkrokodillenleren hoge hakken, in een ochtendjas van goud lamé en met een grijze krullenpruik vol neon speldjes op zijn hoofd.

'Welkom in Red Falls,' zegt Patrick met een schorre stem. 'Ik hoop dat jullie genieten van deze authentieke New England-sfeer.'

'Wat zei je ook alweer over rust?' vraagt Emily terwijl ze de tranen van haar wangen veegt en de laatste klant zonder iets te zeggen afrekent.

'Volgens mij zit de ochtend erop,' zegt Rachel. Ze maakt een foto met haar telefoon en trekt de pruik van Patricks hoofd. 'Straks gooien ze ons nog in de plaatselijke gevangenis voor het verstoren van de openbare orde.'

'Maak je niet druk,' zegt Em. 'Volgens mij hebben ze hier geen gevangenis.'

Rachel lacht. 'Hoe dan ook, ik denk dat ik wel even genoeg mensen uit Red Falls heb gezien voor de lunch. Hebben jullie zin in auberginestoofschotel? Was een grote hit op het filmfestival. Die mensen weten wat goed vegetarisch eten is.'

'Ik moet eigenlijk gaan,' zegt Em. 'Ik moet mijn tas nog inpakken. Ik neem morgenochtend vroeg de bus naar Montreal naar mijn... eh... naar vrienden. Die ik daar ken.'

'Wanneer kom je terug?' vraag ik.

'Zaterdag. Ik ben woensdag niet bij Patricks optreden. Goed opletten of zijn fanclub iets doet wat hem voor schut zet, hè?'

'Doe ik.' Ik geef haar een afscheidsknuffel en spreid een lichtgroen laken uit over de rijen kristallen schaaltjes en grijze emaillen borden op de tafel met VAN ALLES EN NOG WAT. Aan de andere kant van de tafel, tussen de espressokopjes en de speelgoedautootjes, weerkaatst het zonlicht op een klein metalen doosje – het doosje met de roze kraaltjes dat ik op oma's dressoir heb zien liggen, de avond dat ik in haar kamer was. Ik word ernaartoe getrokken. Het voelt anders dan de vorige keer dat ik het zag, alsof ik er een ver weggestopte herinnering aan heb. Ik kén dit doos-je. Niet van het dressoir, maar van eerder. Ik houd het tegen het licht. De herinnering blijft me ontglippen, hij schemert ergens ver weg maar wil niet helemaal terugkomen.

Zal ik ooit meer te weten komen over mijn familie dan nu?

Ik laat het doosje in mijn zak glijden en stop de gevraagde drie dollar in het geldkistje, terwijl Rachel het bord met OPEN omdraait naar ZO TERUG en naar binnen gaat voor de lunch.

Hoofdstuk 24

Vanwege de uittocht van de 4 juli-vakantiegangers is Luna's bij Patricks optreden op woensdag minder vol, maar zijn fanclub heeft zich vooraan bij het podium verzameld: Blondie en de Glittertopjesclub en een paar andere mensen van de vorige keer.

'Heeft Em vanavond vrij?' vraag ik aan Patrick.

'Montreal, weet je nog? Ze komt dit weekend terug.'

'O ja.'

'Gaat het goed?' vraagt hij en hij legt zijn hand tegen mijn wang. Mijn huid tintelt waar hij me aanraakt en ik hoor de echo van Emily's woorden... *Ben je verliefd op hem?*

'Het gaat uitstekend,' zeg ik. Tevreden loopt Patrick naar het podium en ik glimlach om ons allebei gerust te stellen.

Wanneer de gewone lichten eindelijk gedimd worden, baadt Patrick in een regenboogachtige gloed van de theaterlampen en alle hoofden draaien naar hem toe als hij begint te tokkelen. Ik herken het liedje, het is het liedje dat hij die avond voor me speelde toen we alleen op dat podium zaten. Hij heeft de akkoorden en de tekst helemaal geperfectioneerd.

Patrick zien optreden is als het kijken naar marathonlopers of wielrenners op het moment dat ze op gang komen, als de adrenaline begint te stromen en ze doet voortrazen en als ze weten dat het goed gaat, dat ze steeds harder gaan, boven zichzelf uitstijgen. Patrick wordt één met de muziek, zijn vingers worden een verlengstuk van de gitaar die een verlengstuk wordt van hemzelf terwijl hij opgaat in de liedjes en even benijd ik hem, zoals hij zich kan overgeven aan zijn passie.

Het is een klein maar enthousiast publiek in Luna's vanavond. De mensen juichen en dansen terwijl Patrick hun favoriete nummers speelt.

Ik vind het fantastisch om er deel van uit te maken en te zien hoeveel hij is veranderd, en hoeveel ook niet. Iedereen valt nog steeds meteen als een blok voor hem, theaterlampen of niet, voor zijn stem en voor zijn bezieling. En als hij over de menigte heen naar mij kijkt en knipoogt, weet ik dat van alle meisjes die daar staan te schreeuwen en handkusjes geven en vannacht over hem dromen, ik degene ben die hij op zal zoeken als de muziek wegsterft. Het is mijn hand die hij zal pakken als de lampen doven.

'Het leek wel of je licht gaf vanavond,' zeg ik als we zij aan zij naar huis lopen. Ik heb een pak songteksten onder mijn arm. 'Ik meen het. Hoe doe je dat? Word je niet zenuwachtig van al die mensen?'

'Het maakt niet meer uit hoeveel publiek ik heb, Delilah. Tien of tienduizend, ik zing nog maar voor één iemand.' Hij knijpt in mijn hand, de krekels zingen hun eigen lied en ik blijf staan en trek hem naar me toe voor een kus.

'Ik wou dat je vader je eens kon horen zingen, Patrick. Ik weet zeker dat hij het dan zou begrijpen. Als hij een keer naar Luna's zou komen en...'

'Dat kan hij niet, Del. Hij kan dat gewoon niet.' Patrick strijkt de frons tussen mijn wenkbrauwen weg met zijn duim. 'Hé, ik heb jou toch. Ik heb deze gitaar. Het is zomer. We zijn hier. Wat hebben we verder nog nodig?' Hij glimlacht, maar het verdriet in zijn ogen verraadt hem en we lopen door.

Als we bij het huis aan het meer aankomen, is alles donker en de auto is weg. Jack is ook niet thuis. Patrick kijkt van de donkere ramen van zijn huis naar de ramen hier en dan weer naar mij. Hij glimlacht ondeugend als we samen naar de blauw-witte villa lopen.

De haartjes in mijn nek staan rechtovereind. Boven doet Patrick de deur van zijn kamer dicht en ik voel het meteen – de spanning van iets verbodens. Sinds ik in Red Falls ben, ben ik een paar keer in zijn huis geweest, maar nog nooit boven. Nog nooit hier. Niet meer sinds we nog dezelfde maat hoge All Stars hadden, de mijne turkoois, die van hem rood, en we de linkergympen ruilden, zodat we allebei verschillende kleuren schoenen aanhadden. Het duurt even voordat mijn hartslag omlaaggaat. Eindelijk gaat het gebons over in een normaal ritme, als ogen die zich aanpassen wanneer het plotseling donker wordt.

Patricks kamer ruikt naar zeep en gitaarolie en naar de zomerlucht van

New England, zoet en fris. Ik kijk naar de lichtblauwe muren, de boeken op de planken, de concertposters. Ik kan me niet meer herinneren hoe zijn kamer eruitzag de laatste keer dat ik hier was, toen waren de spelletjes en het speelgoed en zijn verzameling insecten belangrijker. Toen was ik alles nog niet zo aan het analyseren als nu. Ik zocht nog niet zo hard naar aanwijzingen van anderen die hier misschien in de lange periode tussen mijn laatste zomer in Red Falls en nu zijn geweest, zoals foto's en frutsels.

Maar ik vind niets. Geen fotohokfotootjes van kussende meisjes die gekke gezichten trekken achter zijn spiegel gestoken. Geen knuffelbeesten of gedroogde bloemen of op kleine stukjes papier gekrabbelde telefoonnummers. Alleen de posters en kleren en een oranjegele koffiekan van Café du Monde in New Orleans vol kleingeld. Hij leegt de inhoud van zijn zakken erin, ik doe net alsof ik het niet merk.

Patrick zet de stereo zachtjes aan, trekt zijn t-shirt over zijn hoofd, gooit het op het voeteneinde van zijn bed en zoekt in een stapel opgevouwen exemplaren in zijn kast naar een schone.

'Hoe kom je eigenlijk aan dat litteken?' Ik knik naar zijn arm en de lange snee die als een naad van zijn schouder naar zijn elleboog loopt. 'Dat wilde ik de hele tijd al vragen.'

Hij draait zijn hoofd om ernaar te kijken. 'O, dat is een nogal smerig verhaal met een roestige spijker en een misstap op de ladder vorig jaar. Het belangrijkste is dat ik de injecties op tijd heb gekregen.'

'Ik ben vorige zomer in de keuken in een stuk glas gestapt.' Ik ga op de rand van het bed zitten en doe mijn slipper uit om hem het dunne, witte litteken onder mijn hiel te laten zien. Hij gooit het schone shirt over zijn schouder, neemt mijn voet in zijn hand en gaat met zijn vinger langs de lijn.

'Dat stelt niks voor,' zegt hij. 'Moet je deze zien.' Hij tilt de boord van zijn broek op en laat een breed gekartelde joekel van een litteken zien aan de bovenkant van zijn heup. 'Een herinnering aan Colorado twee jaar geleden. We waren aan het raften en sloegen om. Ik werd tegen een enorme kalkrots gegooid. De snee ging tot aan het bot.'

'Oei.' Ik sta op om het beter te kunnen bekijken.

'Geëvacueerd, negenenveertig hechtingen en een bloedtransfusie,' zegt hij. 'Overtref dat maar eens.'

'Nou, ik heb in mijn onderlip gebeten toen ik in groep acht van de brug

viel met gym. Twee hechtingen, maar het litteken is niet echt zichtbaar.'
Ik maak een pruillip om het aan hem te laten zien.

'Echt waar? Kom eens bij me.' Hij pakt me bij mijn schouders, trekt
me tot vlak voor zijn gezicht en kijkt heel aandachtig naar mijn mond. 'Ik
zie niets. O, wacht...' Hij knijpt zijn ogen samen om het beter te kunnen
zien, neemt mijn gezicht tussen zijn handen en kantelt het. 'Ik denk dat
ik het nu kan zien.'

Ik probeer te slikken, maar dat is onmogelijk met mijn gezicht naar
boven. De zachte huid van mijn nek is helemaal uitgestrekt en het zilver
van oma's kettinkje voelt warm op mijn huid.

'Ja, hier,' fluistert hij. Zijn vingers gaan zachtjes over mijn lippen en
dan...

Ik beantwoord zijn kus, trek hem naar me toe. Ik wil hem als een warm
bad om me heen voelen. Hoe langer de kus duurt, hoe dieper ik val, met
mijn gezicht voorover in deze kolkende zee. Zijn handen gaan voorzichtig onder mijn t-shirt, ik voel ze zachtjes tegen mijn buik, teder en warm.
Knoopjes gaan los, we drukken onze zongebruinde huid tegen elkaar als
we op zijn bed gaan liggen. Met zijn blote borst tegen me aan doet hij
mijn beha met één hand los. Hij ademt in mijn oor en ik voel hoe mijn
tenen zich strekken en opkrullen, hoe mijn rug zich naar hem toe buigt.

Het heeft geen zin meer om mijn gevoelens voor hem te ontkennen,
om tegen mezelf liegen over controle houden, de voors en tegens tegen
elkaar af te wegen, vergelijkingen te maken, mezelf te waarschuwen, muren te zien. Ik val halsoverkop in het water, heb geen idee meer wat onder
en boven is, welke kant ik op moet om adem te halen en welke kant mijn
wisse dood betekent. Het doet me denken aan de laatste dag in Connecticut met mam, toen de zon eindelijk tevoorschijn kwam en we in de oceaan konden zwemmen. Geen strandwacht. Geen idee hoe diep het is.
Alleen wij en het water en de spanning te weten dat onze botten in één
klap verbrijzeld kunnen worden als het tij keert.

'Wat was dat?' vraag ik en ik duw tegen zijn borst.

'Wat?'

'Het klonk als de voordeur.'

'Weet je het...'

'Patrick? Ben je thuis?' Jacks stem weerkaatst op de trap als hij zijn
sleutels op de tafel in de hal gooit.

'Shit!' Patrick springt van het bed op zoek naar zijn shirt. Ik trek het

mijne zo snel aan dat ik, als Jack de deur opendoet, een roze met wit ge-
streepte beha onder mijn benen heb en mijn armen gekruist over mijn
snel, binnenstebuiten aangetrokken T-shirt alsof ik het koud heb.

'O, hé, Delilah. Ik wist niet dat jullie hier boven waren.' Jack kijkt van
mij op de rand van het bed naar Patrick, die aan de andere kant van de
kamer met een doek de kist van zijn gitaar zit te poetsen. Koele lucht
stroomt vanuit de gang de kamer binnen en ik vraag me af of dit het moment is dat de zuurstof bij het vuur komt, vlak voordat de hele kamer in
vlammen op zal gaan.

'Hebben jullie trek in iets?' vraagt Jack terwijl hij Patrick een blik toe-
werpt die zegt 'Wij hebben het hier later nog wel over'.

'Nee, dank je,' zeg ik. Ik durf mijn armen nog steeds niet te bewegen.
'Ik moet gaan. Mam en Rachel zullen zo wel thuiskomen.' Ik beantwoord
zijn glimlach en wacht tot hij weggaat, zodat ik mijn T-shirt goed kan
doen en me weer in mijn beha kan wurmen.

'Ik weet niet wat moeilijker is,' zegt Patrick als Jack eindelijk weg is en
hij zijn armen weer om me heen slaat. 'Je acht jaar lang niet zien omdat
je honderden kilometers ver weg bent, of je terugvinden, je elke dag zien,
de hele tijd aan je denken, weten dat je nog geen honderd meter bij me
vandaan ligt te slapen, en de hele tijd alleen maar dit willen doen.'

Zijn mond bedekt de mijne en ik laat me weer een paar minuten mee-
slepen door de hete druk van zijn lippen. Dan hoor ik Jack weer roepen en
duw tegen Patricks borst. We zijn allebei bijna buiten adem.

'Even voor de duidelijkheid,' zeg ik. 'Ik slaap vannacht niet.'

'Mooi.' Patrick grijnst en trekt me naar zich toe voor nog een zoen. Zijn
overige woorden worden gesmoord en onverstaanbaar wanneer ze als
oceaangolven zonder strandwacht tegen mijn lippen botsen.

Hoofdstuk 25

Juli vordert en gaat over in augustus, terwijl ik in een staat van voortdurend dagdromen raak. Mijn lichaam voegt zich naar de eindeloze inboe-
delverkopen en het werken aan het huis, maar mijn gedachten dwalen
van de zwarte plekken rondom Stephanies dood naar het dagboek, van
mijn opa en oma naar mijn moeder en Rachel, van herinneringen aan
zomers vol kamperfoelie, vuurvliegjes en ahornbonbons naar die avond
in Patricks slaapkamer.

Als niemand kijkt, als we klaar zijn met het werk en mijn gedachten tot
rust komen, vallen we elkaar in de armen – zijn lippen op de mijne aan de
andere kant van het huis; mijn handen in zijn haar verborgen onder de
grote treurwilg aan de voorkant; korte momenten tussen de werkuren en
de vrije tijd die we met Em doorbrengen. Het is bijna voldoende om me
alles te doen vergeten wat ons nog staat te wachten: de begrafenis van
oma, haar laatste spullen verkopen, het huis verkopen, afscheid nemen.

Op een late regenachtige avond loop ik naar beneden voor een kop hete
thee met Patricks exemplaar van *De vanger in het graan* in mijn hand. Bij
de mooiste passages heeft hij aantekeningen gemaakt in de kantlijn en
we hebben afgesproken om na Red Falls hetzelfde te blijven doen, onze
lievelingsboeken te markeren en uit te wisselen, zodat we via die boeken
dicht bij elkaar kunnen blijven, ook als ik hem niet zo vaak kan opzoeken
als ik zou willen. Na alle tijd die ik met het verleden heb doorgebracht, ziet
de toekomst eruit als een vreemd land waarvan ik de taal noch de cultuur
ken en ik wil niets liever dan een enkeltje terug naar het heden. We hebben nog een maand. Ik wil nog even niet denken aan de herfst en aan de
afstand tussen Key en New York City.

Rachel is vanavond op stap met Megan en zoals altijd laat thuis, maar als ik de woonkamer binnen kom zie ik dat ik niet de enige ben die 's nachts ronddwaalt.

'Mam? Ben je nog op?' Ik ga naast haar op de bank zitten. 'Ik dacht dat je morgen vroeg telefonisch overleg had?'

Ze knikt, trekt haar badjas wat dichter om haar hals. Haar ogen zijn rood en ik volg haar blik naar de foto op haar schoot. Het zijn de drie zusjes Hannaford, mam en Rachel ieder aan een kant van Stephanie, met hun armen om elkaar heen geslagen. Stephanie fluistert iets in mams oor en giechelt onder haar bruine vlechtjes.

'Hoe oud zijn jullie daar?' vraag ik.

'Tien, acht en zes,' zegt ze. 'Ongeveer.'

'Jullie lijken wel een drieling.'

'Dat zei iedereen ook altijd,' zegt ze. 'God, moet je haar toch zien. Moet je die ogen zien. Al die sproeten. Ze ziet er zo gelukkig uit, vind je niet?'

Ze zucht, haar madam Hannaford-glimlach heeft ze voor vanavond in de la van haar bureau opgeborgen. Ze is weer dezelfde kwetsbare vrouw als op de eerste dag in Vermont. Dezelfde als die op de begraafplaats op de verjaardag van haar zusje.

Mam en ik hebben ons zo lang om de afstand tussen ons heen bewogen dat het net leek of die ook deel uitmaakte van ons gezin. Hoe graag ik alles ook open en bloot op tafel wilde hebben, nu voel ik de kloof tussen ons: een diepe, verse wond waarin de geesten van het verleden leefden. Ik heb die veroorzaakt. Ik heb hem geopend en ze eruit gelaten, met mijn gegraaf en gegrabbel en geschraap, terwijl ik maar volhield dat er meer over mijn familie te vertellen was dan mam wilde.

Stephanie leed aan een depressie, net als haar moeder. En hoewel ze van Casey, haar zussen en haar vrienden hield, was dat niet genoeg om haar te redden. Wat er ook in haar hoofd omging in de tijd na de laatste keer dat ze in haar dagboek schreef, de dingen en de mensen in haar leven waren niet genoeg om haar te redden. Ze heeft er een eind aan gemaakt, en of het nu per ongeluk was of met opzet, het resultaat was hetzelfde. Ze is weg. Net als opa. Net als oma. Net als de acht zomers die we niet in Red Falls hebben doorgebracht. Misschien hebben mam en Megan allebei gelijk. Misschien zijn sommige dingen inderdaad zo eenvoudig, terwijl er bij andere dingen heel veel onder verborgen ligt, en het enige wat we kunnen doen is accepteren dat we niet altijd overal een antwoord op krijgen.

Ik kijk naar mam, ineengedoken op het andere uiteinde van de bank, verlangend naar hoe het had kunnen zijn... Het doet er niet toe wat de ruzie acht jaar geleden veroorzaakte. Het doet er echt niet toe. We zijn hier nooit meer naar teruggegaan en nu is hier niemand van onze familie meer die we kunnen opzoeken. Binnenkort is het huis er ook niet meer en dan zal Red Falls echt een herinnering worden. Het enige wat we nog kunnen doen is doorgaan met ons leven.

'Het spijt me, mam.'

Ze draait haar gezicht langzaam naar me toe, spert haar ogen open.

'Ik vind het heel erg van je zusje en alles wat er dit jaar gebeurd is. Sorry dat ik zo doordramde over oma en de ruzie. Het was niet mijn bedoeling om dat weer op te rakelen. Dat was egoïstisch van me.' Ik denk aan ons uitstapje naar Connecticut, hoe we haar promotie vierden, aan de foto van het bellen blazen en hoe alles daarna veranderde. Maar ik houd nog steeds van haar. Ik zou nog steeds heel veel overhebben voor een nieuwe start als ze mijn aanbod zou willen aannemen.

'Het is zoals je zei,' ga ik verder, 'verleden tijd. Het doet er niet meer toe. Ik wil niet dat het zo is tussen ons... al dat ruziemaken en die spanning en hoe we van elkaar vervreemden.'

Mam slaakt een diepe zucht en trekt me naar zich toe.

'Ik mis je, mam.' Mijn keel knijpt zich samen rond de woorden, als een kindervuist rond een boeket paardenbloemen. Hete tranen rollen over mijn wangen en ik begrijp eindelijk dat het nooit echt om de geheimen of de waarheid of de geesten ging. Ik mis mijn moeder gewoon. Ik mis hoe ik haar aan het lachen maakte. Ik mis het dat ik belangrijk voor haar was.

Mam zegt niks, maar ze huilt en drukt me dichter en dichter tegen zich aan alsof we in stukken zouden breken als ze me los zou laten. Dan begint ze te trillen. Echt te trillen.

'Gaat het wel?' vraag ik. 'Wat is er?'

'Ik wilde niet dat het zo zou gaan,' zegt ze nauwelijks hoorbaar.

'Ik ook niet, mam. Alles was gewoon zo vreemd... Ik kon me niet meer herinneren wat hier was gebeurd en in gedachten verzon ik allerlei verhalen en ik werd steeds banger dat we op een dag net zo zouden eindigen als jij en oma. Ik wilde niet...'

'O, Delilah!' Ze duwt me van zich af, haar handen knijpen in mijn schouders en ze kijkt me strak aan. Ik zie dat ze iets belangrijks in haar hoofd heeft, iets wat plotseling groot en heel erg aanwezig is en ik krijg koude rillingen. Ik heb haar nog nooit zo overstuur gezien, zo vol spijt, zo op. Het maakt me bang. Het maakt me banger dan alle keren dat ik in de woonkamer moest gaan zitten en zij me vertelde hoe de directeur van school haar op haar werk had gebeld. Banger dan toen ze me ophaalde uit het veiligheidskantoor van de drogist en banger dan toen ze me betrapte toen ik die avond dat ze hoorde dat oma was overleden door het raam naar binnen klom.

Ik vraag me af of Thomas dit allemaal kan zien – ons kan zien. Ik vraag me af of hij nog aan mijn moeder denkt en of hij de vrouw die ze na zijn dood is geworden leuk vindt. Ik vraag me af of hij echt van mijn bestaan afweet. Als dat zo is, dan laat hij dat niet merken; geen boodschap of teken, niets wat de kou in de kamer kan verdrijven.

Ik kijk in haar ogen. 'Het geeft niet, mam. Je hoeft niks te zeggen.'

Ze knikt vluchtig, haalt een potje pillen uit de zak van haar badjas en drukt er een op haar tong. Ze pakt haar glas water en neemt een paar grote slokken. Dan zet ze het terug op de tafel, kijkt naar het plafond en ademt diep in alsof ze moed verzamelt om van de hoogste kade het meer in te springen. En dan doet ze het. Ze springt.

'Delilah, Thomas Devlin is je vader niet.'

Plons.

Ik zie haar mond bewegen en de kamer draait om haar heen, vult zich met water, zodat alles in slow motion gaat, wazig en gesmoord. Ik hoor mijn hart kloppen, de golven op het meer en de krekels buiten in het gras met hun eeuwige gegons. De wereld draait gewoon door.

Plotseling is het alsof twee enorme handen me uit het water trekken en op de kant gooien. Ik adem diep in en mam opent haar mond om verder te praten.

'Er is nog meer. Luister naar me. Je moet de hele waarheid kennen.'

Ik wil het niet horen. Mijn lichaam is verdoofd. Ik kan mijn huid niet meer voelen. Ik geef mijn voeten de opdracht om te bewegen, mijn benen om zich van elkaar los te maken, me van de bank af te tillen en weg te dragen, maar ze weigeren. Ze blijven hier gewoon zitten wachten tot mijn hart ontploft.

Mam kijkt me aan met grote, verdrietige vergeef-het-me-alsjeblieft-ogen en het scheelt niet veel of ik wil dat ook doen. Het laten zitten. Bij haar op schoot kruipen en snikken en zeggen dat het niet uitmaakt, niks meer zeggen, laat alles maar zitten.

'Het gaat over Stephanie,' zegt ze.

Stephanie Delilah Hannaford. Ik kijk naar de foto op de bank tussen ons in en denk aan de naam op de grafsteen, het dagboek en alle dromen die me achtervolgen vanwege de tante die ik nooit heb gekend. Ik vraag me af of we goed met elkaar hadden kunnen opschieten, of we op elkaar hadden geleken. Leek ze op mam, serieus en gecontroleerd? Of op Rachel, spiritueel en een beetje zweverig? Als ze was blijven leven, had ze dan de kloof in onze familie kunnen dichten? Zou dit dan allemaal gebeurd zijn? Stel dat... Misschien. Stel dat... Misschien.

Mams stem trilt. 'Ze was ons lievelingetje, Delilah. Ons kleine vogeltje. We hielden zoveel van haar. Ze was zo jong en mooi en toen ze ziek werd, echt ziek, ging haar licht uit. Het ging gewoon uit en niemand van ons wist hoe we het terug konden halen. De avond van haar begrafenis, haar vriend, Casey...' Mam wordt bleker en hoewel ik het verschrikkelijk vind om te zien, onderbreek ik haar niet en ik stel ook geen vragen. Ik laat haar erdoorheen gaan. Ik laat haar precies vertellen wat er gebeurd is, want ergens diep vanbinnen, onder alle pijn en woede en ongeloof en gal, blijf ik me vasthouden aan een klein sprankje hoop dat ik het mis heb.

'Casey was zo boos,' gaat ze verder. 'Boos op zichzelf, boos op God, boos op vader en moeder en op ons dat we niet op tijd hadden gezien hoe ziek ze was om haar te redden. Hij was zelfs kwaad op Stephanie, dat ze hem had verlaten voordat ze aan hun leven samen hadden kunnen beginnen. Hij was pas eenentwintig, zo jong nog. Dat waren we allemaal. Ik zat aan het einde van de kade op de avond van haar begrafenis, lang nadat we hadden toegekeken hoe ze haar in de grond lieten zakken. Ik probeerde terug te gaan in de tijd om te doen wat ik had moeten doen, zodat ze niet dood zou gaan. Ik probeerde alles te begrijpen. Ik probeerde er niet in te verdrinken en te verdwijnen. De maan stond hoog boven het bevroren meer. Het licht was zo helder, ik was kwaad dat hij die avond gewoon scheen. Stephanie lag onder de grond, diep in de aarde, haar licht zouden we nooit meer zien. Hoe durfde de maan op te komen? Ik was alleen, rilde van de kou. Ik huilde. Sloeg met mijn vuisten op de kade. Toen hoorde ik iemand achter me. Het was Casey. Zijn hand kneep in mijn schouder. Hij ging naast me zitten, legde zijn hoofd tegen mijn borst en snikte. We huilden allebei... en toen gebeurde het.'

Mam strekt haar hand opnieuw uit naar het water, neemt grote slokken tot het glas leeg is.

'Wat gebeurde er?' Alsjeblieft, alsjeblieft, laat me het bij het verkeerde eind hebben.

'We gingen naar zijn auto om warm te worden. Er was niemand in de buurt. We... het was een wanhoopsdaad van twee gebroken zielen, Delilah. Het was bijna meteen weer voorbij en we zweerden dat we het er nooit meer over zouden hebben.'

'Wil je zeggen... heb je... met het vriendje van je dode zusje?'

'Delilah, wat ik wil zeggen is dat Casey Conroy je vader is.'

Echo's van ruzies die ik heb gehoord gaan door mijn hoofd, alle lege plekken worden ingevuld.

Waarom praat je er niet gewoon over met haar.

Casey.

Het is veel te ingewikkeld.

Casey.

Ze is geen kind van acht meer, Claire.

Casey.

Mijn gedachten zijn een wirwar – wazige beelden van mam en een gezichtloze jongen op de kade, tante Stephanie die haar mond volstopt met pillen, tante Rachel en haar tarotkaarten, Thomas Devlin op mijn prikbord thuis, Patrick en Finn en Emily en begrafenissen en ruzies en alles wat daartussen zit. Het is allemaal ondersteboven en binnenstebuiten gekeerd, misvormd, afgebladderd en vergeten zoals oma's oude schalen. En het komt allemaal veel te snel op me af om het te begrijpen. In hun haast om tot de aanval over te gaan raken mijn woorden in elkaar verstrikt en blijven hangen in mijn keel. Ik kan niets uitbrengen.

'De dag van je opa's begrafenis,' gaat mam verder, 'heb ik tante Rachel in vertrouwen genomen. Jij was acht. Tot dat moment geloofde zij dat Thomas Devlin je vader was. Maar mijn moeder hoorde het en...'

'Heeft dat de ruzie veroorzaakt?' vraag ik als ik mijn stem weer heb teruggevonden. 'Zijn we daarom uit Red Falls vertrokken die dag?'

'Dat was een deel van de oorzaak, Delilah, maar het is ingewikkeld. Er zit nog veel meer achter.'

Ze heeft zo lang al haar energie gestoken in het volhouden van dit bedrog, in het in stand houden en het voeden ervan. Ze is er al die tijd mee doorgegaan, ondanks alle schade die het veroorzaakte: aan de relatie met haar moeder, met Rachel, met mij. Het enige wat ik nu nog wil doen is haar hart verbrijzelen.

'Nee, dat is het niet, mam. Het is heel eenvoudig. Jij bent met het vriendje van je dode zusje naar bed geweest op de avond van haar begrafenis en je familie is erachter gekomen. Geen wonder dat oma niet meer met je wilde praten. Geen wonder dat ze nooit geprobeerd heeft om contact met mij op te nemen. Ze moet me hebben gehaat toen ze erachter kwam. En dat allemaal door jóú.'

'Alsjeblieft, Delilah. Probeer het alsjeblieft te begrijpen. Ik was maar een paar jaar ouder dan jij nu. Ik wilde niet...'

'Ik kan niet geloven dat ik familie van je ben. Ik kan niet geloven dat mijn eigen moeder zoiets laags zou doen. Je bent walgelijk!'

Ik doe haar pijn, maar het kan me niet schelen. Ze ís walgelijk. Alles aan haar stoot me af. Haar belachelijke badjas en dat golvende haar en haar headset en haar stem en haar kleine handen en haar hazelnootbruine ogen met het bruine driehoekje. Ik voel niets dan haat en afkeer voor de vrouw die mij haar dochter noemt.

'Ik heb het verdiend,' zegt ze zachtjes terwijl ze naar haar handen kijkt. 'Ik heb je niets verteld. Ik weet dat het moeilijk is om na zo veel jaar de waarheid te horen. Ik weet dat je...'

'Jij weet helemaal níéts van mij!' schreeuw ik door de woonkamer. In drie stappen ben ik bij de voordeur, ik storm naar buiten, de regen in, de wind knalt de deur achter me dicht.

Hoofdstuk 26

Patrick is in een mum van tijd buiten, zijn telefoon gloeit nog van mijn hysterische berichtje.

'Trek aan,' zegt hij en hij geeft me een jas. Zelf trekt hij een trui over zijn hoofd. Ik heb geen schoenen aan en ik voel niet eens dat ik het koud heb, maar ik doe wat hij zegt, ik heb geen kracht om te weigeren.

In het Reese & Zoon-bestelbusje rijden we achteruit de oprit af naar Maple Terrace en zetten koers naar de verlaten zuidkant van het meer. Patrick vraagt niets, maar ik voel dat hij naar me kijkt, van de weg naar mij en weer terug, terwijl hij met zijn hand over mijn wang strijkt.

'We gaan naar Heron Point, goed?' vraagt hij. 'Daar kunnen we praten.'

Ik heb geen zin om te praten. Ik haal zijn hand van mijn gezicht, maar blijf hem vasthouden, rustend op mijn dijbeen. Hij wrijft met zijn duim in mijn handpalm, zijn andere hand stevig aan het stuur.

Het gaat harder regenen en Patrick moet goed kijken om de afslag naar Heron Point te vinden. Hij volgt een verhard pad tot het gras aan de rand van het zand en zet de motor af. Samen kijken we naar de allesomvattende duisternis van het meer. Allebei wachten we tot de ander de stilte verbreekt.

Zonder de ruitenwissers stroomt de regen in golven over de ramen. Het maakt alles steeds waziger, tot we het gevoel hebben dat we er helemaal in ondergedompeld zijn. Hij schuift achter het stuur vandaan, dichter naar mij toe. Zijn armen liggen stevig om me heen, de ene hand warm op mijn schouder, de andere houdt mijn hoofd tegen zijn borst.

'Het is goed, meisje. Het is goed.' Hij wrijft troostend over mijn rug, kust me op mijn hoofd en strijkt de haren uit mijn gezicht. Mijn hart zet uit en krimpt samen, bonkt tegen mijn ribben als het kardinaaltje dat opgesloten zat in de serre, op zoek naar een uitweg. Ik weet niet of het komt doordat mijn bloed te hard stroomt of omdat het zo laat is of omdat de regen zo woest op het dak van het busje slaat, maar er dooft iets in me. Ik wil hem niet vertellen wat er is gebeurd. Ik wil niet dat hij het weet van mijn overspelige vader en mijn zwakke moeder en alle leugens. Ik heb het verleden opgegraven, me een weg door het puin gebaand, ik heb alle botten geteld en nu wil ik ze allemaal terug in het gat gooien en bedekken onder een dikke laag aarde. Vergeten. Alles uitwissen, net als vroeger in het bos als ik met mijn schouders in de aarde lag en het water van Seven Mile Creek langs ruiste en alles meenam.

Ik klem mijn vingers om zijn polsen, trek zijn handen van mijn gezicht en duw ze naar beneden, terwijl ik boven op hem klim. Ik druk zijn lichaam tegen me aan alsof we alleen zo kunnen voorkomen dat de storm ons omverblaast. Ik voel hoe hij onder me heen en weer schuift, zijn adem gaat sneller als ik zijn polsen loslaat. Zijn handen vinden hun weg naar mijn rug, blijven liggen in mijn nek en trekken mijn gezicht naar het zijne.

Hij ademt in en opent zijn mond om iets te zeggen, maar ik geef hem geen kans. Ik kus hem en ik wil alleen maar dichter bij hem zijn, nog dichterbij, zo dichtbij mogelijk. Ik trek zijn trui over zijn hoofd, zodat ik de warmte van zijn borst door mijn kleren heen kan voelen. De wind huilt om de bus, de regen raast harder dan zijn versnelde adem in mijn oor, maar hierbinnen delen we dezelfde lucht en dat is genoeg. Het moet genoeg zijn. Het is alles wat we hebben.

Ik glip uit mijn jas en T-shirt. Zijn handen gaan over de huid van mijn rug en ik ga met mijn handen naar de band van zijn broek, mijn vingers strijken zacht langs zijn heupbot.

'Delilah,' zegt hij, warm en buiten adem in mijn nek. 'Del, wacht.'

Ik negeer hem. Ik kus zijn woorden weg. Hij stopt even met protesteren, maar er is iets wat hem tegenhoudt.

'Wat is er?' vraag ik, bijna zonder te ademen. 'Wat is er aan de hand?'

'Dit kan niet.' Zijn hand ligt plat op mijn borst nu, houdt mijn hart bij elkaar, zorgt ervoor dat er niets ontploft. Zijn vingertoppen gaan naar mijn sleutelbeen en duwen zachtjes tegen me aan, een minuscule kracht die datgene waar we al die tijd naartoe werkten in de weg staat. De grote finale. Het vuurwerk dat als een lichtgevende treurwilg in de lucht uiteenspat en neerdaalt in een regen van as en stof.

Boem...

'Wil je dit niet?' vraag ik.

'Dit kunnen we niet doen, Delilah.'

'Tuurlijk kan dat wel. Er is hier niemand behalve wij.'

'Dat is het niet. Het is gewoon...'

'Ik dacht dat je me wilde.'

'Delilah,' fluistert hij. 'Je maakt me helemaal gek, weet je dat?' Zijn ogen staan droevig en intens. En zelfs in de duisternis van de storm zijn ze vol vuur. Ze houden de mijne vlak bij zich vast. 'Ik heb nog geen enkele onschuldige gedachte gehad sinds jij terug bent in Red Falls.'

'Waarom hebben we het er dan nog over?' Ik zoen zijn krachtige kaaklijn, maar de stemming is al omgeslagen en mijn lippen worden koud door de afwezigheid van de zijne.

'Nee. Niet zo. Ik sla me morgen waarschijnlijk voor mijn kop,' zegt hij met zijn ogen dicht, 'maar ik kan jou dit niet laten doen als je zo overstuur bent.'

'Patrick, ik ben niet overstuur.'

'Weet je niet meer wat voor berichtje je me net hebt gestuurd? Die blik op je gezicht toen ik naar buiten kwam? Nou? Kom op.'

'Het komt wel goed met me.'

'Je zou er spijt van krijgen. En ik ook. Er is iets bij jullie thuis gebeurd en misschien kun je me er nu nog niets over vertellen, maar ik laat niet toe dat je zelfdestructief wordt.'

'Ga je nu opeens de psycholoog uithangen? Alsjeblieft zeg. Hou je liever bij het opknappen van huizen en het spannen van de snaren van je gitaar.'

'O, Delilah,' fluistert hij met zijn honingkleurige ogen en die verschrikkelijke, verschrikkelijke kuiltjes van hem die het opnemen tegen zijn frons. 'Niet doen. Alsjeblieft, niet doen.'

Ik zie hoe het verdriet hem vult als water een gebroken glas, maar ik kan er niet meer mee stoppen. 'Laat maar. Laat allemaal maar zitten.'

'Del...'

Ik pak mijn shirt en trek het weer over mijn hoofd, maak mijn armen en benen van hem los en gooi mezelf uit de bus.

'Wacht!' Patrick komt met ontbloot bovenlijf achter me aan en volgt me tot aan de oever. De regen slaat zijwaarts tegen ons aan als miljoenen kleine koude naaldjes, maar ik voel niets meer.

Hij schreeuwt over de wind heen. 'Het spijt me, ja? Het spijt me! Kom terug naar de bus, dan kunnen we erover praten!'

'Ik wil niet praten! Praten maakt alles alleen maar kapot!'

Hij probeert mijn handen te pakken, maar ik sla hem van me af. Hem zo te zien rillen en druipen van de regen en zijn woede en angst te zien en nog iets wat ik niet kan benoemen omdat het te veel pijn doet om me voor te stellen – het maakt dat ik niet meer kan ademen. Ik wil het bijna niet meer.

'Ik dacht dat je me wilde, Patrick.'

'Dat is ook zo,' zegt hij. 'Meer dan wat dan ook.'

Aan de oever van het meer schreeuw ik hem toe. 'Hoe kan ik je geloven? Je durft je vader niet eens te vertellen wat je het liefste wilt worden. Je leven is een leugen. Ga je dus maar lekker verstoppen achter je muziek en doe maar gewoon alsof ik deze zomer helemaal niet ben teruggekomen.'

Het doet hem pijn. Dat weet ik, omdat het mij pijn doet om het te zeggen. De woorden slaan als een vlakke hand in zijn gezicht, direct op zijn tere huid.

'Nee, want jij bent perfect, hè, Delilah? Jij met je gestoorde relatie met je moeder en met iedereen in je leven. Geweldig hoor. Voelt het beter als je kwaad op me bent? Lost dat iets op?'

'Jij! Lost! Niks! Op!' Ik gil nu, krijs over het meer en de regen en de wind heen. 'Je kunt niet de hele zomer mijn beste vriend zijn en me al die fantastische dingen laten voelen en je dan omkeren alsof het niets te betekenen heeft! Je maakt me gek!'

'Delilah Hannaford, jíj maakt míj gek! Snap je het dan niet?'

'Wat valt er te snappen? Je bent gewoon...'

'Ik ben verliefd op je!'

Daar staat Patrick in de regen, verlicht door een serie lichtflitsen. Heel even vergeet ik alles. Ik vergeet de regen en de woorden die we elkaar toegeschreeuwd hebben en ik denk aan hem op het podium, in het gekleurde licht, stralend en lachend alsof de hele wereld van ons is, van hem en mij.

Maar als het ophoudt met flitsen, zie ik alleen nog het verdriet op zijn gezicht. Zijn natte haar hangt naar beneden, de regen loopt in zijn ogen en in zijn mond.

Ik draai me om en ren op blote voeten weg, dwars door de storm volg ik de kust naar de kade en de tribune tot waar ik hoop dat de heuvel van oma begint.

Patrick komt me niet achterna, maar als ik eindelijk bij het huis ben, staat hij op de veranda in de schaduw van de esdoorns te wachten. De regen en het lange rennen hebben mijn woede getemperd. Wat overblijft is alleen een diepe wond in mijn hart en een op mijn scheenbeen omdat ik tegen de tribune op knalde in het donker. Hij loopt me tegemoet als hij me de heuvel op ziet strompelen en plotseling zijn daar zijn handen op mijn armen. Ik wil me in zijn armen storten. Ik wil hem vertellen dat ik al verliefd op hem was toen hij onder de tribune zijn petje omdraaide en glimlachte en zijn honingkleurige ogen stralender waren dan de zon, ook al heeft het heel lang geduurd voordat ik het aan mezelf wilde toegeven.

Maar ik kan het niet. Ik doe het niet.

'Gaat het?' vraagt hij en hij pakt me steviger beet als hij mijn been ziet.

'Het is maar een snee.'

'Gelukkig. Ga maar gauw naar binnen.' Zijn handen laten mijn armen los.

'Patrick, wacht.'

Ik wil hem vastpakken, maar op de plek waar hij stond grijp ik in de lucht. Hij heeft zich omgedraaid en loopt in de richting van zijn huis. Ik ren om hem in te halen, probeer mijn vingers in de zijne te haken, maar het lukt me niet. Hij blijft stilstaan, maar wil me niet aankijken, zelfs niet als ik mijn hand op zijn gezicht leg.

'Patrick... het spijt me zo.'

'Laat maar, oké? Laat gewoon maar.' Als hij dat zegt kijkt hij eindelijk naar me. Zijn ogen staan donker en kil en hij trekt mijn handen van zijn gezicht. Ik kijk hoe hij gaat. Ik kijk hoe hij wegloopt. En ik blijf een hele tijd staan wachten tot hij zich omdraait, terugkomt, me vergeeft, me weer kust in de regen alsof niets er meer toe doet.

Maar dat doet hij niet. Hij verdwijnt in de duisternis en kijkt geen enkele keer om, laat me achter in het zachte, gele licht van de veranda, in de striemende regen.

Hoofdstuk 27

'Delilah!' Mam staat in de keuken in die oerlelijke badjas van haar te zwaaien op haar benen, alsof ze nog moet beslissen of ze naar me toe moet komen rennen om me te omhelzen of weer een preek moet afsteken over mijn domme acties.

Het is laat, ik weet niet hoe laat, en als ik mam zo zie staan, met haar verwrongen gezicht en haar armen over elkaar geslagen, en de koffiepot hoor pruttelen, moet ik weer denken aan die avond begin juni, een eeuwigheid geleden, toen ik door mijn slaapkamerraam naar binnen klom, nadat Finn me had afgezet, en hoorde over oma's dood en ons onverwachte reisje naar Red Falls.

'Gaat het?' Met twee enorme stappen is mam de keuken door. Als ze haar armen om me heen slaat, probeer ik me los te wringen, maar ze houdt me alleen nog maar steviger vast. Het scheelt niet veel of ik geef me over aan de geur van haar parfum en de zachte badjas tegen mijn wang. Ik heb steken in mijn borst, mijn hoofd bonkt, mijn been bloedt, ik ril en ik wil alleen nog maar dat ze belooft dat ze dicht bij me zal blijven, dat ze het echt meent, dat ze alles uit zal wissen.

Maar ik kan niet meer doen alsof en zij ook niet. Het lukt me niet eens om haar aan te kijken als ik haar armen wegduw.

Boven gooi ik mijn natte kleren op de grond en probeer me over te geven aan een gloeiend hete douche. Met mijn ogen gesloten adem ik grote hoeveelheden stoom in terwijl het hete water mijn lichaam doet gloeien. Ik zie de hele tijd Patricks gezicht voor me, hoe hij stond te smeken op het strand, en ik voel weer de kilte tussen ons aan het einde. Mijn hart voelt zwaar, ik wil het uit mijn lichaam snijden en wegstoppen in een van de weckpotten tussen de gekleurde kerstlichtjes en het Ouijabord in de kelder. Ik wil verder leven zonder dat iets me nog kan schelen, zonder angst en twijfel en spijt. Ik wil dat alles weer wordt zoals op dat uitstapje naar Connecticut, toen het kijken naar een kreeft die door het zand rende genoeg was om me over te verwonderen en een heel jaar op te teren.

Terug in mijn slaapkamer kijk ik uit het raam of ik een teken van Patrick zie, licht, iets van beweging in zijn kamer, wat me een klein beetje hoop kan geven. Maar tussen mijn kamer en de zijne is niets te zien, niets dan duisternis, niets dan leegte die als bloed de nacht in sijpelt.

Ik loop heen en weer in de kleine ruimte van mijn slaapkamer, terwijl woorden en beelden door mijn hoofd gaan. Mijn moeder, die me over mijn echte vader vertelt. Tante Rachel, die nog steeds op stap is met Megan en geen idee heeft van de storm die hier in huis is losgebarsten. Het dorpje Red Falls en al die mensen die meer over mijn familiegeschiedenis weten dan ik. Ik die ontplof. Wegstamp. Me afreageer op degene in Vermont die dat het minst verdient.

Ik bel Patricks mobiel. Hij neemt niet op. Het licht in zijn kamer gaat niet aan. Ik bel nog een keer. Nog een keer en nog een keer en nog een keer en mijn god ik word gek terwijl ik daar over de houten vloer van de kamer heen en weer loop. Verlangend. Twijfelend. Hopend. Stel dat... Misschien. Stel dat... Misschien.

De glazen pot met oma's knopen staat onverschrokken op de ladekast te glinsteren. Ik strek mijn hand ernaar uit, mijn vingers vouwen zich eromheen, de bloedvaten onder mijn huid trekken samen tot dunne blauwe touwen als ik de pot boven mijn hoofd til. *Rinkel-rinkel* gaan de knopen in het glas. Ze kruipen bijeen terwijl ik naar achteren buig en de pot zo hard als ik kan in één keer als een katapult tegen de muur in stukken smijt. Glasscherven en knopen kletter-klateren als talloze flonkerende hagelsteentjes op de grond.

'Delilah?!' Mams stem is als eerste boven, een seconde later gevolgd door haar lichaam in de deuropening. Met haar mond en ogen wijd opengesperd kijkt ze naar de glinsterende brokstukken, naar mij op mijn blote voeten ertussen en naar het licht dat reflecteert in het glas.

'Heb je je bezeerd?' Op haar tenen loopt ze om de scherven heen naar me toe. Ze fluistert. Haar handen zweven over me heen als de meeuwen boven het meer, glijdend, dwalend, ontwijkend.

'Wat denk je,' zeg ik. Het is geen vraag.

'Delilah, we moeten praten over...'

'Nee, dat moeten we niet.'

De zeemeeuw duikt, mams hand grijpt mijn arm, te hard.

'Raak me niet aan! Raak me verdomme nooit meer aan!' Ik stomp tegen haar schouder, storm de kamer uit en haal mijn teen open aan een stuk glas. Ik sta op de trap. Ja, ik ga ervandoor. Zonder geld, zonder eten, zonder tas, met nat haar, een bloedende voet en een bloedend been loop ik de deur uit, de straat op, weg, weg, weg, richting het noorden, zo ver als ik kan, tot ik doodga.

Bienvenue au Canada, ik kom verdomme niet meer terug.

Ze komt achter me aan. Om de beschuldigingen over en weer bij te houden, nemen we allebei twee treden tegelijk. Ík weet niet hoe het is om een zusje te verliezen. Zíj is een kutwijf omdat ze me bij mijn echte vader heeft weggehouden. Ík zou me wat volwassener moeten gedragen en een beetje medelijden tonen. Zíj kan naar de hel lopen.

Als mam en ik in de keuken aankomen, staat Rachel in de deuropening. Ze klemt haar tasje in haar hand, haar mond hangt open boven haar trui met de tekst NETTE MEISJES SCHRIJVEN GEEN GESCHIEDENIS. Ze lijkt wel een wassen beeld.

'Heb je zin om met dingen te gooien, Delilah? Goed. Laten we met dingen gooien.' Mam negeert haar zus, rukt de glazen keukenkastjes open, die nog vol staan met niet bij elkaar passende schalen waar nog geen prijsjes op zitten, vol met borden en schoteltjes en serviesgoed dat oma ooit cadeau heeft gekregen of gratis bij de boodschappen, of uit andermans keuken heeft meegenomen. Ik grijp een koffiemok met een plaatje van een slaperige pup erop, die zegt: 'Ochtenden zijn moeilijk' en smijt hem op de grond. Mam doet me na met twee verschillende borden, oranje en witte porseleinen bloemen vallen stuk op de tegels.

'Wat is hier in godsnaam aan de hand?' roept Rachel als ze eindelijk haar stem terug heeft.

Ik blijf smijten, breek nog twee lelijke koffiemokken met stomme schattige dierenuitspraken, terwijl mam, bij wie de pillen duidelijk zijn uitgewerkt, in een razend tempo de gebeurtenissen van vanavond voor haar zus uit de doeken doet.

Mam en Rachel maken weer ruzie, maar ik kan niet horen wat ze zeggen. Ik gooi nog steeds schalen op de grond en denk ondertussen in slow motion aan de TomTom-vrouw in mams auto. Ik stel me voor hoe ze als een soort oplichtende robotengel bij het keukenraam staat en wenkt dat ik naar buiten moet komen, naar de Lexus waarmee ze me naar die vredige planeet Monotoon zal brengen, die andere wereld waar iedereen rustig en zelfverzekerd en volledig verdoofd is.

Uw leven verbetert. Na. Tien. Kilometer.

Terwijl Rachel probeert wat scherven op te vegen, klinken de stemmen luider, maar ik luister nog steeds niet. Ik grijp wat het dichtst bij mijn hand op het aanrecht staat. De gezusters Hannaford zien wat ik doe, lezen mijn gedachten en hun ogen puilen uit hun hoofd terwijl ik ze met mijn arm hoog in de lucht aankijk en uitdaag om iets te zeggen.

'Delilah, néé! Niet de Delfts blauwe...'

Rachel en mam komen op me af, grijpen met alle vier hun armen als tentakels naar me en deinzen weer achteruit als ik de blauwe koeienroomkan hard in de wasbak smijt.

'Koe.' Rachels stem verzwakt. 'Verdomme, die lelijke koe was het enige wat echt iets waard was in dit hele huis.'

Ik ga boven de wasbak hangen en tuur naar de scherven. Haar kont ligt in het putje, ze is onthoofd en ontpoot. Ze is kapot. Ik ben kapot. Onze vechtlust is verdwenen.

'Vierduizend dollar,' zegt mam en ze wappert met haar hand boven de wasbak. De scherpe toon in haar stem vervaagt. 'In het afvoerputje.'

Zo is het.

De woede stroomt de kamer uit als lucht uit een ballon en maakt plaats voor het uitzinnige geschater dat volgt. Eerst Rachel, dan mam en al snel liggen we alle drie krom van het lachen, als gekken die een dubbele dosis hebben gekregen.

'Die koe was het meest weerzinwekkende...'

'Van de hele rotzooi...'

'Boooeee!'

Als ik het lachen niet meer van het huilen kan onderscheiden na al dat rennen en schreeuwen en smijten, na alle haat, begeven mijn benen het. Ik laat me op de grond zakken en leun tegen het kastje onder de wasbak.

Rachel en mam komen ieder aan een kant naast me zitten.

Lange tijd blijven we daar zitten luisteren naar het kloppen van elkaars hart en onze gejaagde ademhaling, wachtend op iemand die ons komt vertellen wat we moeten doen, ons laat zien hoe we alles weer goed moeten maken. Niemand meldt zich.

Uiteindelijk verplaatsen we ons naar de woonkamer, weg van alle scherven. Er wordt niet veel gepraat. Soms ben ik bij, dan val ik weer weg, als een oude radio. Vaag ben ik me ervan bewust dat Rachel mijn teen en mijn scheenbeen schoonmaakt met iets antibacterieels dat naar pepermunt ruikt, maar niet prikt. Mam pakt de deken die over de rugleuning van de bank ligt en legt hem over me heen.

Het voelt weer als een droom.

'Weet je nog dat pa een tweedehands auto ging kopen toen die oude Chevrolet ermee was opgehouden?' fluistert Rachel tegen mam.

'Hij kwam terug met een ijscokar,' zegt ze, op het punt om in lachen uit te barsten.

'De muziek kwam door de deur naar binnen...' zegt Rachel.

'En wij renden naar buiten om te gaan kijken...' Mam.

'Was het pa...' Rachel.

'Gratis ijs voor iedereen!' Mam.

'Die blik op haar gezicht...'

'...een week op de bank geslapen!'

'En toen ze uiteindelijk zijn been moesten afzetten...'

'"Dat doet de deur dicht!" zei ma.'

'O, die muziek!'

'Ting ting tingeling...'

'Gaat het weer goed komen, Rachel?' vraagt mam uiteindelijk. Of Rachel antwoord geeft kan ik niet horen. De slaap heeft mijn lichaam overmeesterd en draagt me weg van de bank, weg uit de woonkamer, weg van Red Falls, van de wereld. Mam en Rachel worden wazig en verdwijnen. Buiten blaast een licht briesje het regenwater uit de esdoorns en in mijn hoofd wordt het net zo leeg en zwart als in de middernachtelijke hemel.

Hoofdstuk 28

Ik ben als eerste wakker. In de keuken schijnt de zon witheet op de raam-kozijnen en het meer ligt er weer net zo blauw en veelbelovend bij als altijd. Geen spoor van de storm van gisteravond.

Mijn hoofd doet pijn. Mijn keel is rauw.

Het daglicht maakt de pijn heviger door het felle contrast tussen de zonneschijn en de hoop en alle rotzooi die er sinds de vorige keer dat ik het ochtend zag worden aan het licht is gekomen.

Zo lang is het nog niet geleden.

De meeste scherven zijn op een hoop geveegd in de hoek, maar de Delfts blauwe koe ligt nog in stukken met haar kont in het putje. Ik zoek in de keukenladen naar secondelijm om haar weer aan elkaar te kunnen plakken en in de vensterbank achter de rood met gouden haantjes die over het gordijntje marcheren neer te kunnen zetten om beter te worden.

Als mam en Rachel ook beneden komen, draaien we een beetje om elkaar heen in de keuken. Alles gaat langzaam en zwaar alsof we onder water lopen. 'Heb je iets gegeten?' wil mam weten. 'Zijn er nog schone bekers?' Rachel. Ze doet het raam achter Boe open en steekt een staafje wierook aan. Mam zegt iets over de zon en het meer en ik knik en haal mijn schouders op en niemand van ons meent het echt, dus besluit ik me in de kelder te verschansen met een doos mueslirepen en een paar flessen water. Ik loop nog steeds in de pyjama die ik gisteren heb aangetrokken voordat de smijtpartij begon. Jack komt om aan de serre te werken, maar Patrick zal niet meekomen en verder doet niks er nog toe.

Ik weet niet hoe lang ik me beneden bezighoud met de laatste schim-melige planken met versieringen en fietsonderdelen en half gesmolten kaarsen, maar niemand komt me storen en als ik uiteindelijk genoeg heb van de vochtige stenen muren, is de zon weg en het huis stil. De resten van de crisis van vannacht zijn uit de keuken verdwenen, alle scherven zijn naar buiten geveegd.

Wanneer de ovenklok halftien aanwijst, weet ik dat ik mijn belofte aan Patrick nu definitief ga verbreken: ik ga niet naar zijn optreden vanavond. Als het moment van de laatste ronde in Luna's dichterbij komt, word ik naar het raam aan de voorkant van het huis getrokken om vol hoop en verdriet en verlangen naar hem uit te kijken.

Eindelijk zie ik zijn silhouet over de stoep dichterbij komen. Ik ga op mijn hurken op de vloer van de woonkamer zitten, leun met mijn ellebogen op de vensterbank en met mijn kin in mijn handen kijk ik hoe hij het huis nadert. Zijn gitaarkoffer hangt net zo zwart en zwaar over zijn schouder als ik me voel.

Kijk op. Kijk op. Kijk op. Kijk op en zie me en sta stil. Leg je gitaar in het gras en ren over het pad naar mijn huis en gooi de deur open en kom naar me toe, kom gewoon naar me toe. Ik zit hier om jou te huilen. Ik heb je nodig, ik wil bij je zijn, meer dan wat dan ook. Kijk op, Patrick Reese. Kijk op kijk op kijk op...

Maar hij kijkt niet op. Hij verplaatst zijn koffer naar de andere kant en ik kan zijn gezicht niet zien. Hij komt en gaat alsof ik er niet ben, alsof ik gewoon een van de onzichtbare geesten in het oude Hannaford-huis aan het meer ben.

Boven in de naaikamer glanst de vloer. Al het glas en de knopen zijn weg, het ruikt citroenachtig en fris. Er liggen schone lakens op het bed en op het voeteneinde ligt, keurig opgevouwen, de beige trui die ik uit oma's slaapkamer heb meegenomen op de avond dat ik haar pillen vond. Hij moet achter het bed zijn gegleden. Ik was vergeten dat ik hem had en nog voordat ik de naam op het labeltje tussen de twee hartjes zie, weet ik wat er staat.

HANDGEMAAKT DOOR ALICE

Ik denk aan de vrouw met de roodgeverfde haren, directrice van de firma Diercreaties. Het spijt me, Alice. Ollie blijft bij mij.

Ik trek de trui over mijn hoofd en zoek in mijn telefoon naar het nummer van Emily. Ze neemt meteen op.

'Del, Patrick was een wrak vanavond. Wat is er in godsnaam tussen jullie aan de hand?'

Hoofdstuk 29

De ruzie is nu vier dagen geleden. Em is hier na mijn verdrietige telefoontje elke avond geweest. Ze heeft het hele verhaal aangehoord, me vastgehouden als ik huilde, koffie met chocolade- en hazelnootsmaak voor me meegenomen uit Luna's. Ze heeft niet gezegd of ze het met Patrick over mij heeft gehad en ik heb het niet gevraagd.

Ik heb hem sinds die verschrikkelijke avond niet meer gezien. Jack heeft alleen gezegd dat hij een paar dagen vrij heeft gevraagd. Ik probeer er niet aan te denken, help Rachel de overgebleven verzameling spullen naar buiten te slepen voor de laatste verkoop, zet de tafels klaar met de overgebleven porseleinen beesten. Glaswerk uit alle vijftig staten. Skischoenen. Borduurdozen. De dag kruipt voorbij. Mijn blik wordt steeds naar de blauw-witte villa getrokken in de hoop dat hij de voordeur uit komt lopen en hiernaartoe komt, recht langs de encyclopedieën die de bejaarden niet wilden hebben en het kegelvormige peper-en-zoutstelletje voor één dollar, recht naar mij.

'Schat, waarom praat je niet gewoon met hem?' zegt Rachel, die alles waarschijnlijk in haar kaarten op het zwart met zilveren kleed heeft gezien.

'We praten niet meer met elkaar,' zeg ik.

Ze fronst haar wenkbrauwen, maar vraagt niet door. 'Misschien moet je naar hem toe gaan. Ik weet zeker dat hij zich, als hij je weer ziet, zal realiseren...'

'Het gaat prima met me, Rach.'

'Je hebt de chocoladepudding die ik heb gemaakt niet eens aangeraakt. Je hebt je t-shirt achterstevoren aan. En binnenstebuiten. En wat heb je met je haar gedaan?' Rachel maakt een draaiende beweging boven mijn hoofd terwijl ik aan het labeltje onder mijn kin trek.

'Ik ben gewoon moe, oké?'

'Luister, Delilah. Over minder dan twee weken gaan je moeder en ik je oma begraven. Acht jaar lang hebben we niets uitgesproken en nu is het te laat. Het leven is kort. Je krijgt niet altijd de kans om het goed te maken. Dus genoeg onzin over moe zijn, ja? Kam je haar. Doe je shirt goed. En ga als de donder naar hem toe om te vertellen hoe je je voelt.'

'Heb je De Geliefden weer getrokken vandaag?' vraag ik. 'Ik zei toch al, ik ben gewoon...'

'Genoeg!' Ze wijst naar Patricks huis. 'Dit heeft niets met tarotkaarten te maken. Als de wiedeweerga.'

Als ik eraan denk hoe het zal zijn om Patrick weer te zien na al deze lege dagen gaat er een steek door me heen, maar Rachel heeft gelijk. Ik weet niet eens of Patrick wel wil praten. Maar die avond op het strand, toen we de auto uit waren gegaan, was er iets wat boven het geschreeuw in de storm uit kwam. Iets in zijn ogen. Iets wat hij zei.

Snap je het dan niet? Ik ben verliefd op je!

Patricks voordeur staat open. De zomerwind blaast de geur van kamperfoelie door de hordeur. Als ik mijn hand op de knop leg, hem opentrek en naar binnen stap, hoor ik zijn mooie, warme stem.

'Em,' zegt Patrick in de woonkamer. Hij kan me niet zien. Hij weet niet dat ik toekijk. 'Je bent geweldig. Ik weet niet wat ik zonder jou zou moeten.'

'Ik ook niet zonder jou,' zegt Emily. Ze gaat op haar tenen staan, slaat haar armen om zijn nek, drukt zich tegen hem aan en doet me naar adem happen. Hij wrijft over haar rug, glimlacht en dan zegt ze het, die paar verschrikkelijke woorden die van mij hadden moeten komen. 'Ik hou van je, Patrick.'

Onhandig doe ik een stap achteruit en maak ze allebei aan het schrikken. Patrick laat Emily los en dan ziet hij me. Zijn verdrietige, gekwelde ogen houden de mijne vast. Het is alsof we allebei onder dezelfde stroom staan en geen van beiden kan de ander loslaten of voor het kwaad behoeden.

'Delilah, wacht!' Hij steekt zijn hand uit.

'Ik kan niet...' Ik struikel achteruit. 'Ik dacht... ik...'

'Ho, Delilah. Het is niet wat je denkt,' zegt Emily en ze wappert met haar handen om het beeld van hun omhelzing uit mijn geheugen te wissen. 'Het is echt hélemaal niet wat je denkt.'

Ik kijk naar Patrick. 'Je ontloopt je werk hiernaast in elk geval voor iets goeds.'

'Ik zeg toch...' zegt Emily, maar Patrick snoert haar de mond, knijpt liefdevol in haar hand.

'Laat maar,' zegt hij tegen Emily. 'Jij hoeft haar niks uit te leggen.'

'Maar dit is belachelijk,' zegt ze. 'Ik ben niet eens...'

'Het doet er niet toe.' Patrick laat haar weer niet uitpraten.

We staan alle drie bij de deur. Ik staar naar Patrick en probeer niet in te storten, Patrick en Emily staren naar elkaar en dan weer naar mij.

Na een hele tijd trekt Emily haar hand los en verbreekt Patrick de stilte.

'Heb je iets nodig, Delilah?' vraagt hij. 'Of probeer je gewoon iedereen in Red Falls net zo ongelukkig te maken als je zelf bent?'

Mijn maag knijpt zich samen, maar ik negeer de steek. 'Ik wou dat ik je nooit meer was tegengekomen. Ik vond je leuker toen we nog kinderen waren!'

'Eindelijk zijn we het ergens over eens,' roept hij.

'O, weet je wat?'

'Waarom ben je hier nog, Delilah?'

'Hou hiermee op!' roept Emily. 'Allebei! Ophouden!'

'Prima!' schreeuwen Patrick en ik tegen haar en tegen elkaar en tegen de meeuwen die beneden op het meer argeloos over de blauwe diepte drijven.

Emily stormt langs me heen, de deur door, naar buiten, het trapje af. Kleine steentjes vliegen onder haar gympen vandaan als ze de straat op holt. Ik struikel de veranda op, Patrick slaat de hordeur dicht en ik ren terug naar oma's huis, harder en harder in een poging het kloppen van mijn hart in te halen. De afstand tussen de huizen is niet zo groot, maar ik ga dubbel zo hard, driedubbel, vier keer zo hard richting Rachel en haar verzameling prullen van tien cent per stuk. Ik knal met mijn heup tegen de tafel en neem een hele lading plastic stukken fruit en schaatsende kikkertjes mee, terwijl Megans woorden van een tijdje geleden als hete pek omhoogborrelen om de zwarte gaten in mijn binnenste te vullen.

We verlangen allemaal naar hoe het had kunnen zijn.

Hoofdstuk 30

Op de ochtend van de dienst voor oma ben ik al om vier uur wakker, dorstig en rusteloos, het lukt me niet om weer in slaap te vallen. Het is nu twee weken geleden dat ik te weten kwam wie mijn echte vader is en wat mijn familie generaties lang uit elkaar heeft gedreven. Het is bijna net zo lang geleden dat ik Emily heb gezien en Patrick heb gesproken. Toen hij weer met Jack aan het huis kwam werken, deed hij dat op een nieuwe, efficiënte manier en had hij mijn assistentie bij de luiken en de goten en het verven van de schuur niet meer nodig. Hij zoekt mijn gezelschap niet meer op. Probeert mijn blik niet te vangen aan de keukentafel tijdens het ontbijt. Ik besta simpelweg niet meer voor hem.

Om vijf uur trek ik de hondentrui aan en loop de voordeur uit om te kijken hoe de zon de mist verdrijft. Koele mistflarden wervelen rond mijn voeten. Ze slokken me op in een enorme toverpot alsof ik een snuifje nietigheid ben in een ingewikkeld magisch recept waarvan de bedoeling nog onthuld moet worden.

Voor Patricks huis wordt de mist in de straat uiteengedreven door iets donkers en logs. Ik doe een paar stappen naar achteren als het gevaarte dichterbij komt. De wolk van zijn adem is niet meer dan drie meter bij mijn wijd opengesperde ogen vandaan.

Het is een eland. Groot en chocoladebruin staat ze voor oma's huis. Haar hoofd gaat vriendelijk op en neer en ik kan haar door de mist heen ruiken, een geur vermengd met die van aarde en van de regen die eerder vanmorgen is gevallen. Ik verroer me niet.

Mijn hart bonst onder mijn shirt als achter haar twee kalfjes uit de mist tevoorschijn komen. De tijd staat stil als ze snuift om te beoordelen of ik een vriend of een vijand ben, of ze me uit moet dagen of me rustig kan passeren. Na een hoop gesnuif en gegrom tilt ze haar kop op en gaat op-zij. Ze wacht tot haar kroost komt aandraven. Acht korte pootjes komen snel dichterbij en moeder stoot ze zachtjes aan met haar neus. Ik houd nog steeds mijn adem in. Als de kalfjes eindelijk voor haar staan, loopt ze door en verdwijnt in de mist.

Mijn moeder en tante zijn wakker als ik weer binnenkom, het lukt ons geen van allen meer om te slapen op de ochtend van de begrafenis van Elizabeth Hannaford. We ontbijten samen zonder veel te zeggen, de vorken en messen tikken tegen de drie niet bij elkaar passende borden. Als we al iets zeggen, houden we het bij veilige onderwerpen. 'Niet slecht, dat spek, als je bedenkt dat hij van soja gemaakt is.' 'Ik hoop dat het weer goed blijft.' 'Wie wil er nog wat koffie?' Geen van drieën praten we over de dingen die ons werkelijk bezighouden. De dienst. Wie de urn gaat dragen. De gespannen weken en de grote ruzie. Het naderende en definitieve af-scheid van dit huis. Deze plek. Dit verhaal.

Een uur voordat we moeten vertrekken komt mam naar mijn kamer. Ik zit op de rand van het bed en kijk uit over het meer. De deur staat open, maar ze blijft in de gang staan dralen, wachtend op toestemming om bin-nen te komen, alsof ze daar eigenlijk geen recht meer op heeft. Ik geef toestemming.

'Vandaag begraaf ik mijn moeder.' Ze komt naast me zitten en gooit het eruit, zomaar. Ik denk aan de zwarte doos met gouden bloemen op oma's dressoir en vraag me af hoe die er in mijn moeders handen uit zal zien als ze oma's as boven het meer van Red Falls eruit schudt.

'Kunnen we even praten?' vraagt mam en ze slaat haar armen om me heen.

Ik haal mijn schouders op. Er komt geen woord over mijn lippen. Nu ze ineens zo openhartig haar affectie toont, weet ik niet meer wat ik moet zeggen.

'Goed,' zegt mam terwijl ze de haren uit mijn ogen wrijft. 'Ik begin wel.'

Er ligt een verdwaalde knoop op de grond. Die moeten ze over het hoofd hebben gezien toen ze het glas van de pot opruimden.

Heeft ze die knoop apart gekocht of was het een reserveknoop van een nieuwe blouse?

'Er waren zo veel momenten dat ik je wilde vertellen over je vader,' zegt ze.

Ik vraag me af wat er met alle reserveknopen gebeurt die je bij nieuwe kleren krijgt.

'Maar toen je ouder werd, werd ik bang dat je, als je de waarheid te horen zou krijgen, net zo naar me zou kijken als mijn moeder toen ze het ontdekte. Dat had ik niet kunnen verdragen, Delilah. Zo'n haat wilde ik nooit in jouw ogen zien.'

Misschien moeten we ze aan Alice geven voor haar diercreaties.

'Zeg alsjeblieft iets, Del. Het mag ook iets boos' zijn.'

Ik vraag me af hoeveel losse knopen er op de wereld zijn en in potten rondrollen zonder maatje of blouse om op gezet te worden. Zonder bestemming. Zonder doel. Gewoon in die pot. Zonder opgemerkt te worden. Vergeten.

'Delilah, alsjeblieft?'

Ik kijk naar mijn moeder. Er staan diepe lijnen in haar voorhoofd, ze heeft geen make-up op die de rimpels rond haar ogen opvullen. Hier was ik niet op voorbereid en het enorme verdriet dat opwelt verdringt de woede, net zo lang tot alle harde woorden wegvloeien als water uit een spons.

'Ik ben niet boos omdat je het met Casey hebt gedaan,' zeg ik. 'Ik ben boos omdat je tegen me gelogen hebt. En dat je, elke keer als ik naar Thomas Devlin vroeg, bleef liegen. Je wilde het nooit over mijn echte vader hebben.'

Ze knikt en plukt aan de kraag van haar badjas. 'Ik vond het verschrikkelijk om zo te doen alsof, maar er was altijd wel een reden om het je niet te vertellen.'

'Mam, ik haat het...' *Ik haat het dat je zo zwak en zielig en stom bent. Ik haat het dat je het fout hebt gedaan. Ik haat het dat je niet perfect bent.* Dat is wat ik wil zeggen, maar de gedachten verdwijnen even snel als ze opkomen. Hoe kan ik haar verwijten dat ze heeft geprobeerd iets te verbergen wat degenen van wie ze hield alleen maar zou kwetsen als het zou uitkomen? Dat ze met het verhaal over mijn vader precies hetzelfde heeft gedaan als ik zo lang met mijn eigen verhalen heb gedaan? Alles wat we elkaar vertelden was onvolledig, we trokken de waarheid zo ver uit elkaar dat hij dun werd en er gaten in kwamen waar licht doorheen scheen.

'Ik was die avond met Casey helemaal niet van plan. Dat weet je toch?'

'Dat weet ik,' zeg ik. 'Ik heb ook heel veel fouten gemaakt. Vooral met jongens. Dat gedeelte snap ik best.' Ik staar weer naar de knoop op de vloer, helderwit tegen het donkere hout. Ik wou dat ik erop kon drukken en dat er dan een verborgen gang naar het meer van Red Falls tevoorschijn zou komen, waarin ik onder water kon ademen en naar de zon kon kijken die op het wateroppervlak scheen.

'Fouten? Delilah Elizabeth Hannaford, de enige fout die ik heb gemaakt is dat ik jou niet de waarheid heb verteld. Casey was geen fout. Vanaf het moment dat ik wist dat ik zwanger was, heb ik nooit spijt gehad van die avond – niet één keer – want daardoor heb ik jou gekregen.'

Mam kust me op mijn kruin en trekt me dichter naar zich toe. Haar borst gaat hortend en stotend op en neer als haar armen me harder tegen zich aan drukken.

'Maar waarom heb je me hiervandaan gehaald?' vraag ik. 'Waarom kwamen we hier nooit meer? Waarom mochten we niet meer over ze praten? Goed, oma was boos. Maar heeft ze het contact echt alleen verbroken vanwege die ene keer van jou en Stephanies vriend?'

Mijn moeder haalt diep adem, kijkt uit het raam en trekt een zakdoek uit de zak van haar badjas.

'Je oma was een moeilijke vrouw. We konden geen van allen echt goed met haar opschieten, vooral Steph niet. Ze waren het nooit ergens over eens en toen Rachel en ik ouder werden en uit huis gingen, bleef Steph alleen met ma achter.

Toen Stephanie doodging voelde ma zich heel schuldig over hun relatie en ze verweet mij en Rachel dat we haar niet hadden kunnen redden. "Jullie waren haar zussen," zei ze steeds. "Jullie zouden wel hebben gezien dat er iets mis was, maar jullie hadden het te druk om je over Red Falls te bekommeren."

Uiteindelijk werd dat minder, maar Delilah, je moet je realiseren wat zelfmoord, wat elke dood onder verdachte omstandigheden, doet met degenen die achterblijven. Dan heb je niet alleen verdriet om degene die je verloren bent, maar daar ligt dan ook nog eens een hele laag schuldgevoelens, beschuldigingen en angst overheen. We konden geen van allen over haar praten, omdat we ons allemaal verantwoordelijk voelden voor wat er was gebeurd. Waarom wisten we niet dat ze haar medicijnen niet goed innam? Waar had ze die slaappillen vandaan? Waarom heeft niemand iets gemerkt? Heeft ze zichzelf van het leven beroofd, of was het echt een ongeluk – een fout van een depressief meisje dat alleen maar wilde slapen die nacht? We konden er zelfs niet met mensen buiten de familie over praten, zoals Megan of een van haar andere vriendinnen. Iedereen wilde dat het iemand anders' fout was. We zochten allemaal iemand om de schuld aan te geven. Iemand om tegen te schreeuwen. Vooral Casey. Hij is hier niet weggegaan om wat er tussen ons gebeurd was. Hij is weggegaan omdat hij het niet aankon om hier te zijn zonder haar, met al die vragen, zonder ooit te weten of een van ons het had kunnen voorkomen. Hij had ons al verteld dat hij weg zou gaan, nog voor die avond op de kade. En hij is ook gegaan.'

Ik schuif heen en weer op het bed, sla mijn armen om mezelf heen als ik de trilling weer in mams stem hoor. Ze schudt haar hoofd en gaat verder. De rimpels tussen haar ogen zijn diep en lang.

'Weet je, als iemand vermoord is, kun je diegene gewoon missen en al je woede kun je kwijt in het haten van de moordenaar, zelfs als je niet weet wie de moordenaar is. Je kunt ook voor vergiffenis kiezen. Maar als iemand zichzelf van het leven berooft, dan is zijzelf de moordenaar. Dus we misten ons zusje en tegelijkertijd, als we eraan dachten dat ze het misschien zelf had gedaan, haatten we haar erom. Mijn god, het is nu bijna twintig jaar geleden en soms neem ik nog steeds de telefoon op in de hoop dat zij het is aan de andere kant van de lijn, dat ik het haar kan vergeven. Ik kan gewoon niet geloven dat ze echt... het gaat nooit weg, Delilah, dat gevoel. Het is er altijd.'

Mam drukt de zakdoek tegen haar ogen en een hele tijd zeg ik niks.

'Ik weet niet hoeveel jij je hiervan herinnert,' gaat mam verder, 'maar als we hier in de zomer waren, sloot je oma zich soms dagenlang op in haar kamer. Of ze ging bij een vriendin in de stad logeren, net zo lang tot ze het gevoel had dat ze het weer aankon om ons te zien. Het ging niet goed met haar, Delilah. Ze was ziek. Net als Stephanie.'

'Weet ik,' zeg ik. 'Ik heb haar medicijnen in het dressoir gevonden, die avond dat ik op haar kamer was.'

'Nou, die slikte ze al eeuwen, al voor we Stephanie verloren.'

'Ik denk dat ik daarom niet zo veel herinneringen aan haar heb,' zeg ik. 'Het lijkt erop dat ze niet graag bij ons in de buurt was.'

'Ze hield van je, Delilah. Ze liet het alleen niet zien, zoals opa. Dat kon ze niet.'

Mam heeft gelijk, opa was dol op me. Elke keer als hij me op zijn schoot zette en met me rondracete in zijn rolstoel, als hij de strips uit de krant voorlas of lachte om mijn stomme grapjes, wist ik dat ik het zonnetje in zijn leven was. Ik heb deze zomer minder aan hem gedacht dan aan oma en Stephanie en alle geheimen, maar als ik aan hem denk, mis ik hem weer, alsof ik vanmorgen pas gehoord heb dat hij dood is. Het is net alsof hij al die tijd bij ons is geweest en de dokters ons net gebeld hebben dat ze niks meer konden doen.

'Toen mijn vader doodging,' zegt mam, 'werd ik overmand door verdriet en schaamte. Ik moest er met iemand over praten. Ik moest iemand het geheim opbiechten dat ik bij me had gedragen sinds die avond met Casey. Dus vertelde ik het aan Rachel. Ik wist dat ze ervan zou schrikken en dat ze gekwetst zou zijn dat ik het haar nooit eerder had verteld. Ik wist dat het dingen tussen ons zou veranderen. Maar ik wist ook dat ze mij niet de rug zou toekeren... of jou. Mijn moeder heeft alles gehoord. Ze knapte. Ze zei vreselijke dingen tegen me. En ook tegen Rachel, terwijl die alleen maar naar mijn biecht had geluisterd.'

'Wat voor dingen dan?' vraag ik.

Mam doet haar mond dicht alsof het een dam is die de woorden tegen moet houden. 'Je moet bedenken dat ze zichzelf niet was, Delilah.'

'Maar ik...'

'Het is niet belangrijk meer. Ze is dood.'

'Voor mij is het wel belangrijk, mam. Ik wil het weten. Hou alsjeblieft eens op me te beschermen tegen mijn eigen geschiedenis.'

Mam pakt mijn hand, sluit haar ogen en knikt langzaam. 'Nadat mijn moeder erachter was gekomen dat Casey jouw vader is, beschuldigde ze me ervan dat ik jou van Stephanie had gestolen. Ze zei dat Casey en Stephanie zouden zijn getrouwd en dat jij van hen had moeten zijn. Op de dag dat we onze vader moesten begraven, ging ze enorm tegen Rachel en mij tekeer. Ze gilde het door het hele huis. Dat God de verkeerde had uitgekozen toen hij Stephanie tot zich had genomen. Dat hij een van ons had moeten kiezen. Dat we Steph niet eens hadden kunnen redden en dat we het daarom niet verdienden om te leven.'

Mam heeft een intense blik in haar ogen die ik niet herken, een verdriet dat ik nooit eerder heb gezien, ondanks onze lange en problematische geschiedenis. Het zorgt ervoor dat ik haar hier weg wil halen, dat ik voor één keer de moeder wil zijn en haar in mijn armen wil wiegen tot alles weer goed is. Ik heb haar zo vaak gehaat, die madam Claire Hannaford, met haar smile-before-you-dial, met dat gerinkel van al die mobiele communicatieapparaten van haar, maar nu zou ik alles geven voor een telefoontje van haar assistente. Haar de keel te zien schrapen, alles van zich af te zien schudden en de telefoon te beantwoorden, alsof ze het helemaal onder controle heeft.

'Jeetje, mam, wat erg voor je.' Ik leg mijn hoofd tegen haar schouder en knijp in haar hand, maar kan geen goede, troostende woorden vinden.

'Er is nog meer, Delilah,' zegt mam en ze ademt diep in om kracht te vinden. 'Rachel en ik stonden in de woonkamer van dit huis, dit huis waar we onze hele jeugd samen hebben doorgebracht, en daar hoorden we mijn moeder zweren op God dat ze, als Hij ons, ondanks al haar gebeden en opofferingen, zou laten leven, de rest van haar leven zou smeken dat Hij jou tot zich zou nemen, zodat... zodat ik zou weten hoe het voelde om een dochter te moeten begraven. En na alle ruzies van vroeger, na alle dagen dat ze niet tegen ons sprak, na alle gemene woorden waarvoor ze altijd haar ziekte als excuus had, was dat de druppel. Daarom zijn we weggegaan. Het maakte niet meer uit of het door haar depressie kwam, of door de schrik toen ze over Casey hoorde, of doordat ze haar man had verloren, of door de woede en het schuldgevoel over Stephanie, of door de medicijnen... die woorden deden de deur dicht. Daarna konden Rachel en ik het niet meer verdragen om bij haar in de buurt te zijn. Tegen de tijd dat onze woede een beetje was gestild, waren er jaren overheen gegaan. Het leven ging door en we zijn gewoon nooit meer teruggekomen. En nu is ze dood.'

Ik laat de woorden van mijn oma nog één keer door mijn hoofd gaan en probeer daarna aan de oranje pillenpotjes te denken. Ik probeer mezelf eraan te herinneren dat oma niet alleen aan een depressie leed, maar ook nog haar dochter verloren had, en haar man, en dat ze net te weten was gekomen dat ik het kind van het vriendje van haar overleden dochter was, die sindsdien uit hun leven was verdwenen. Diep vanbinnen verweet ze zichzelf waarschijnlijk dat Stephanie ziek was geworden en dood was gegaan. En ik geloof ook dat ze ooit van me heeft gehouden. Misschien al die tijd wel. Dat maakt het schroeien van die scherpe, wraakzuchtige woorden er niet minder om, maar het helpt om het iets beter te begrijpen.

Als ik geen vragen meer heb, pakt mam het roze sieradendoosje op dat in de vensterbank staat, het doosje dat ik bij de eerste inboedelverkoop heb gekocht.

'Wat is dit?' vraagt ze. 'Was het van haar?'

'Ik denk het wel. Iets in me zei dat ik het moest bewaren toen ik het tussen de spulletjes zag staan. Ik weet niet waarom...'

Maar ik weet wel waarom. De herinnering komt tevoorschijn als de eland in de ochtendmist.

'Dat is mijn tranendoosje,' zei oma. 'Als ik me verdrietig voel, doe ik het open en dan huil ik erin tot ik niet meer kan.'

'Mag ik ook in het doosje huilen?'

'Natuurlijk. Je mag hier altijd naartoe komen en het doosje pakken en in je hand houden en denken aan de dingen waar je verdrietig over bent. Het bewaart al ons verdriet, zodat we het niet alleen hoeven te dragen.'

'Stroomt het niet over?' vroeg ik. 'Van alle tranen?'

'Nee, Delilah. Dit is een magisch doosje. Er kunnen heel, heel veel tranen in.'

'Bent u nu verdrietig?'

'Ja. Maar ik ben ook gelukkig. Ik ben gelukkig omdat jij hier bent. Jij en je moeder en tante Rachel...'

'Ik weet het niet,' zeg ik weer, ook al weet ik het wel. De herinnering klopt, maar hij is alleen van mij en oma. 'Het doet me gewoon aan haar denken – aan haar goede kanten.'

'Het is prachtig.' Mam gaat met haar vinger over het fluweel aan de binnenkant. Dan sluit ze het dekseltje. Als ze het doosje weer in de vensterbank zet, kijkt ze even naar me. Ze moet nog steeds wennen aan de stiltes die soms tussen ons vallen.

'Ik hou van je, Engeltje,' zegt ze. Ze glimlacht, knijpt in mijn schouder, staat op van het bed en loopt de deur uit. De ceintuur van haar ochtendjas sleept als een mistflard tussen de bomen achter haar aan.

Hoofdstuk 31

Ik sta op de oever van Point Grace met mam en tante Rachel, schouder aan schouder, met onze rug naar het water aan de kant waar het meer van Red Falls het diepst is. Met z'n drieën kijken we naar de zee van gezichten, deinend boven de zwarte rouwkleding. Allemaal zijn ze hier om Elizabeth Rose Hannaford te herdenken. Jack is erbij en Luna en Megan en mensen die ik van de inboedelverkoop herken, zoals Alice met haar tasje van hondenhaar. De cakebaksters zijn er ook. Allemaal zijn ze hier om samen te rouwen en troost bij elkaar te zoeken.

Maar Patrick staat niet bij zijn vader. Zijn afwezigheid drukt op mijn hart, samen met het verdriet over het verlies van mijn opa en oma en de tante die ik nooit gekend heb, die ik heb verloren aan dood en depressie, aan zwijgen en oude wonden. Elke dag die voorbijgaat, vervaagt de hoop een beetje meer dat Patrick en ik elkaar ooit weer onder de tribune zullen ontmoeten. Maar net als met de herinneringen aan mijn oma is het niet allemaal alleen maar naar. In de nasleep van onze breuk probeer ik aan de goede dingen te denken. Zijn bekende glimlach op de eerste dag na de lange zomers die we apart van elkaar hebben doorgebracht. De ijsjes op het Sugarbush Festival. Het vuurwerk onder de wilgen, de liedjes die hij zong, het zoenen... Het is allemaal nog te kort geleden om een herinnering te worden. Ik blijf me eraan vasthouden, ik ben er nog niet klaar voor om het te laten gaan.

In de wierook die Rachel heeft aangestoken onder de tafel, waarop de urn met de gegraveerde rozen staat, leest mijn moeder een oud gedicht voor over alles wat ongezegd blijft tussen de doden en de levenden. Ik laat me meevoeren op de cadans van haar stem, volg niet zozeer de woorden als wel de beelden en bedenk hoe onze levens elkaar hier in Red Falls hebben gekruist – levens die drie maanden geleden nog helemaal gescheiden waren. Na al die jaren van verdriet en verwijdering heeft mijn oma ons toch weer bij elkaar gebracht, ook al is het laat.

'Het was de wens van mijn moeder om gedeeltelijk over het meer van Red Falls te worden uitgestrooid,' zegt mam en ze dept haar ogen met een zakdoek. 'Ze zal ook begraven worden naast onze vader, Benjamin, en ons zusje, Stephanie.' Zij en tante Rachel tillen de urn van zijn voetstuk en dragen hem naar de rand van de oever. Rachel houdt het deksel vast terwijl mam een deel van de overblijfselen over het water uitstrooit. Overblijfselen. Terwijl het grijze stof als vallende sterren op het meer neerdwarrelt, kijk ik naar mijn familie en de mensen van Red Falls. Iedereen huilt en glimlacht tegelijk. We denken allemaal aan dezelfde persoon en dan realiseer ik me dat 'overblijfselen' het verkeerde woord is. De as van een lichaam is niet meer dan dat – as. Het stoffelijk overschot van onze botten. Wat overblijft, zijn de mensen die ze heeft achtergelaten. Het spoor van geschiedenis en liefde dat ze voor haar familie heeft nagelaten, hoe verwarrend en onvolmaakt ook. Als ik aan Elizabeth Rose Hannaford denk, dan herinner ik me niet de as op het meer van Red Falls of de pillenpotjes of de wrede woorden die ze mijn moeder acht jaar geleden in het gezicht spuwde. Ik zal me haar leven herinneren – de goede dingen. De mooie verhalen van de mensen uit Red Falls die haar daarna nog hebben gekend, toen ze eindelijk in staat was om onder de donkere wolk van haar depressie vandaan te kruipen en van haar tijd hier te genieten.

Elizabeth Rose Hannaford de moeder. De oma. De stam van de boom waar we allemaal van afstammen en die ons doet bloeien.

Terwijl we beginnen aan de stille tocht naar de auto's beneden die ons naar de begraafplaats zullen brengen, kijk ik om naar de oude treurwilg – onze vuurwerkwilg. En daar staat Patrick, naast de wirwar van bladeren, in een donker pak, met zijn handen rustig voor zich gevouwen terwijl we langs hem lopen. Als we bij de auto's zijn kijk ik nog eens om, maar hij is verdwenen.

De dienst op de begraafplaats is korter en kleiner, met alleen haar dierbaarste vrienden en wij, alleen degenen die weten wat de inscriptie op haar steen betekent: ELIZABETH ROSE 'OLLIE' HANNAFORD. En weer staat Patrick op de achtergrond. Hij komt niet dichterbij.

Als mam na haar laatste woorden de gedichtenbundel sluit en de mensen witte rozen op de urn leggen, vraag ik of ik even alleen mag zijn met oma en Ollie.

Ik haal het roze tranendoosje uit mijn zak en volg oma's instructies op. Ik doe het dekseltje open, ga met mijn vinger langs het fluweel en geef me over aan mijn verdriet, terwijl ik het doosje tussen de bloemen leg.

'Zodat je het niet alleen hoeft te dragen,' fluister ik, nog steeds hopend op het teken waar ik die avond in haar slaapkamer naar op zoek ging, toen ik haar boeken las en haar sieraden uitprobeerde. Ik wacht, ogen dicht, ogen open, maar er gebeurt niets. Er komt geen regen uit de grijze hemel. De bomen verroeren zich niet. Er komt geen wind opzetten, noch splijt de grond uiteen om de doden uit hun eeuwige slaap te wekken.

Maar ze heeft me gehoord. Dat weet ik zeker.

'Delilah?'

Als ik me bij het graf van mijn oma omdraai, zie ik het meisje aan komen lopen. Mijn gezicht brandt van schaamte.

'Emily! Ik... het... ik wilde niet... bedankt dat je gekomen bent.'

Em schudt haar hoofd, slaat haar armen om me heen en trekt me dicht tegen haar donkergroene jurk aan. 'Ik vind het zo ontzettend erg van je oma, Delilah. En van alles wat jouw familie heeft doorgemaakt. Ik kende Liz niet zo goed, maar ze was bevriend met Luna. Ze kwam wel eens koffiedrinken en dan gaf ik haar het gebak dat over de datum was mee voor Ollie. Hij hield het meest van de sinaasappel-cranberryscones.'

Ik glimlach en zie een grote lobbes van een sint-bernard voor me, die met zijn pink omhoog scones zit te eten.

'Bedankt, Em. Ik ben zo blij dat je er bent. Ik wilde graag met je praten na alles wat...'

'Nee, luister eerst even naar mij. Ik weet dat dit niet de beste plek is hiervoor, maar ik moet iets zeggen.' Emily trekt zich los, maar houdt haar handen stevig op mijn armen. Haar helderblauwe ogen branden en ik weet dat alles wat ze nu gaat zeggen gemeend is. Ik kijk haar aan in afwachting van de boze woorden die ik zo verdien.

'Weet je wat jouw probleem is, Delilah Hannaford?' Em kijkt dwars door me heen. 'Jij weigert te zien wat recht voor je staat. Jij vindt het gemakkelijker om redenen te verzinnen om mij niet leuk te vinden dan om te accepteren dat iemand misschien graag je vriendin wil zijn.

De eerste keer dat ik je ontmoette wist ik meteen dat jij anders was. Meer dan wat er op je gezicht te lezen stond, dat was duidelijk. Ik vertrouwde je. Jij was niet zoals al die andere meisjes die de hele zomer achter Patrick aan zitten. Hij wist dat ook. We hebben zo veel plezier gehad met z'n drieën. Je was nooit jaloers en je deed nooit moeilijk over mijn vriendschap met hem, tot die dag bij hem thuis. En dat was zo raar, want Patrick en ik zijn zo ongeveer broer en zus, op zo'n manier hou ik van hem. Ik hou van jullie allebei op die manier. Maar je keerde je helemaal tegen mij.'

'Emily, het spijt me. Ik dacht gewoon...'

'Patrick kon niet eens meer optreden op die donderdag na jullie ruzie bij het meer, omdat hij zo overstuur was. Hij zei dat zijn stembanden overbelast waren, maar we wisten allemaal wel beter. Ik probeerde met hem te praten nadat ik jou aan de telefoon had gehad, maar ik kon niet tot hem doordringen. Hij zat de hele week non-stop koffie te drinken aan de bar en zei steeds maar dat hij alles verpest had. We wisten allemaal dat het weer goed zou komen als hij maar met jou zou gaan praten. Maar hij wilde geen advies. Hij ging maar door... "Delilah dit, Delilah dat." Afgelopen zaterdag was hij helemaal in de war toen hij bij Luna's wegging, dus ben ik hem achternagegaan om nog één keer te proberen hem bij zinnen te brengen. Hij vroeg of ik wist wat er die avond bij jullie thuis gebeurd was, of ik wist waarom je zo overstuur was. Ik kon niet tegen hem liegen, Del. Ik heb hem alles verteld. Hij wilde net naar je op zoek gaan toen jij kwam opdagen en alles weer verpestte. En trouwens, jij-die-denkt-dat-je-alles-zo-goed-doorhebt, er is...'

'Em, hou op, oké? Nu wil ik iets tegen jou zeggen. Het spijt me. Het spijt me echt heel erg dat ik je zo behandeld heb en zo tekeer ben gegaan. Ik dacht niet echt dat jullie iets met elkaar hadden. Ik zat er gewoon helemaal doorheen die dag. Dat is geen excuus, maar zo was het wel, en als ik je vriendin weer mag zijn, zal ik de rest van de zomer heel erg mijn best doen om het allemaal weer goed te maken.'

Bij de grafstenen van mijn familie kijkt Em me aan. Er hangt een sterke geur van rozen en verse aarde tussen ons in.

'Eigenlijk,' ga ik verder, 'zat ik er al een hele tijd doorheen. Voor ik hier kwam al. Gedoe met mijn familie, zoals je gemerkt hebt. Gedoe op school. Gedoe met vrienden. Gedoe met mezelf vooral.'

Em lacht en schudt haar hoofd. 'Welkom bij de club.'

'Ik sta aan het hoofd van die club,' zeg ik.

'Ik aanvaard je excuses als je mij tweede man laat zijn.'

'Afgesproken.'

'Dan vergeef ik je.'

'Zomaar?' vraag ik.

'O, hou nou toch op, Delilah. Je bent het eerste leuke meisje in Red Falls sinds... nou ja, sinds ooit. Ik weet niet hoe het in Pennsylvania is, maar de meisjes in Vermont? Die laten zich niet door stomme ruzies uit het veld slaan.'

'Aha. Dan denk ik dat mijn hele familie afwezig was op de dag dat die les gegeven werd.'

'Tja, nou... waarschijnlijk was mijn vader die dag op stap met jouw familie.'

Ik lach. 'Nog geen vorderingen aan het vaderfront?'

Em haalt haar schouders op. 'Hij draait wel weer bij. Hij heeft gewoon wat tijd nodig om te accepteren dat zijn kleine meisje... nou, je weet wel...'

'Groot is geworden?' vraag ik. Hoewel ik het gevoel heb dat ik tegenwoordig twee vaders heb, zijn vader-dochterrelaties me volkomen vreemd.

Em kijkt me aan, haar glimlach verflauwt. 'Dat zijn kleine meisje... op... meisjes valt,' zegt ze.

'Op... wat zei je?'

'Op meisjes valt, Delilah.' Emily knikt langzaam, kijkt naar me alsof ze kan zien hoe alles in mijn hoofd op zijn plaats valt als ik terugdenk aan de zomer die we samen hebben doorgebracht. Had zij het ooit over jongens als ik het over Finn en Patrick had? Heeft zij ooit de naam van een ex genoemd of zelfs maar van iemand op wie ze verliefd was? En dan die ruzie bij Patrick thuis. Toen zei ze dat ze... Mijn god, ze heeft waarschijnlijk wel honderd keer geprobeerd om het te vertellen, maar ik was zo druk bezig om iedereen te laten praten over dingen die ze zich eigenlijk niet wilden herinneren dat ik niet eens doorhad dat er iemand was die zelf graag ergens over wilde praten.

Mijn ogen vullen zich met tranen.

'Weet je nog die vriendin in Montreal?' vraagt ze. 'Ze heet Kate.'

'Is ze meer dan een gewone vriendin?'

Emily knikt en pakt mijn handen. 'Niet boos zijn dat ik het niet eerder heb verteld. Ik wilde het wel. Het is alleen niet iets... ik bedoel, het is niet zo heel gemakkelijk om erover te beginnen, zeker niet met een vriendin – eh, een gewone vriendin bedoel ik. Ik ben altijd bang dat ze denken dat ik iets van ze wil en dan wordt het allemaal heel raar en ik ben er zo moe van om hierdoor vriendinnen kwijt te raken. Ik wil gewoon mezelf kunnen zijn en ik zou het heel leuk vinden als je Kate zou ontmoeten en ik hoop echt...'

'Emily?'

'Ik weet dat ik het je eerder had moeten vertellen, ik was gewoon...'

'Em!'

Ze kijkt me aan, de tranen lopen over haar wangen als ze haar handen loslaat en langs haar lichaam laat vallen.

'Denk je dat we onze tranen lang genoeg kunnen inhouden om een hapje te gaan eten?' vraag ik terwijl ik een arm om haar heen sla. 'Ik bedoel zonder al die begrafenismensen erbij? Volgens mij hebben we een hoop bij te praten. En bovendien, ik bárst van de honger.'

Even worden haar ogen heel groot. Dan lachen we tot onze tranen opgedroogd zijn, lang en luid genoeg om alle doden te wekken, inclusief mijn oma, wier graf stilletjes achter ons ligt. De bloemen hangen over één kant van de zwart met gouden urn, alsof ze naar ons knipogen.

Hoofdstuk 32

Vanavond is Patricks laatste optreden van deze zomer.

Misschien wil hij niet dat ik erbij ben, maar ik heb Emily beloofd dat ik het zou proberen. Terwijl ik toekijk hoe hij de snoeren aansluit, de lichten afstelt en zijn lijstje controleert, weet ik dat als ik het nu niet goedmaak, ik volgende week weg zal gaan uit Red Falls en nooit meer zal omkijken, definitief uit zijn leven zal verdwijnen.

'Gaat het?' vraagt Emily als ze mijn koffie verkeerd met chocolade- en hazelnootsmaak neerzet. Ik kijk hoe de stoom omhoogkringelt en dat doet me denken aan de eerste dag in het huis aan het meer, toen Rachel wierook in de vensterbank brandde. Om het kwade te verdrijven en het goede binnen te halen.

Ik haal mijn schouders op. 'Nee, maar dat houdt me niet tegen.'

Ze knijpt in mijn schouder. 'Deze is van het huis.'

'Bedankt, Em.'

De regen, die tijdens oma's begrafenis even was opgehouden, geselt de stoep buiten steeds harder terwijl de zon ondergaat. Het licht achter de ramen van Luna's, de verse koffie en de muziek trekken een hoop toeristen die op zoek zijn naar een schuilplaats en al snel heeft Patrick een groter publiek dan hij de hele zomer heeft gehad. Er zijn zelfs meer mensen dan bij zijn optreden op Onafhankelijkheidsdag. Ik kan het podium bijna niet meer zien, maar ik ben blij met de extra laag lichamen tussen Patrick en mij.

Als hij een kwartier bezig is, zijn er inmiddels zo veel mensen in het café dat ik bijna verwacht mam en Rachel te zien. Het lijkt wel alsof alle mensen van Red Falls de regen zijn ontvlucht om het optreden bij te wonen. Op een andere avond zou ik het helemaal warm hebben gekregen van de energie die er hangt – iedereen zingt mee en juicht en fluit na elk liedje, Patrick maakt het publiek aan het lachen met zijn charmante inter-mezzo's, de cappuccinomachines sissen en pruttelen en dampen en Emi-ly en Luna moeten zich haasten om alle bestellingen bij te houden. Dit is zo'n avond waar mensen hun vrienden later over vertellen, een laatste ode aan de zomer voordat met het vallen van de gouden herfstbladeren het gewone leven weer begint.

Ik bestel nog een koffie verkeerd en sla hem snel achterover. Het brandt, maar dat is beter dan het brandende gevoel dat ik in mijn maag krijg elke keer als ik over het publiek heen naar Patrick kijk, de kuiltjes in zijn wangen zie als hij lacht terwijl ik weet dat zijn lach niet langer voor mij bestemd is.

Tegen de tijd dat Patrick bij zijn laatste nummers is, heb ik vier koffie verkeerd op. Ik heb mijn verhemelte verbrand, mijn botten trillen van de zenuwen en ik weet nog steeds niet wat ik moet zeggen. Hoe moet ik me ervoor verontschuldigen dat mijn verlangen naar hem zo groot is dat ik er bang van word? Hoe moet ik me excuseren voor wie ik ben? Voor alle fou-ten en slechte beslissingen die hiertoe hebben geleid, terwijl ik tegelijkertijd weet dat ik hem zonder die fouten niet eens zou hebben teruggevonden?

Ik had hier vanavond niet moeten komen. Ik heb niets te zeggen, ik kan het allemaal niet uitleggen en ik kan de woorden niet vinden om een poging te wagen. En Patrick, die daar uit volle borst staat te zingen, is er duidelijk al overheen.

Het plafond komt naar beneden en de muren komen op me af. De menigte... verplettert me... De warme kaneellucht... verstikt me... Ik moet hier weg...

Ik wring me door een dicht op elkaar gepakt groepje mensen bij de deur heen, stoot tegen hete koffie en ellebogen aan en het is nog maar vier stappen naar de deur, nog twee, één en dan ligt mijn hand op het glas, klaar om hem open te duwen, klaar om de frisse buitenlucht in te ade-men. Er komt al wat door de opening als ik naar voren buig, één voet is bijna over de drempel... kon ik maar...

'Het laatste nummer heet "In een zucht". Het is voor jou.' Patricks stem schiet als een pijl door het publiek. En nog voor ik naar het podium kijk, weet ik dat hij mij bedoelt. Ik snuif nog een laatste beetje koele lucht op, dan laat ik de deur weer dichtvallen en draai me om. Hij sluit zijn ogen, gaat dicht bij de microfoon staan en het hele café valt stil. Zelfs de

cappuccinomachines lijken even op te houden met sissen om dit nummer te horen. Het laatste. Voor mij.

De stemmen om je heen
Maken je langzaam kapot
Je wankelt aan de rand van de afgrond

Een zucht
Je ogen gaan op slot
Een sonnet vervalt in haperend rijm

Verdwaald in een geheim
Laat je niemand meer toe
Ze weten toch niet wie je bent

Ik sta erbij
kijk hoe jij je afwendt...

Was ik vogelvrij
Ik zou met jou willen verdwalen
De roos onder de treurende wilg weghalen

Vertrouw op mij
Ik zou alles achterlaten
Samen deze plek verlaten

Alles opgeven en gaan

Ik zou alles opgeven en gaan
Het tij is goed, lief, kom met me mee
De rivier golft in een zucht naar de zee

Vertrouw op mij

Want was ik vogelvrij
Ik zou met jou willen verdwalen
De roos onder de treurende wilg weghalen

Vertrouw op mij
Ik zou alles achterlaten
Samen deze plek verlaten

Alles opgeven en met jou in het diepe springen...

De laatste regel is zachter dan de rest, zonder gitaar, alleen Patricks stem die overgaat in gefluister. Mijn gevoel is zo groot dat het niet in me past. Ik kan niet... ik kan hier niet blijven.

De voordeur lijkt zo ver weg en mijn benen voelen te zwaar om me door de menigte, die verpletterende, verstikkende menigte, heen te wringen. Dus draai ik me om en loop langs de muur naar de zijdeur met het bordje NOODUITGANG – ALARM. En het alarm gaat af. Het loeit door de regen alsof de wereld vergaat. Ik weet niet hoe lang het blijft loeien. Tegen de tijd dat Luna het afzet, ben ik al halverwege de straat. Achter me gloeien de lichtjes boven het café als kleine fluorescerende bloemetjes in de regen. Ik tril van de koffie, van het liedje en van iedereen die naar me keek. Op mijn gezicht vermengen de tranen zich met de regen, en wat er ook gaat gebeuren, het kan me allemaal niets meer schelen. Ik wil alleen nog maar dat alles ophoudt. Ik wil alleen nog maar Finns oude zilveren Toyota drie keer zien flitsen onder de lantaarnpaal, zodat ik kan instappen, naar onze plek in het bos gaan, niet praten en mijn hele leven vergeten, want alles wat het waard is om me te herinneren doet veel te veel pijn.

'Delilah, wacht!' Patrick komt me door de straat achterna. 'Alsjeblieft,' zegt hij met zijn hand uitgestoken alsof het zijn laatste kans is om me op te vangen, zijn laatste kans om me vast te grijpen voordat ik voorgoed in het meer van Red Falls verdwijn.

Ik blijf staan, maar ik weet niet of ik dat doe omdat ik dat wil of omdat ik te moe ben om door te gaan. Ik laat hem op adem komen. We staan een hele tijd midden in Main Street en dan barst ik uit, tegen het ritme van de regen op de stoep aan onze voeten in.

'Ik weet gewoon niet meer wie ik ben, Patrick. Ik doe echt niet alsof. Ik voel me zo verloren.' Het is waar. Ik had nooit gedacht dat het zo moeilijk zou zijn om te zeggen, maar dat is het wel. Na alles wat ik met hem gedeeld heb, voelt dit, deze bekentenis, die woorden geeft aan dat knagende gevoel diep in mijn binnenste, schaamteloos intiem.

'Jij bent Delilah Hannaford,' zegt hij hoofdschuddend. 'Het meisje dat klaagt als ze met haar handen moet werken en bang is in het reuzenrad en de supermarkt Smeldorado noemt.' Zijn glimlach is droevig en kwaad tegelijk.

'Nee. Je begrijpt het niet. Al die dingen, dat is hoe ik bij jou ben, als wij tijd met elkaar doorbrengen en hekken verven en naar jouw kamer sluipen alsof alles hier in Red Falls nooit voorbijgaat. Maar het gaat wel voorbij en dan moet ik terug naar...'

'Nee, dat hoef je niet, Del. Dat laat ik niet gebeuren. Het spijt me. Het was niet mijn bedoeling om het allemaal zo uit de hand te laten lopen. Ik was gewoon...'

Ik schud mijn hoofd. 'Je hoeft niet...'

'Maar ik wil het. Ik wil dit zeggen. Soms voel ik alles gewoon heel heftig en dan weet ik niet wat ik met die gevoelens aan moet en dan ga ik allemaal verkeerde dingen zeggen, maar nu niet. Vanavond niet. Die avond bij Heron Point, het was zo moeilijk om je van me af te duwen. Ik vond het verschrikkelijk om je gezicht te zien, hoe je instortte toen ik ophield met zoenen. Je moet echt geloven dat ik bijna doodging. En die dag bij mij thuis met Em – ze had net verteld wat er tussen jou en je moeder was gebeurd en dat je erachter was gekomen wie je vader is. Ik had haar gedwongen te vertellen wat er met je aan de hand was en...'

Hij praat razendsnel, komt bij elk woord dichterbij. Ik draai mijn gezicht naar de lucht, doe mijn ogen dicht en probeer me op het gevoel van de regen op mijn huid te concentreren. Hij fluistert mijn naam, keer op keer. Eerst vragend, later niet meer. Ik ril en voel hoe hij dichterbij komt, zijn handen gaan naar het kraagje van mijn T-shirt en hij stopt zijn vingers eronder. Ik doe mijn ogen weer open en snel trekt hij me naar zich toe, dicht tegen zich aan. Zijn gezicht krijgt een zachte en serieuze uitdrukking. Hij is zo dichtbij dat ik de regendruppels die van zijn wimpers vallen kan tellen.

'Niet doen,' fluister ik.

Zijn hoofd gaat heen en weer. Mijn mond gaat open om nogmaals te protesteren, maar hij weet dat ik het niet meen. Zijn vingers gaan langs mijn lippen, langs het zilveren hartje op mijn sleutelbeen. Zijn ogen volgen, zijn handen gaan door mijn haar, onze harten bonzen. Mijn ogen gaan vanzelf weer dicht en dan gebeurt het: zijn mond verlangend op de mijne, zijn adem heet op mijn lippen.

'Delilah Hannaford,' zegt hij en hij stopt net lang genoeg om het te zeggen. 'Ik laat je niet meer zomaar verdwijnen. Ik meende wat ik zei die avond aan het meer.'

'Ik geloof je,' fluister ik in zijn oor, ademloos, uitgeput en niet meer in staat om te liegen. 'Ik geloof je.'

De grond trilt en draait, verdwijnt onder mijn voeten als ik in zijn armen val en me overgeef, terwijl de regen alle verdriet van me afspoelt en langs de heuvel in het meer van Red Falls laat stromen.

Hoofdstuk 33

De dag voordat we vertrekken uit Red Falls is het merkwaardig stil als ik wakker word. Geen boormachines, gehamer of gezaag. Geen koopjesjagers die proberen af te dingen. Geen taxateurs of notarissen om ons naar het definitieve afscheid te begeleiden.

Voor het eerst sinds we hier zijn hoor ik de vogels buiten zingen en tsjirpen en elkaar goeiedag wensen, van hier helemaal tot aan het meer.

Langzaam kom ik uit bed en rek me uit. Ik geniet ervan om even alleen te zijn als ik mijn kleren uit de kast begin te halen en mijn koffers begin in te pakken. Ik bewaar Holden Caulfield voor morgen, maar de hondentrui pak ik in, evenals Patricks groene plectrum, de steen met onze initialen en mijn nieuwe vriendin Boe, met haar eigenaardige glimlach. Ik heb haar uit de vensterbank van oma's keuken meegenomen als herinnering aan alles wat er deze zomer gebeurd is; hoe gemakkelijk iets kan breken, maar ook hoe sommige dingen weer samengevoegd kunnen worden, in hoeveel stukken ze ook uiteengevallen zijn. Net als Boe zal mijn familie misschien nooit meer zo sterk worden als ze ooit was. Er zijn stukjes uit, er zitten barsten en krassen in. Maar sommige daarvan kunnen gerepareerd worden, stukje bij beetje hersteld worden tot iets wat nog veel meer gekoesterd wordt, iets waar nog veel meer van wordt gehouden, iets unieks. Daar werk ik nu aan. Daar houd ik me aan vast.

Ik weet niet wat me in Key te wachten staat. Ik krimp ineen bij de gedachte aan de laatste dagen dat ik daar was, de enorme puinhoop die ik ervan gemaakt heb, mijn fotogenieke Finntimiteiten, de vrienden die ik zonder uitleg heb achtergelaten. We hebben misschien weinig meer gemeen, maar het blijven wel mijn klasgenoten. We zullen elkaar nog wel in de gangen van Kennedy High blijven tegenkomen tijdens onze voorbereidingen voor de examens komende lente. Het zal dit jaar anders zijn, maar ooit waren we bevriend, net zoals de mensen in Red Falls ooit bevriend waren met mam en Rachel. En misschien is er nog een manier, een nieuwe manier, een andere manier waarop we weer bevriend kunnen raken, net zoals de mensen in Red Falls elkaar na het overlijden van oma weer terugvonden.

Maar als dat niet zo is, als de manier waarop ik mijn leven heb veranderd ze niet bevalt, dan moet ik dat accepteren. Dan moet ik me daarbij neerleggen. Emily, Megan, Jack, Luna, Patrick... zij hebben me laten zien wat echte vriendschap is. Die is nooit perfect, maar wel belangrijk. En nu ik die heb leren kennen, doe ik het niet meer voor minder.

Wat betreft mijn scharrel, Finn, voor hem is geen plaats meer in mijn leven. Als ik aan hem denk en aan onze plek in het bos, dan stromen al mijn gedachten rechtstreeks Seven Mile Creek in en verdwijnen. Ik mis hem niet. Finn en ik hebben elkaar nooit gekend. Elkaar kennen was niet ons ding. Hij maakte het alleen makkelijk om alles te vergeten. Hij hielp me van mezelf weg te rennen zonder te weten waar ik eigenlijk naartoe ging.

Ik heb geen spijt van mijn tijd met hem. Zonder het donkere contrast van Finn had ik misschien wel nooit het licht van Patrick gezien. In die zin zal ik hem altijd dankbaar zijn dat hij in mijn leven is geweest.

Maar ik ren niet meer weg.

Ik haal mijn telefoon uit mijn zak en open zijn laatste sms'je – het sms'je dat hij stuurde vlak voordat hij me die laatste avond in Key op de hoek opwachtte.

Van8? Spst?

Zoals gewoonlijk gaat er iets door me heen, maar dit keer is het iets wat weggaat. Ik voel hoe het opkomt als ik zijn nummer verwijder, zich over mijn lichaam verspreidt tot het bij mijn vingertoppen is en dan in het niets verdwijnt. Wat er ook gebeurt als we terugkomen uit Red Falls, dat meisje – zij die om middernacht onder de lantaarnpaal stond te wachten om in het bos te verdwijnen en alles te vergeten – dat meisje is er niet meer.

'Heb je alles ingepakt?' vraagt mam als ze mijn slaapkamer binnen komt.

'Het grootste gedeelte.' Ik haal mijn schouders op en kijk door het raam naar een zeemeeuw die over het grasveld scheert. Mam doet een pluk haar achter mijn oor en ik merk dat ik weer die oude vertrouwde muur om me heen optrek, waar ik dit jaar zo goed in ben geworden. Het gaat al iets beter en ik hoop dat we in de loop der tijd leren elkaar te vergeven. Maar is dat genoeg? Zal het ooit genoeg zijn?

'Delilah, ik weet dat je nog bezig bent om alles wat er gebeurd is te verwerken,' zegt ze. 'Je hebt veel om over na te denken. Ik verwacht niet dat je er zomaar ineens overheen bent. Je hebt tijd nodig, zoveel als het kost.' Ze legt haar hand op mijn knie.

'Het dringt nog helemaal niet tot me door,' zeg ik. 'Niet echt. Soms probeer ik erover na te denken en dan is het zo onwerkelijk dat mijn hersens net doen alsof het allemaal een film is. Een verhaal. Niet mijn leven.'

'Dat begrijp ik. Maar ik wil dat... Ik wil dat we voortaan open tegen elkaar zijn. Geen geheimen meer.' Mam knikt en begint sneller maar zachter te praten. 'Als je nog vragen hebt over je vader of over mij of over je familie, stel ze maar. Dat meen ik. Misschien heb ik niet alle antwoorden, maar ik beloof dat ik eerlijk zal zijn.'

Ik adem diep in. 'Mam, weet Casey Conroy van mij?'

'Ik heb Casey sinds die avond niet meer gezien,' zegt ze. 'En ik denk niet dat mijn moeder hem heeft opgespoord nadat ze erachter was gekomen. Ik denk niet dat hij weet dat jij bestaat, Delilah. Ik geloof dat ik altijd wel heb geweten dat je vroeg of laat achter de waarheid over je vader zou komen, of ik het je nu zou vertellen of niet. En hoe moeilijk ik het ook vond om te accepteren, ik wilde ook dat het jouw beslissing zou zijn of we het hem zouden vertellen of niet. Als jij besluit om naar hem op zoek te gaan, dan kunnen we contact opnemen met...'

Ik schud mijn hoofd. 'Daar wil ik nu nog niet over nadenken. Dat is nog te vroeg.' Ik voel een steek in mijn borst, maar ik vecht ertegen. Ik wil niet terug naar het verdriet waar ik me dagenlang in heb gewenteld na mams bekentenis.

'Van mij hoef je nu nog geen enkele beslissing te nemen over je vader,' zegt mam. 'Wat je ook wilt doen – als je iets wilt doen – ik sta erachter. Ik wil alleen dat je...'

'Mam, wat was Stephanie voor iemand?' vraag ik. 'Ik bedoel, voordat ze ziek werd.' Alles is anders nu. Ik heb het gevoel dat ze het wel zou willen vertellen.

Mam glimlacht. 'Je lijkt op haar, weet je dat? Dezelfde ondeugende glimlach, dezelfde ogen. Dat hebben we allemaal van oma, maar jij lijkt vooral op je tante, toen je klein was al. Megan en ik zeiden altijd dat er een deel van haar in jou voortleeft. Soms als ik je op een bepaalde manier zie, bijvoorbeeld in een spiegel of door een raam, dan zie ik haar. Vooral hier in het huis aan het meer.'

'Konden jullie het goed met elkaar vinden? Was ze grappig? Was ze slim?'

Mam knikt, haar gezicht licht op bij de herinneringen. 'Ze was beeldschoon, Delilah. Levendig. Impulsief. Een beetje roekeloos, net als jij. Dat bewonderde ik altijd in haar. En ook in jou, echt waar. Het gaat alleen tegen mijn moederinstinct in.'

Ik glimlach. 'Ja, dat snap ik nu.'

'Ja. Nou, Stephie was heel bijzonder, Del. Iedereen was gek op haar – je kon het gewoon niet helpen. Mijn vader ging er bijna aan onderdoor toen ze weg begon te zakken. En toen zaten Rachel en ik al op de universiteit, wij begonnen een nieuw leven op een andere plek. We hadden het niet meteen door. Maar daarvóór was Stephie het licht in ons leven, als een heel heldere ster. Maar dat zegt iedereen als er iemand dood is gegaan, hè?'

'Waarschijnlijk wel.' Ik heb nooit iemand gekend die op die manier is overleden, niet iemand die dicht bij me stond. Alleen opa, en ik kan me niet meer herinneren wat ze over hem zeiden bij de begrafenis, omdat toen die ruzie uitbrak en alles daardoor overschaduwd werd.

'Ja, dat zegt iedereen. Maar bij Stephie was het echt zo.'

'Ik wou dat ik haar gekend had.'

'Ik ook, Delilah. Weet je, ze was al een keer eerder bijna doodgegaan, toen ze ongeveer vijf jaar was. Ze viel in het meer. Ik moest op haar letten, maar Rachel en ik stonden te kibbelen op de kade. Ineens was Stephanie verdwenen. De stilte was oorverdovend. Ik was nog maar negen of tien, maar ik zal nooit, nooit de angst vergeten die ik voelde toen ik besefte wat er gebeurde.'

'Wat heb je gedaan?'

'Ik ben van de kade gesprongen en heb haar vastgegrepen, maar ze ademde niet meer. We renden naar huis. Jack was er. Hij nam haar uit mijn armen, legde haar op het gras en begon mond-op-mondbeademing te geven. Het was alsof de hele wereld stilstond in afwachting of ze zou gaan hoesten. Dat gebeurde. Het was voorbij. Jack is er nooit meer over begonnen, zelfs niet bij mijn moeder. Stephie praatte er ook niet over. Het was net alsof ze wist hoe gevaarlijk het was geweest. Hoeveel geluk... Daarna hebben Rachel en ik elkaar beloofd dat we haar nooit iets zouden laten overkomen.'

Mams ogen staren in de verte terwijl ze probeert een weg terug te vinden uit de kluwen van haar verleden.

'Toen ze stierf,' gaat ze verder, 'troostte het me een beetje dat we haar van het ongeluk in het meer hadden weten te redden. Alsof ze eigenlijk die dag dood had moeten gaan, maar wij er nog veertien jaar bij hadden kunnen smokkelen. Ik weet dat we het nooit over haar hebben, maar mijn god, Delilah, ik mis mijn zusje nog dagelijks. Echt elke dag.'

Mam haalt diep adem, trekt me dicht tegen zich aan en vouwt zich om me heen. Terwijl mijn haar nat wordt van haar tranen dringt de waarheid als een donderslag boven het meer van Red Falls tot me door. Onder alle rollen die ze in dit leven vervult – madam Claire Hannaford, Rachel en Stephanies zus, Caseys van verdriet doordrenkte vluggertje, opa en oma's dochter, mijn moeder – is ze gewoon een mens, net als ik. Kwetsbaar, feilbaar en onvolmaakt. Ze kan de meest gruwelijke fouten maken en af- schuwelijke pijn veroorzaken. Maar ze kan ook heel veel liefde geven.

Ik sla mijn armen om haar heen en blijf stil zitten, op de een of andere manier dankbaar voor de kronkelige, met stenen en wortels bezaaide weg die ons hier heeft gebracht.

'Je bent vast benieuwd naar dat Devlin-personage,' zegt ze. Het is vreemd om hem zo te horen noemen – een personage – alsof hij alleen bestaat in een boek en niet als de man die ik, hoe onterecht ook, heb leren kennen als mijn vader. Met een schok realiseer ik me dat ik, sinds ik weet hoe het echt zit, helemaal niet meer aan hem heb gedacht – niet op de manier die mams plagerige toon suggereert. Het is net alsof ik vanbinnen ruimte heb gemaakt voor twee versies van het verhaal, één ware en één veilige, die ik goed ken, waarvan ik zou willen dat hij waar was. En zelfs toen mam expliciet zei dat Thomas mijn vader niet was, zelfs toen ik te- gen haar schreeuwde en het huis uit rende, is een deel van mij blijven geloven dat hij het wel was. Dat hij, waar hij ook is, alle mooie momenten in mijn leven heeft gezien en gedeeld, alle teleurstellingen op de een of andere manier heeft gadegeslagen. Dat hij dwars door alles heen zijn hand heeft uitgestoken en over mijn rug heeft gewreven en gezegd heeft dat alles wel goed zou komen, ook al kon ik zijn woorden niet horen en zijn beschermende handen op mijn schouders niet voelen. Vele jaren geleden, toen mijn moeder me voor het eerst het artikel over zijn dood gaf en vertelde over hun korte ontmoeting in Philadelphia, heb ik dat verhaal voor waar aangenomen. Dat is zo lang geleden. Ik heb Thomas zo lang met me meegedragen. En net als met een herinnering aan iemand van wie je houdt, kunnen een paar nachten zonder hem niet ineens uit mijn leven wissen. Niets zal hem nog kunnen uitwissen.

'Ik kwam hem tegen in een café in Philadelphia, precies zoals ik je verteld heb,' zegt ze. 'Hij vroeg waarom ik de etiketten van de bierflesjes aftrok voor ik ze leegdronk.'

'Dat doe je nog steeds,' zeg ik en ik denk aan de laatste keer dat ik haar een biertje zag drinken tijdens een picknick van DKI.

'Weet ik. Ik vind ze niet lekker voelen. In elk geval, hij zag dat en we raakten in gesprek. We bleven de hele avond zitten kletsen, tot het café dichtging. Tot op de dag dat jij die foto's in de kast vond, was hij de enige met wie ik ooit echt had gepraat over de dood van mijn zusje. Het was nog maar een paar weken na haar begrafenis. Het was zoveel gemakkelijker met hem, iemand die ik helemaal niet kende, dan met mijn eigen familie. Er was een moment, niet meer dan een kort ogenblik, waarop het anders had kunnen lopen, maar we lieten het voorbijgaan. Hij moest de volgende ochtend vroeg zijn vliegtuig naar Londen halen en dan door naar Afghanistan... Als ik die avond had geweten hoe dat zou aflopen, dan had ik misschien geprobeerd... Ik weet het niet, Del. We weten nooit wat het leven ons zal brengen. We zoenden en namen afscheid. Ik heb Rachel niet meteen over hem verteld, zelfs niet nadat ik had gehoord wat er in Afghanistan was gebeurd. Ik voelde me nog zo schuldig over Casey en ik was nog zo verdrietig om Stephanie. Ik heb het krantenartikel over zijn dood bewaard,' zegt ze en ze volgt met haar ene hand de lijnen in haar andere hand. 'Ik wilde me hem blijven herinneren. Kort nadat ik erachter was gekomen dat ik zwanger was, vond ik het krantenknipsel op mijn bureau en zo gebeurde het. Ik hoefde de waarheid alleen maar een beetje op te rekken en dan zou niemand gekwetst raken door wat er tussen Casey en mij was gebeurd. Vooral mijn kindje niet. Grappig eigenlijk, ik heb Thomas die nacht laten gaan omdat ik wist dat het toch nooit iets zou worden. Ik had nooit gedacht dat hij zo'n belangrijk deel van onze geschiedenis zou gaan uitmaken.'

Hij is misschien niet mijn biologische vader, maar Thomas Devlin was een bestaand persoon, een man die leefde en stierf voor zijn passie. Een man die een paar uur met mijn moeder heeft doorgebracht en die misschien, op de een of andere manier, nog steeds met mij verbonden is via datzelfde enorme, onzichtbare elastiek dat maar blijft oprekken en kronkelen en op de momenten dat we dat het minst verwachten weer terugspringt en ons allemaal weer bij elkaar brengt. Op die manier zal ik hem altijd als een deel van mij blijven beschouwen, en mij als een deel van hem, meer nog dan Casey. En misschien heeft Thomas op een bepaalde manier ook wel weet van mijn bestaan. Misschien waakt hij echt over me, probeert hij ons echt te vertellen dat het allemaal wel goed komt met ons. Met de dochter die bijna zijn dochter was geweest. Met de vrouw met de hazelnootbruine ogen.

Ik kijk naar de rimpels en lijnen in mijn moeders gezicht als ze me aankijkt. Voor nu is haar verhaal afgelopen. Ik weet dat het onlogisch is, maar vóór deze zomer leek het altijd alsof mijn moeder al helemaal volwassen was toen ze ter wereld kwam, helemaal aangekleed, tot aan de tanden bewapend met haar eigen logica, onaangetast door het leven. Al die tijd dat ik het zo druk had met een hekel aan haar hebben, heb ik er niet bij stilgestaan dat zij ook ooit jong is geweest, vol idealen. Dat mijn moeder, voordat ik er was, al een heel leven vol vreugde en verdriet, trots, angst en verwondering achter zich had. Dat er van alles onder dat wat ik ken zit, van alles wat ook deel uitmaakt van onze geschiedenis.

'Dus...' Mam rekt zich uit en slaat een arm om mijn schouders. 'Hoe gaat het met Patrick?'

'Wat?' Mijn hart begint sneller te kloppen. 'Weet ik niet. Hoe bedoel je? Waarom vraag je naar Patrick? Wat heeft hij gezegd?'

Mam glimlacht en wacht tot ik wat minder neurotisch doe. 'Rachel zegt dat ik me geen zorgen hoef te maken. Dat het uitstekend zal gaan tussen jullie, volgens de kaarten. Wat denk jij?'

Ik word knalrood als ze me aankijkt, maar ik glimlach. Ik kan het niet helpen. 'Ik weet niet waar je het over hebt.'

'Nee, nee. Kom op, Delilah. Ik ben niet blind. Ik heb gezien hoe jullie naar elkaar kijken.' Ze vouwt haar hand om mijn kin.

'Ja?'

'Ja. Beloof me alleen één ding.'

'En dat is?' vraag ik.

'Als je hem wilt zien, waar hij ook woont en waar jij ook woont en hoe laat het ook is, gebruik de voordeur, goed? Geen gedoe meer met ramen.'

Ik lach. 'Afgesproken.'

'Mooi. Pak de rest van je spullen in en kom naar beneden,' zegt ze en ze klopt op mijn knie. 'Patrick en Jack komen zo. Rachel en ik hebben iets te vertellen.'

Iets te vertellen?

Dat kan maar één ding betekenen.

Het huis is verkocht.

Ik pak het dagboek van Stephanie Hannaford uit de onderste la van de ladekast, waar ik al mijn zomerspullen uit heb gehaald. Als ik erdoorheen blader, weet ik bij het zien van Caseys naam dat het, als ik het opnieuw zou lezen, een totaal ander verhaal zou lijken. Elke zin zou gekleurd zijn door mams bekentenis. Als ik het goed zou lezen, zouden Stephanies herinneringen mij misschien meer kunnen vertellen over mijn biologische vader; wat voor soort persoon hij was voor ze doodging. Wat voor soort persoon hij zou zijn geweest als zijn leven was verlopen zoals het had moeten verlopen.

Ik denk weer aan Stephanies graf en het doet me pijn dat ik niet de kans heb gehad om haar in dit leven te leren kennen. Maar als Stephanie was blijven leven, was er niets tussen Casey en mam gebeurd en dan was ik niet verwekt. Blijkbaar was het niet de bedoeling dat we elkaar in dit leven leerden kennen.

Als ik voorbestemd was om het dagboek te vinden, dan heeft het universum zich daaraan gehouden. Ik heb het gevonden. Ik heb het gelezen. Nu moet het teruggegeven worden aan het huis. Het moet bewaard worden bij de geschiedenis van wie hier hebben gewoond, net zo lang tot het universum beslist dat iemand anders het weer moet vinden. Ik sluit het en ga nog een laatste keer met mijn handen over de vervaagde gouden roos op het omslag voordat ik het terugleg onder de vloer in de kast. Ik leg de plank die ik de eerste week los stootte weer over het gat en hamer er vier spijkers in, vlug en kordaat.

Heel even leg ik mijn hand plat tegen het hout, de laatste keer dat ik in deze kamer ben, voordat ik voorgoed afscheid moet nemen van het huis.

'Dag, tante Stephanie,' fluister ik. Er komt een briesje door het open raam naar binnen. De gordijnen bollen op boven het bed en als ik opkijk zie ik het rode kardinaaltje. Het zit op de rand van de vensterbank. Het kijkt me even aan, draait zich dan rustig om en zweeft weg.

Hoofdstuk 34

Als ik beneden naar de half ingepakte dozen met mams computeraccessoires en kledinghoezen kijk en naar de lepels en vorken die we voor onze laatste paar maaltijden hebben bewaard, voel ik me leeg vanbinnen. Morgen is de laatste keer dat ik dit huis zal zien. De laatste keer dat ik de haantjes boven de gootsteen zal zien dansen en de mieren onder het fornuis zal zien lopen. De laatste keer dat er herinneringen aan het huis van mijn opa en oma bij zullen komen.

Jack en Patrick zijn er en mam en Rachel willen dat we allemaal aan de grote tafel buiten gaan zitten om te horen wat ze te vertellen hebben. Vanuit de voortuin kijk ik op naar het huis. Voor het eerst sinds we hier in juni aankwamen kijk ik er echt naar. Ik weet dat de derde tree naar de veranda nog steeds kraakt. De luiken hangen niet honderd procent recht door het gewicht van de nieuwe verf en mogelijk ook door wat ontbrekend ijzerwaar – iets wat wel eens mijn schuld zou kunnen zijn. Er is geen garantie dat de goten schoon blijven, dat de verf niet weer zal afbladderen en dat er geen kardinaaltjes meer in de verbouwde serre kunnen komen.

Maar de luiken zijn met liefde geschilderd en opgehangen. De bloembedden zijn opnieuw beplant, de bomen en de kamperfoelie zijn gesnoeid. Het tapijt is gereinigd, de ramen weerspiegelen de hemel en het hele huis glanst als een baken van goud licht in het warme geel van de zon, hoog op de heuvel aan het meer van Red Falls. Net zoals de vrouwen die dit huis ettelijke jaren hun thuis hebben genoemd, is het huis beeldschoon. In zijn spleten en scheuren en barsten bewaart het onze herinneringen, onze verwachtingen en onze dromen. Vandaag valt al het werk van deze zomer samen, de luiken en de goten, de verf en de bloemen. En ik weet het zeker. Ik weet zeker dat het het waard is geweest.

We kwamen in Vermont om het oude huis aan het meer op te lappen. Maar uiteindelijk heeft het huis óns opgelapt. In mijn hoofd wist ik dat we het nooit meer zouden zien, het huis dat de Hannaford-vrouwen weer bij elkaar bracht. Maar mijn hart dacht daar anders over. Het had malle, onuitvoerbare ideeën, zoals dat we misschien, op de een of andere manier toch nog één zomer hier konden doorbrengen. Nog één keer Onafhankelijkheidsdag vieren op het Sugarbush Festival. Nog één week ramen lappen en luiken loshalen. Nog één vakantieperiode koffie verkeerd nippen met Em en luisteren naar Patrick bij Luna's.

'Jongens, kijk toch eens naar het huis!' zegt Rachel. Haar vaalroze T-shirt plakt aan haar lichaam door de hitte. 'Kijk eens wat we deze zomer allemaal voor elkaar hebben gekregen!' Ze slaat een arm om Jack heen.

'Het is prachtig,' zegt Jack. 'Ik heb heel wat huizen verbouwd, maar dit, man, dit ga ik echt missen.'

Ik adem diep in. De nazomerlucht is doordrenkt met de geur van kamperfoelie.

'Nou,' zegt mam, 'na drie maanden hard werken en een hoop tranen hebben Rachel en ik fantastisch nieuws.'

Patrick knijpt in mijn hand en ik zet me schrap voor het bericht waar ik al de hele zomer op wacht. Het bericht dat me niet snel genoeg kon komen toen we hier aankwamen. Het bericht waarvoor ik nu alles zou geven om het uit te stellen.

Mam snelwandelt over het gras naar het einde van de oprit. Er hangt een bord met een wit doek eroverheen aan een ijzeren paal in het grasveld. Ik vind het een beetje vreemd dat ze een bord met te koop neerzet, als ze al een bod geaccepteerd hebben, maar dat is waarschijnlijk weer een van die rare regels voor monumenten. Ik houd mijn hand voor mijn ogen tegen de zon terwijl mam het doek eraf trekt en een eenvoudig houten bord onthult dat zachtjes aan de paal heen en weer wiebelt.

DIT WORDT:
BED & BREAKFAST
DE DRIE GEZUSTERS
PENSION VAN DE FAMILIE HANNAFORD

'We wilden het jullie als eerste vertellen,' zegt Rachel. 'Vanaf volgende zomer nemen we reserveringen aan. Morgen staat het officieel aangekondigd in de plaatselijke krant.'

Die krant is nergens voor nodig. Zodra de buren het bord zien, worden we overspoeld met bezoekers en telefoontjes. Iedereen wil een rondleiding, meer weten, cake langsbrengen. Uren later, als alleen wij, Emily, Patrick en Jack nog aan de keukentafel zitten voor onze laatste gezamenlijke maaltijd, krijg ik pas de kans om vragen te stellen. Ik moet mijn opgetogenheid over het romantische plan nog zien te rijmen met het onwaarschijnlijke idee dat mam haar baan op zou geven.

'Ik ben heel goed in mijn werk, Del,' zegt mam. 'Het is jarenlang mijn eerste prioriteit geweest.'

'Precies,' zeg ik. 'Ik denk niet dat ze je laten gaan.'

'Een geboren projectmanager als jij?' vraagt Jack. 'Zo iemand zou ík nooit laten gaan. Als ook maar de helft van de projecten waar ik aan werk gerund werd zoals deze verbouwing, zou ik veel minder vaak thuiskomen met hoofdpijn. Dat zou ik dan alleen nog krijgen van dit jong hier.'

Patrick gooit een kerstomaatje naar zijn vader, maar mam gaat door. 'Ik heb me veel te lang begraven in projectontwerpen en andermans marketingplannen. Ik hou van mijn werk, maar het is veeleisend. Ik ben afhankelijk van mijn mobiele telefoon, van de computer, van... nou, van een heleboel dingen die ik niet meer in mijn leven wil hebben. Ik heb er de hele zomer over gedaan om daarachter te komen, maar nu weet ik het honderd procent zeker. Ik ben klaar voor verandering.'

'Maar mam, een bed & breakfast runnen is wel een heel grote verandering. Dat is net zoiets als een hotel, toch? Inclusief een restaurant. Inclusief een museum. Dan moet je met mensen werken, direct, niet via e-mail.' Emily, die zich hierheen heeft gehaast zodra ze de buren over het nieuws had horen praten bij Luna's, geeft me onder de tafel een trap.

'Het blijft een bedrijf,' zegt mam. 'En dat kan ik. Met mijn management- en marketingkwaliteiten en Rachels creativiteit en haar gave om met mensen om te gaan en met eten, moet het lukken. Ik heb de cijfers bestudeerd, Del. De toeristenindustrie staat hier op dit moment in volle bloei. Rachel en ik zijn al naar de bank geweest en naar de Kamer van Koophandel. We hebben wat geld gespaard en je oma heeft slim geïnvesteerd. Met de opbrengst van de inboedelverkoop erbij kunnen we het risico nemen.'

Ik slik een hap gebakken courgette door en kijk haar met opgetrokken wenkbrauwen aan. 'Mam, jij neemt nooit risico's, weet je nog?'

'Nou ja, dit is een goed ingeschat risico. Ik heb van verschillende scenario's een financiële begroting gemaakt, waarbij ik klimaatveranderingen heb ingecalculeerd en fluctuerende opbrengsten van de ahornsiroop, want dat is allebei direct van invloed op de toeristenindustrie in Vermont. Ik heb ook gekeken naar... Hé, niet lachen! Het blijft een risico! Er kan van alles gebeuren. Het is een avontuur.'

'Dus dan... verhuizen we naar Vermont?' vraag ik.

'Niet meteen,' zegt mam. 'Misschien ook helemaal niet. Het zal nog even duren voordat we alle vergunningen hebben en het huis aan alle regels voldoet. We moeten het een en ander verbeteren, dat laat ik graag aan Jacks deskundige handen over, en ik moet mijn overplaatsing regelen bij DKI. Rachel moet haar roosters voor de filmfestivals waar ze de catering verzorgt naast elkaar leggen voordat ze zich hier kan vastleggen. En jij moet je laatste jaar op school afmaken en besluiten wat je daarna wilt gaan doen. We bekijken het per dag, oké?'

Ik denk na over haar plan, het verbaast me niets dat ze overal rekening mee heeft gehouden.

'Bovendien,' zegt mam, 'heeft Rachel onze kaarten gelegd en volgens Staven Acht is het tijd voor nieuwe kansen. O, en ik had ook Pentakels Tien op de plek van de uiteindelijke afloop. Overvloed, familietradities, sterke familiebanden – dat zegt wel wat, volgens mij.'

'Absoluut,' zegt Rachel terwijl ze ons allemaal nog een kopje hibiscus-thee inschenkt. 'Ik vond het ook te gek dat De Keizerin vanmorgen bij ons allebei voorkwam. Dat betekent dat het de goede tijd is voor vrouwelijke creativiteit en dat risico's op het gebied van werk waarschijnlijk tot materiële welvaart zullen leiden.'

'Wauw. Ik wil dat je mijn kaarten ook leest!' zegt Patrick.

'Echt,' zegt Em, 'je zou kaartleggingen voor gasten moeten organiseren. Eh, te beginnen bij ons.'

'Dat is geen slecht idee,' zegt Rachel terwijl ze haar hand uitstrekt naar mams notitieblok op het aanrecht achter ons.

Iedereen om me heen lacht, kletst, geeft elkaar eten door, vertelt verhalen en eet. Vorken schrapen over de borden, kopjes met stukjes eruit klinken tegen elkaar, het zijn niet langer onzichtbare gasten aan een onzichtbare maaltijd aan een grote lege tafel.

'Goed,' roep ik over al dat vrolijke gekwetter heen. 'Jullie winnen. Bed & Breakfast De Drie Gezusters. Ik doe mee.' Ik schep nog een lepel mangochutney over Rachels organisch gegrilde vegetarische burger.

'Dan hoop ik alleen niet dat de gasten volgend jaar ook echt spek gaan eisen voor hun ontbijt.'

Mam lacht. 'Zoals we al zeiden, we bekijken het per dag, Del. Dat varkentje wassen we later wel.'

Na het eten pakt mam de rest van haar verplaatsbare kantoor in terwijl Rachel met Emily meeloopt naar Luna's. Iedereen heeft beloofd om ons morgen te komen uitzwaaien, maar vanavond is mijn laatste avond met Patrick voordat mijn zomer in Red Falls ten einde is.

Naast elkaar lopen we langs het meer. We kijken naar de schildpadden en de zeilboten, net zoals we de eerste dag deden, toen we elkaar onder de tribune weer waren tegengekomen. Geen van beiden willen we het naderende afscheid ter sprake brengen, vragen wanneer we elkaar weer zullen zien. Het ligt niet op onze lippen, maar ik weet dat het in ons hoofd zit. In stilte tellen we de uren en de kilometers tussen New York en Pennsylvania.

'Ik heb mijn vader over die studie verteld,' zegt Patrick. 'Hij weet dat ik het ga doen.'

'Hoe reageerde hij?'

'Niet zo extreem als ik had gedacht. Hij vond het vooral erg dat ik hem niet al veel eerder had verteld hoe ik me er echt over voelde. Hij zei dat het nooit zijn bedoeling was geweest om zijn eigen dromen aan mij op te dringen en dat hij een andere partner kan zoeken als ik niet voor Reese & Zoon wil werken. Hij leek zelfs een beetje trots dat ik ga studeren. Maar ik weet dat hij er niet echt enthousiast over is dat ik muziek als hoofdvak heb gekozen. Hij zal denk ik nooit echt gelukkig worden met de artistieke genen in onze familie.'

'Heeft hij geprobeerd om je over te halen een ander hoofdvak te kiezen?'

'Architectuur. Maar niet meer dan dertig seconden. Daarna zei hij dat hij eventueel misschien ooit wel eens naar één of twee optredens in New York zou komen kijken, als ik maar niet zou verwachten dat hij de metro zou nemen, of een taxi, of dat hij een pak aan zou trekken. Als ik überhaupt al werk zou vinden.' Patrick lacht.

Ik vind het verschrikkelijk om eraan te denken dat hij na morgen niet meer naast me zal wonen, maar me voorstellen hoe hij op het podium staat, zelfs al is het helemaal in New York, doet me glimlachen.

'Ik ben echt trots op je,' zeg ik. 'Dat je je vader de waarheid hebt verteld en dat je je hart volgt. Wil je me alleen één ding beloven?'

Hij legt zijn hand op zijn hart. 'Wat het ook is.'

'Zing dat liedje nooit voor iemand anders, Patrick. Ik bedoel, behalve als je een platencontract krijgt aangeboden of zo. Daarvoor maak ik een uitzondering.'

Patrick haakt zijn pink in de mijne. 'Als ik een platencontract krijg, laat ik je overvliegen naar de studio, zodat ik het daar voor je kan zingen. Dat beloof ik.'

Ik glimlach, trek hem dichter naar me toe.

'Wat zijn jouw plannen voor na Red Falls eigenlijk, behalve dat je me elk weekend komt opzoeken in New York?' vraagt hij.

'Plannen. Even kijken. Grote plannen. Nou, ik heb natuurlijk nog een opwindend jaar op Kennedy High voor de boeg.'

'Je eindexamenjaar,' zegt Patrick. 'De laatste loodjes.'

'Ja. Ik denk er ook over om een bijbaantje te nemen in een café of zo,' zeg ik. 'Voor een paar uur per week. Om wat werkervaring op te doen voordat ik naar de universiteit ga.'

'Dat klinkt goed. Maar als je in een café gaat werken, moet je mij ook iets beloven.'

'En dat is?'

'Dat je je niet door iemand anders laat toezingen.'

'O, geen probleem.' Ik steek mijn pink weer in de lucht. 'Dat doe ik alleen voor gratis koffie verkeerd met hazelnoot en chocola.'

Patrick knijpt in mijn hand. 'Delilah?' vraagt hij. 'Hoe zit het met... ga je je vader zoeken?'

Mijn vader. Ik draai me om en kijk hoe een klein blauw zeilbootje het meer over vaart, terwijl ik me afvraag of ik ooit antwoord zal kunnen geven op die vraag. Die avond dat ik erachter kwam? Ja. Toen wilde ik naar hem op zoek gaan. Ik was kwaad en ik had iemand nodig om tegen te schreeuwen. Als ik het geld had gehad, had ik een ticket naar L.A. gekocht om uit te vinden waar hij was, zodat ik voor hem kon gaan staan en hem precies had kunnen vertellen hoe ik erover dacht.

Nu weet ik het niet. Ik weet niet wat ik echt zou zeggen of doen of voelen, en ik wíl het ook niet weten. Ik ben er nog niet klaar voor om hem te leren kennen. Ik ben er nog niet klaar voor dat hij míj leert kennen.

Bovendien, Thomas Devlin is er ook nog. En ik ben er nog niet klaar voor om afscheid van hem te nemen.

Ik pak een steen van het pad, werp hem zijwaarts naar het meer en kijk hoe hij twee keer over het wateroppervlak springt voor hij zinkt. 'Ik heb eerlijk gezegd geen flauw idee wat ik met Casey Conroy aan moet,' zeg ik. 'Ik ben er nog niet klaar voor om daarover na te denken. Ik hou Thomas nog even. Misschien nog heel lang.'

Patrick glimlacht.

'Ik moest net denken aan zijn stuk over het stropen van olifanten in Afrika,' zeg ik. 'Hij heeft min of meer bij ze gewoond in van die wildreservaten, waar verschillende dierenbeschermingsorganisaties de olifanten probeerden te redden en de olifanten behandelden die door de stropers verwond waren. In dat artikel heeft hij het over de familiedynamiek in olifantenkuddes. Het vrouwtje aan het hoofd van de kudde ontwikkelt een soort sociaal geheugen, zodat hoe ouder ze wordt, hoe meer ze zich herinnert over de familie en de rest van de kudde: welke olifanten van andere kuddes vriendelijk zijn, waar het beste voedsel te vinden is, dat soort dingen. Maar die oude olifanten zijn vaak het grootst, met de grootste slagtanden en daar gaan stropers voor. Als die leidsters doodgaan, verdwijnen al hun herinneringen in het niets en dan raakt de rest van de kudde een beetje de weg kwijt.'

We blijven staan om te kijken naar een familie schildpadden die bij elkaar kruipt op een rots vlak bij de kant. Patrick slaat zijn armen om me heen.

'Eerst deed dat verhaal me denken aan mijn oma en hoe alles misging nadat we weg waren gegaan uit Red Falls. Maar toen besefte ik ineens iets.'

'Wat dan?' vraagt Patrick.

'Wij zijn niet helemaal zoals olifanten. Wij kunnen onze herinneringen doorgeven. We hoeven ze alleen maar aan iemand te vertellen.'

'Oké,' zegt Patrick. 'Dan heb ik er een voor jou. Mijn vroegste herinnering aan Red Falls speelt zich daar af.' Hij wijst naar de oever, een stukje voorbij de schildpadden. 'Ik moet ongeveer vier jaar zijn geweest. Ik speelde in het zand en toen zag ik ineens heel kleine zilveren visjes zwemmen in een plas naast het meer. Ze glinsterden zo mooi, net kleine lichtflitsjes in het water. Ik weet nog dat ik ze heel graag van dichtbij wilde bekijken, om te zien of ze in mijn hand ook zo zouden glinsteren. Ik probeerde ze te pakken, maar ze waren te snel. Ze zwommen steeds weg als ik in de buurt kwam. Op het strand zat een vrouw naar me te kijken en toen ze doorhad waar ik mee bezig was, kwam ze met een rode emmer naar me toe, ging naast me zitten en schepte wat water en visjes in de emmer, zodat ik ze beter kon bekijken.'

Ik leun tegen hem aan en doe mijn ogen dicht om het verhaal van kleine Ricky en zijn glimmende zilveren visjes voor me te kunnen zien. Hoe meer hij vertelt, hoe scherper het beeld wordt, totdat...

'Patrick, wacht! Die dag herinner ik me ook! Ik was erbij!'

Patrick glimlacht. 'Weet je, ik heb een keer geprobeerd er een liedje over te schrijven, over dat moment, maar de woorden glipten steeds bij me weg, net als de visjes. Ik denk dat het alleen voor ons bestemd is.'

'Kijk eens naar de vuurvisjes,' fluister ik. 'Zo noemde zij ze. Dat zei ze tegen me.' Ik weet het allemaal weer, de verhalen van vroeger varen glanzend helder mijn geheugen binnen, alsof ze er al die tijd al waren, alsof ze hadden liggen wachten tot de zon ze van de zijkant bescheen en onthulde hoe ze vlak onder het wateroppervlak als kleine zilveren visjes ronddobberden. Mijn oma wenkte dat ik net als kleine Ricky in de rode emmer moest komen kijken. Ze hield onze handen vast en glimlachte om de visjes, die glinsterden als diamantjes in het water.

'Zie je wel,' zegt Patrick. 'Je bent niets vergeten.' Hij trekt me naar zich toe voor een kus en als hij zijn armen dichter om me heen slaat weet ik dat van al mijn herinneringen aan Red Falls, dit mijn meest favoriete zal worden. Morgen gaan we weg, maar wat me ook te wachten staat als mam en ik ons leven weer op orde proberen te brengen in Key, wat ik ook besluit met mijn echte vader te doen, wat er op school ook gebeurt, hoe lang het ook duurt voor we De Drie Gezusters kunnen openen, ik zal hier altijd naar terugkeren. Als ik mijn ogen dichtdoe, zal ik de zomerse geur van kamperfoelie ruiken, de ondergaande zon op mijn gezicht voelen en Patricks lippen op de mijne. Dan ben ik weer hier, bij de schildpadden en de visjes en bij oma die onze handen vasthoudt, hier bij de kus op de mooiste en laatste avond van mijn twééde eerste zomer in Red Falls, Vermont.

'Delilah, ik weet dat we de bezoekregeling voor Holden Caulfield nog niet rond hebben, maar ik heb besloten dat jij het familieportret officieel in bewaring mag nemen.' Patrick geeft me een vel papier uit zijn zak en ik vouw de karikatuur open die hij van ons op het Sugarbush Festival heeft laten maken. Ik kijk ernaar tot onze glimlach op mijn netvlies gebrand staat en de lijntjes van de overdreven weergave van Holden Caulfields grote, beige gewei onscherp worden door mijn tranen.

'Ik mis je nu al,' zeg ik en ik leg mijn hand tegen zijn borst. 'Dank je wel hiervoor. En voor Holden. En voor het verhaal van de visjes. En voor het liedje. En voor zo ongeveer een miljoen andere...'

'Delilah,' zegt hij en hij tilt mijn kin omhoog, 'zo mis je het nog.' Hij steekt zijn hand uit naar de oogverblindende oranje met paarse lucht voor ons. En terwijl we het laatste streepje zilver van de zon in het water zien zakken, fluistert hij de woorden van die nacht aan het meer tegen mijn lippen. En ik prent ze in mijn geheugen, net als de geur van zijn huid, het honingkleurige licht in zijn ogen en de visjes die glinsteren in het water. Wat het universum ook zegt, deze keer luister ik.

En deze keer zal ik er niets van vergeten.

Woord van dank

De inspiratie voor *Delilah. Familiegedoe@home* komt voor een deel van de vrouwen in mijn familie: mijn overleden overgrootmoeder Florence; mijn overleden grootmoeders Marjorie en Elizabeth, dankzij wie ik veel herinneringen heb aan het grote gele huis op de heuvel, aan Betty's Boutique en aan de duizenden verborgen schatten tussen de oude spullen; mijn moeder Sharon, die zo lang mogelijk voor ons is thuisgebleven; mijn tantes Linda (mijn wijze, tarotkaarten lezende OMLFG), Shelly, Connie, Amie en onze engelen Marcy en Sharon, die zorgden voor eten en plezier; en mijn prachtige nichtjes Joycene, Katie, Kellie, Allie, Haley en de baby's Julianna en Kenna, die de verhalen zullen doen voortleven. Ik ben ook veel verschuldigd aan Brandi Carlile, wier muziek de muze was die de Hannaford-vrouwen tot leven wekte. 'The Story' verwoordt dit het beste.

Hoewel schrijven vaak een eenzame bezigheid is, hebben veel mensen Delilah bijgestaan op haar weg van deze inspiratiebronnen naar haar uiteindelijke plek op de boekenplank.

Mijn redactrice heeft Delilah vanaf de eerste ruwe versie gekend en hoewel haar missie om mij aan het huilen te krijgen niet is geslaagd, is haar beeld van de Hannafords dat wel. Dank je wel, Jennifer Hunt, voor je wijsheid, je vertrouwen en je gevoel voor humor. Dankzij jou en alle mensen van Little, Brown Books for Young Readers, onder wie Saho Fujii, Pamela Garfinkel, Amanda Hong, Alvina Ling, Zoe Luderitz, Ames O'Neill, Andrew Smith, Victoria Stapleton, Kate Sullivan en vele anderen, staat Delilah er in de wereld van het boek op haar best bij.

'Sarah, als er iemand is die dit kan, ben jij het,' zei Ted Malawer (zo vaak als ik het nodig had (en misschien nog iets vaker). Ted, jouw aanmoedigingen, begeleiding en vriendschap, en onze gedeelde liefde voor toetjes, zijn de gouden maatstaf waar elke literair agent naar zou moeten streven.

Bibliothecarissen, boekverkopers, docenten, bloggers en lezers, zonder jullie liefde voor youngadult-boeken zouden mijn verhalen zijn als bomen die neerploffen in een verlaten bos. Bedankt dat jullie mij hebben opgemerkt en de wereld vertellen over de boeken die jullie mooi vinden.

Zoals Patrick over echte vrienden zegt: 'Ik zou ze nog niet voor honderd anderen willen ruilen.' Amy Hains, mijn BFF, Delilah heeft jouw kracht en Emily is bezield door jouw vriendschap. Rachel Miller, Delilahs bewondering voor jouw naamgenoot in het boek komt overeen met mijn bewondering voor jou, en dat is niet bedoeld als belediging. Bedankt allebei voor het lezen van mijn werk, voor het huilen bij de juiste passages en voor jullie geloof in mij.

Mijn familie, mijn schoonfamilie en de mensen van Dunkirk, die mijn boeken kopen en voor me juichen bij optredens: jullie weten precies hoe je een meisje kunt laten schitteren.

Vanaf Delilahs eerste woorden in Fairplay, Colorado, tot haar laatste in Buffalo, New York (en de hele tandenknarsende periode daartussen), hebben veel lezers en schrijvers tijd, deskundigheid en literaire kameraadschap gestoken in mijn welbevinden. Bedankt, Danielle Benedetti, Megan Frazer, Cheryl Renee Herbsman, Jennifer Jabaley, Sarah MacLean, Jenny Moss, Jackson Pearce, Carrie Ryan, Meredith Sale, Kurtis Scaletta, Sharon Somers, Michelle Zink, Lighthouse Writers Workshop, The 2009 Debutantes, en The Tenners.

Mijn allergrootste dank gaat uit naar Alex, mijn knuffelmonster, mijn beste vriend, mijn man, mijn lief. Door jou kan ik zo gemakkelijk schrijven over hoe het is om verliefd te worden. Sommige delen van dit verhaal waren eerst alleen van jou en ik vind het geweldig dat je ze van ons hebt gemaakt. Dank je wel voor het koffiezetten en onze nachtelijke zwerftochten over de aardbol. Ik wil jou houden.

Heb je van dit boek genoten?

Lees dan ook:

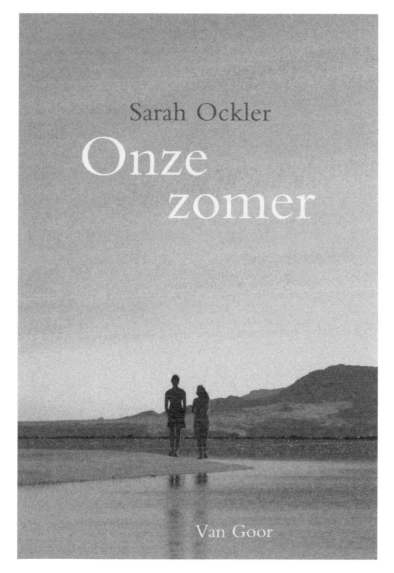

Sarah Ockler

Onze
zomer

Van Goor

ISBN 978 90 475 0879 3